M. E. SALTYKOV-SHCHEDRIN
Selected Satirical Writings

M. E. SALTYKOV-SHCHEDRIN
Selected Satirical Writings

Edited by
I. P. FOOTE

CLARENDON PRESS · OXFORD
1977

Oxford University Press, Walton Street, Oxford, oX2 6DP

OXFORD LONDON GLASGOW NEW YORK
TORONTO MELBOURNE WELLINGTON CAPE TOWN
IBADAN NAIROBI DAR ES SALAAM LUSAKA ADDIS ABABA
KUALA LUMPUR SINGAPORE JAKARTA HONG KONG TOKYO
DELHI BOMBAY CALCUTTA MADRAS KARACHI

British Library Cataloguing in Publication Data
Saltykov – Shchedrin, Mikhail Evgrafovich M.E. Saltykov-Shchedrin:
    selected satirical writings.
    Bibl.
    ISBN 0 19 815641 3
    1. Title 2. Foote, Irwin Paul.
    891.7'8'308   PG3361.S3A16
    Satire, Russian.

*Printed in Great Britain by
William Clowes & Sons, Limited, London, Beccles and Colchester*

Contents

Introduction

SALTYKOV is one of the most revered and least read of the great Russian writers of the nineteenth century. Two or three of his works are well known—*Gospoda Golovlevy* certainly, *Istoriya odnogo goroda*, and some of his *Skazki*—but these represent a small fraction of the output of an author whose collected works fill twenty volumes. The obvious reason for the neglect of Saltykov by modern readers is the fact that his work was so much bound up with the particular interests and problems of his own day. He was part writer, part journalist. His work was entirely a product of the period in which he lived. He wrote on major problems and passing incidents, and there was hardly anything that happened in Russia of political, social, economic, legal, or scandalous significance that was not echoed in his work. This has inevitably meant the dating of a large proportion of his work and consequent lack of popularity with later generations; on the other hand, this quality lends his work a unique significance as an acutely observed and closely detailed account of a quarter of a century of Russian life. Saltykov was aware of this. 'My writings are so steeped in the present time,' he wrote, 'so closely bound up with it, that if one might consider them having any value in the future, it would be solely and precisely as an illustration of this present age.'[1] Gor'ky did not exaggerate when he wrote more positively that 'it is impossible to understand the history of Russia in the second half of the nineteenth century without the aid of Shchedrin.'[2] The value of Saltykov's work as a historical source is undoubtedly great, for in it we have a detailed, practically month-by-month, commentary on the major events and moods of the vital three decades which saw the débâcle of reformist policies and the determining of Russia's course towards revolution. Yet, in claiming an exclusively historical interest for his work, Saltykov did himself less than justice, for this claim ignores his significance as the most pungent and effective satirist in Russian literature, it ignores his achievement as a comic writer, and it ignores him as one of the great masters of the Russian language.

It is ironic that it is the double interest of his work—the literary and the historical—that has led to his neglect. Too literary for the historian and too historical for the student of literature, he has been largely ignored by both. The aim of the present volume is to do something to correct this situation by making available a selection of passages representative of the chief aspects of Saltykov's satirical work, passages which offer to the

1

historian an insight into the main lines of his analysis of contemporary Russia and to the student of Russian literature an indication of the wide range of his talents and methods as a satirical writer. The hope is also not excluded that both kinds of reader may profit from the interest of the other.

The character of Saltykov's work was firmly conditioned by the background and experience of his childhood and early adult life. He was born on 15(27) January 1826 on the estate of Spas-Ugol in the *guberniya* of Tver' (modern Kalinin). His family were *pomeshchiki*, reasonably wealthy, though of no special cultural refinement—a household perhaps rather more akin to the gentry families depicted by Gogol' than those found in the works of Turgenev or Tolstoy. The dominant figure in the household was Saltykov's mother, Ol'ga Mikhailovna, a hard, grasping woman of merchant stock (*kulak-baba* was Saltykov's description of her), many of whose features were later embodied in Arina Petrovna in *Gospoda Golovlevy*. As with Turgenev, Saltykov's childhood impressions were coloured by the evidence all around of the moral and physical degradation of serfdom, affecting both masters and serfs, the oppressive atmosphere of which Saltykov vividly evoked in his semi-autobiographical *Poshekhonskaya starina*.

Saltykov's education took him first to Moscow as a pupil at the Moskovskii dvoryanskii institut (1836–8); from there, as one of the two best pupils of his year, he was sent to attend the famous *Lycée* at Tsarskoe Selo. The years spent at the *Lycée* (1838–44) and then in St. Petersburg as an official of the War Ministry, which he entered as a tenth-grade official on leaving school, were the second formative period in Saltykov's life. The capital in the 1840s offered much in the way of intellectual stimulus to the young, educated, and socially conscious Saltykov. He attended gatherings at the house of M. A. Yazykov where Belinsky was a regular visitor, and kept up the literary interests he had developed at the *Lycée*: while still a *lycéiste* he saw his first work (a poem) appear in print, and later he wrote reviews for two of the leading journals, *Otechestvennye zapiski* and *Sovremennik*; more important, he moved in the politically orientated circles of Petrashevsky (a *Lycée* acquaintance five years Saltykov's senior) and of Valerian Maikov. The dominant interest of these groups were the French utopian socialists, especially Fourier and St. Simon, and it was to France in general that Saltykov and his associates looked as the beacon of freedom and justice, as he was to recall thirty years later in *Za rubezhom*.[3] The influence of this political idealism—as well as some critical reflections on the contradictions of the *kruzhkovaya zhizn'*—are marked in Saltykov's first published stories: 'Protivorechiya' (*Ot. zap.* 1847, xi) and 'Zaputannoe delo' (*Ot. zap.* 1848, iii).

2

The latter story had far-reaching consequences for Saltykov. Published as it was in the month following the February Revolution in Paris, at a time when the Russian authorities were actively insuring against the spread of upheaval to Russia, 'Zaputannoe delo' with its theme of social injustice was condemned as inflammatory. In April 1848 Saltykov was dispatched into administrative exile in Vyatka, where he remained until the accession of Alexander II seven years later. These years of exile were the third stage of his development. His years as an official in St. Petersburg had brought him into contact with ideas and developed his intellectual outlook; the seven years he spent working in the provincial administration of Vyatka gave him a practical education of still greater value. The first-hand experience which Saltykov gained in Vyatka laid the foundation for the profound understanding of Russian society and its problems which he displayed in his subsequent work.

At the beginning of 1856 Saltykov was once more in St. Petersburg, attached to the Ministry of the Interior. In August of the same year he published in *Russkii vestnik* the first of the satirical sketches (based on his Vyatka experiences) of *Gubernskie ocherki*. This work, in which he first used the pen-name 'N. Shchedrin', was completed in 1857 and at once established his reputation as a satirical writer. It was a work precisely suited to the mood of the time. The reign of Alexander II had opened in an atmosphere of excited expectation at the prospect of reform. Denunciatory literature (*oblichitel'naya literatura*) with its attacks on official mismanagement and abuse was very much the fashion and it was not surprising that Saltykov's sharply accurate and amusing sketches should make an impression.

For some time, though, literature remained a secondary occupation for Saltykov. He was still in government service and his competence and skill as an administrator brought him advancement to senior posts—the vice-governorships of Ryazan' (1858–60) and Tver' (1860–2); he was closely involved in the preparation of local plans for the emancipation of the serfs in Ryazan' and Tver' provinces and his tenure as vice-governor added much to his already large knowledge of official life and the actual problems of Russian society. He also established a reputation for his fierceness in dealing with injustice and abuse and earned himself the local nickname of 'vice-Robespierre'. In 1862 he resigned in order to devote himself to literature. His first intention had been to start a journal of his own (to be called *Russkaya pravda*), but having failed to obtain official permission for this, he joined the editorial staff of the radical *Sovremennik*, the journal of Nekrasov, Chernyshevky, and (until his death in 1861) Dobrolyubov, to which Saltykov had already made some contributions. This was the beginning of a long collaboration with Nekrasov which ended only with Nekrasov's death in 1877. For two years Saltykov was chief literary critic of *Sovremennik*, as well as being responsible for the review of current affairs ('Nasha obshchestvennaya zhizn'') which had previously been Chernyshevsky's concern. He was a central figure in the fierce polemical battles carried on by *Sovremennik* with Pisarev's more extreme *Russkoe slovo* on the one hand and Dostoevsky's right-wing *Epokha* on the other. At the same time he continued his satirical writing, opening his critical assessment of the new times with *Satiry v proze* (1857–63) and *Pompadury i pompadurshi* (1863–74), in which he revealed the ineffectuality of the reforms and the bogus liberal spirit affected by those concerned with their execution.

At the end of 1864, apparently for financial reasons, Saltykov left *Sovremennik* to return to the civil service, and for four years he occupied the important office of *upravlyayushchii kazennoi palatoi* (director of the taxation and financial administration) in the *gubernii* of Penza (1865–6), Tula (1866–7), and Ryazan' (1867–8). These last years of his career were full of conflicts and disagreements with his superiors (hence the rapid change of posts), conflicts which Saltykov's forthright and uncompromising nature helped little to resolve. When finally he retired from the service in 1868 it was at official request. By now he was a *deistvitel'nyi statskii sovetnik* (the fourth grade in the Table of Ranks), a civilian 'general'—by rank, at least, well placed in the establishment which he so vigorously attacked in his writings.

Sovremennik now no longer existed: it had been suppressed by the authorities in 1866 as part of the official reaction to Karakozov's attempt on the life of Alexander II. Nekrasov had, however, concluded a contract with the publisher Kraevsky by which he took over the editorship of *Otechestvennye zapiski*, and in this journal he set out to continue as far as possible the character and tendency of the suppressed *Sovremennik*. In September 1868 Saltykov became a joint-editor (with Nekrasov and G. Z. Eliseev) of the journal. Until its suppression in 1884, *Otechestvennye zapiski* was the chief radical journal then published in Russia—the 'disinfectant of Russian life', as Saltykov later called it—and enjoyed wide popularity and success (at one time its circulation reached 10,000 copies, which was a very high figure for the times).[4]

The sixteen years spent with *Otechestvennye zapiski* were the period of Saltykov's fulfilment as a writer and journalist. Initially his editorial role was to supervise the belles-lettres section (Nekrasov was responsible for the general running of the journal and for verse contributions, Eliseev managed the publicistic section); later, after the death of Nekrasov in 1877, Saltykov took over the chief editorship. He was also a major regular contributor, his contributions including criticism, comment on current affairs, and, chiefly, the satirical essays and sketches on the contemporary situation for which he is famed. All but a handful of the 292 items in the list of Saltykov's writings for 1868–84[5] appeared in the journal. As an editor, Saltykov showed the same qualities which had led to his success in the civil service—energy, efficiency, and scrupulous professional standards: qualities which gained him the affection and loyalty of his colleagues and subordinates, despite the fierceness of his manner and the irascibility of his temper.[6] His dedication to *Otechest-vennye zapiski* was complete. His private life was inconspicuous: he did not move much in society, nor did he associate out of hours with his journalistic colleagues. He had a small number of friends—neither radicals nor literary men—with whom he dined and played cards. He had married Elizaveta Boltina, the daughter of a former vice-governor of Vyatka, in 1856, but her fashionable interests had little in common with his own, and his domestic life (to judge particularly from his correspondence) was an increasing strain on him in his later years. His work in *Otechestvennye zapiski* was, therefore, effectively his life. Korolenko recalled in a memoir of Saltykov: 'Apart from writing, everyone has also his personal life of which we know something, more or less. All we know of Shchedrin's life in recent years is that he has been writing. And in fact there was scarcely anything else to know—he *lived* in *Otechestvennye zapiski*.'[7]

In the period of his collaboration in *Otechestvennye zapiski* Saltykov reached the peak of his powers as a satirist and his steady output of essays and sketches led to the completion of a large number of major 'cycles', which after publication in the journal appeared in separate editions: *Priznaki vremeni* (1863 (in *Sovremennik*)–71), *Pis'ma o provintsii* (1868–70), *Pompadury i pompadurshi* (1863 (in *Sovremennik*)–74), *Istoriya odnogo goroda* (1869–70), *Gospoda tashkenttsy* (1869–72), *Itogi* (1871), *Dnevnik provintsiala v Peterburge* (1872), *Blagonamerennye rechi* (1872–6), *V srede umerennosti i akkuratnosti* (1874–80), *Gospoda Golovlevy* (1875–80), *Sovremennaya idilliya* (1877–83), *Ubezhishche Monrepo* (1878–9), *Kruglyi god* (1879), *Za rubezhom* (1880–1), *Pis'ma k teten'ke* (1881–2), *Poshekhonskie rasskazy* (1883–4), *Skazki* (begun 1869, completed after 1884). These works varied in form—mostly they were collections of essays, stories, and sketches, connected more or less around some central theme; others were more tightly knit constructions—the mock-chronicle *Istoriya odnogo goroda*, the novels—as Saltykov certainly considered them to be—*Gospoda Golovlevy* (developed from sketches first written for *Blagonamerennye rechi*), *Dnevnik provintsiala v Peterburge*, *Ubezhishche Monrepo*, and *Sovremennaya idilliya*. The theme of these works is, largely, the whole social, economic, and political situation of post-reform Russia. In them Saltykov reveals the contradictions of reforms carried out by a basically anti-reformist administration; he gives a broad picture of the social and economic effects of the Emancipation on the countryside, describes the ruin of the *pomeshchiki*, the rise of the capitalist, and the continuing misery of the peasant; he gives a detailed commentary on the political situation of the 1870s, condemning the forces of reaction and, even more scathingly, the pusillanimous abandonment of their ideals by the liberals. From the mid 1870s there is a markedly more severe tone about Saltykov's satire. His earlier satires are no less powerful, no less serious in purpose, but they are lightened by the brilliance of his humour and fantasy. These elements are not absent from his later work, but they are muted. The times were grimmer, and, no doubt, some explanation of the more serious tone of Saltykov's later work is to be found in the persistent ill health which troubled him from the mid 1870s and in the difficulties and frustrations of his life, both personal and professional.

By the time that Saltykov became chief editor of *Otechestvennye zapiski* the difficulties of editing a radical journal—or indeed any journal not abjectly loyalist in tone—had become severe, and they grew worse as the government took tougher measures in response to the terrorist activity of the *narodovol'tsy* in the late 1870s. The system of punitive rather than preliminary censorship introduced in 1865 (which meant the operation of the censors taking place only after a book or periodical was in print) involved painful difficulties for editors, who had first to anticipate and obviate censorial objections and then, if their precautions proved inadequate, still face the prospect of punitive action. The 1865 censorship reform had instituted a system of 'warnings': a journal which received three warnings was subject to automatic suspension. As a writer, Saltykov had long had to grapple with such problems (the history of his struggles with the censors has been recorded in V. E. Evgen'ev-Maksimov, *V tiskakh reaktsii* (M.-L., 1926)); the responsibility for the whole journal's acceptability to the censors month by month was an added burden, especially since it involved some direct diplomacy and dealing with the censors, an activity which had suited Nekrasov's talents and devious nature better than it suited Saltykov. In the 1880s the editorial burden on Saltykov was increased by the incapacity through illness of Eliseev, and the banishment from St. Petersburg (January 1882) of the other co-editor N. K. Mikhailovsky. In January 1884 another leading member of the journal's staff, S. N. Krivenko, was arrested, and Saltykov himself had fears of being arrested, although these proved to be unfounded. In addition to these troubles, the mood of the times and rumours of the journal's impending closure led to a drop in circulation. In April 1884 the axe fell on *Otechestvennye zapiski*. The journal received its third warning (the previous two had been issued in February 1879 and January 1883) and publication ceased.

The closing of *Otechestvennye zapiski* was a grave blow to Saltykov.

It had been his major preoccupation in life since 1868 and, more than that, it had come to represent a necessary outlet for his personality: he spoke with rare warmth of the bond which he sensed between himself and his readers and in a letter of the time he described the closing of the journal which deprived him of this link as having 'sealed his soul' ('душу запечатали').[8] Saltykov was not, of course, debarred from writing, and writing was anyway a necessity as a means of providing him with an income. Despite his reluctance to print his works in journals with which he felt little sympathy, from 1884 to 1889 he contributed to the liberal *Vestnik Evropy* and *Russkie vedomosti*. In these appeared his later *Skazki*, *Pestrye pis'ma* (1884–6), *Melochi zhizni* (1886–7), and the semi-autobiographical chronicle *Poshekhonskaya starina* (1887–9), works which, though powerfully written, lack much of the pungent actuality of his contributions to *Otechestvennye zapiski*. Saltykov's last years were spent in cheerless circumstances of ill health, family difficulties, and, above all, a painful sense of estrangement from the public and the main currents of literary life. He died on 28 April (10 May) 1889.

If it is true, as Gor'ky said, that a knowledge of Saltykov's works is a prerequisite for a full understanding of Russian history in the second half of the nineteenth century, then the converse is no less true—that to understand Saltykov demands a knowledge of the history of his period and the close knowledge of an expert if one is to understand him fully. Saltykov was himself aware of the local interest of his work and once remarked that he was doomed to be read by future generations, if at all, with a commentary. In the notes to the extracts from his works printed in this selection an attempt is made to clarify historical points relevant to the particular issues on which he writes. It may, however, be useful to provide here a short summary of the main events which determined the character of Saltykov's period and, in turn, the character of his work.

Effectively, this period was the reign of Alexander II: Saltykov's first satirical work, *Gubernskie ocherki*, began appearing in the year after Alexander's accession, and although he lived and wrote for eight years after the Tsar's death in 1881, in this last period there are no new major themes in his work, as indeed there were no significant changes in the general tenor of Russian life during the 1880s.

Alexander II's reign was one of tragic contradictions, a period of advance and retreat, of reform and reaction, which left Russia at his death in a situation of political conflict that was to continue until the Revolution of 1917. The reign began hopefully. In 1856, the year after his accession, Alexander declared his intention of bringing about the end of serfdom. The Emancipation duly took place in 1861 and was followed by other reforms—the institution of elective local-government organs (*zemstva*) (1864), reform of the law courts with the introduction of public proceedings and trial by jury (1864), improvements in education (1864), revision of the censorship regulations (1865), and reform of the army recruiting system (1874). The motive power for these reforms came from the Tsar and a number of able and liberal-minded ministers and officials, the so-called 'enlightened bureaucrats', such as S. S. Lanskoy (Minister of the Interior, 1855–61), A. V. Golovnin (Minister of Education, 1861–6), D. A. Milyutin (Minister of War, 1861–81).

From the outset, however, there were inherent contradictions in the reform movement. The Emancipation gave the serfs—though not at once—the legal status of free men, but it failed to improve their economic position; the administrative and legal reforms, significant though they were, detracted little in fact from the power of the autocracy and the central agencies of government. Of the political factions in Russia, only the liberals responded to the reforms with enthusiasm. Conservatives and radicals regarded them as too much or too little. Particularly important for the development of Russian political movements was the split between liberal and radical opinion which manifested itself once the reform movement got under way. The major reform, the Emancipation, had in prospect provided these factions with common ground, but, once achieved, it proved a divisive force. Subsequent events were to deepen this division, with the liberals retreating more and more into practical conformity with the official and conservative line when faced with the extremity and violence of the revolutionary campaigns of propaganda and terror aimed at the overthrow of the established order.

The course during Alexander's reign from reform to counter-reform began as early as 1861 when there was stern government reaction to peasant risings and radical agitation in the months after the publication of the Emancipation edict. The growing public mood of anti-liberalism was given a boost and injected with chauvinistic overtones by the Polish rising of 1863. For the government the process of back-pedalling began in earnest in 1866 after Karakozov's attempt to assassinate the Tsar. Liberal ministers and officials were replaced by noted reactionaries such as Dmitry Tolstoy (Minister of Education, 1866–80), K. I. Pahlen (Minister of Justice, 1867–78), and P. A. Shuvalov (Head of the Third Section, 1866–74). Special powers were accorded to provincial governors, restrictions were imposed on the activities of the *zemstva*, control of the press was tightened, the jurisdiction of courts limited, and there was a major revision of educational policy aimed at the curtailment of suspect scientific studies in favour of the classics. During the 1870s the situation got worse, with the increase of revolutionary propaganda and the turning to 'direct action' by the revolutionaries—first, the pacific and ineffectual *narodnik* 'going to the people' in 1873–4, then the creation of conspiratorial organizations dedicated to the overthrow of the government by any means, including assassination. Leading officials were murdered, and numerous attempts were made on the life of the Tsar before his eventual assassination in March 1881. Faced with this crisis, the authorities reacted—but for the brief period of Loris-Melikov's so-called 'dictatorship of the heart'[9]—with restrictions, arrests, and executions. The effect of all this on public and social life was the creation of a general mood of depression, uncertainty and tension. On their guard against any kind of dissidence, the authorities came to see the public (and the public, in turn, to see itself) in straightforward terms of loyalty or disloyalty to the established order—*blagonamerennost'* or *neblagonamerennost'*. There was a nervous retreat from progressive ideas; the times were accepted as an interim period when doing nothing was the safest course; publicly it was an 'epoch of minor deeds' (*epokha malykh del*) when no great measures could be expected, only at most mild palliatives. The mood of this time is nowhere better reflected than in Saltykov's writings of the late 1870s and early 1880s. The death of Alexander II resolved nothing in the basic situation. Its immediate effect was to ensure the temporary triumph of reaction, but it was only the end of a chapter in a continuing history.

The paradoxes of the period—reforms which did not reform, freed serfs continuing in bondage, conservatives masquerading as liberals, liberal ideals ignobly betrayed by those who proclaimed them—made it a rich one for a satirist, and Saltykov's talent was ideally suited to expose and exploit the ironies of the situation. In another sense too the period can be said to have suited Saltykov: for all that has been written in denunciation of tsarist censorship, the period in question was—if judged by Russian standards—one of relatively unsevere censorship. Censorship was indeed a persistent harassment and impediment to writers such as Saltykov, and it claimed many victims in banned articles and suspended periodicals, but the censor did in general act according to certain prescribed rules, and the fact stands that an oppositionist writer such as Saltykov could publish, as he did, within the law, what amounted to a wholesale condemnation of the political and social system of his country. To do so involved him in many painful difficulties, but there are few other twenty-five-year periods in modern Russian history when this would have been possible.

The outstanding features of Saltykov's satire are the range and depth of its attack on Russian life. No other writer devoted himself so entirely to satirical writing or penetrated so deeply into the underlying causes of the Russian situation. Saltykov was not concerned with universal faults or the trivial social follies and vices depicted by the older school of Russian satirists; his concern was for those political and social forces in Russian life which, as he put it, 'made existence not altogether comfortable'. He was concerned with fundamental characteristics, not their chance manifestations and so, although it is possible to see in some of his characters aspects or even occasionally portraits of real people, these are incidental to his main purpose of revealing the basic evils of the situation he described—for, as Saltykov himself said, 'the bog breeds the demons, it's not they who create the bog' ('болото родит чертей, а не черти созидают болото').[10] Saltykov was not an easy or comfortable man. He cared too much about life and his critical faculty was too active for him to tolerate the evil and mediocrity which he saw infecting Russian life. He was an unindulgent critic, and what made him such an impressive satirist was the consistency and forthrightness of his attack and the real indignation he felt at the degradation of life in Russia by the various tyrants, parasites, hypocrites, and fools whom he depicts in his sketches. It is precisely this *saeva indignatio* which sets him apart from and above Gogol' in the history of Russian satire.

In his examination of Russia Saltykov concentrated on three main topics: (i) the Russian state machine and its relationship to the people; (ii) the social and economic consequences of the reforms; and (iii) the Russian political mentality, particularly in its response to the events of Saltykov's own time.

Saltykov opened his attack on the Russian state system in *Gubernskie ocherki* and maintained it throughout his career, although his assessment of it was essentially complete by the end of the 1860s with the publication of *Istoriya odnogo goroda* (1869–70). To some extent his initial attack followed the tradition of eighteenth- and earlier nineteenth-century satirists who mocked the tyranny, stupidity, and corruption of officials— the first sketches of *Gubernskie ocherki* are amusing anecdotes of this kind, but already in this cycle Saltykov revealed the fundamental nature of his approach and of his criticism. In two sketches in the section headed 'Yurodivye' ('Nadorvannye' and 'Ozorniki') he exposed the bureaucracy as a state within the state, having no regard for national or public interest, and dedicated solely to the maintenance of its own power. In Filoveritov (in 'Nadorvannye', see **4**) he presented a frightening picture of the executive official whose only loyalty is towards his superiors, whose commands he will fulfil regardless of sense or justice; and in the frivolous bon viveur Feden'ka Krotikov (in 'Ozorniki') he depicted a senior official who totally lacks any practical understanding of his country's problems or needs and is simply bent on the enjoyment of what he can make out of it. In these portraits Saltykov indicated the gulf existing between administration and population; the administration he saw as a futile irrational force possessed of absolute power, the population as the victims of this alien force. This theme was developed by Saltykov more fully and in starker terms in subsequent works, particularly in *Pompadury i pompadurshi* and *Istoriya odnogo goroda*. In *Pompadury i pompadurshi* he described the apparent changes taking place in the administration during the reform period: the old, corrupt, incompetent governors are being replaced by new men who declare high administrative principles—but whose administrative philosophy in the event is still summed up by the symbolic word 'фюить' (indicating summary exile or, generally, violent repressive action). Here Saltykov was pointing out that despite the reforms the absolute authority of the state remained intact and the subject continued to be its ever-ready victim. In other sketches of the same cycle he put forward the idea of the state machine as a purely negative phenomenon in ordinary life—'government' for the common people has no significance except as a source of punishment and imposition and they can enjoy happiness and prosperity only when those appointed to govern are inactive. These themes were developed further in *Istoriya odnogo goroda*, which contains the fullest expression of Saltykov's view of the Russian state system. In this work Saltykov describes the lunatic tyranny of a succession of governors of the town of Glupov (read 'Russia') whose every action is directed *against* the interests of the miserable citizens. Though over the years different governors declare different policies, it is shown that nothing basic ever changes: as the Preface to the work states, in one thing all the governors were united—flogging the inhabitants. For Saltykov this was the basic fact of Russian history, past and present, pre-reform and post-reform—the domination of the ruled by the irrational and unjust power of the rulers. Though in the 1870s and 1880s the theme of state power found expression in many further works—for instance, in *Gospoda tashkenttsy*, *Ubezhishche Monrepo*, *Sovremennaya idilliya*, and *Skazki*—the basic analysis provided by the works culminating in *Istoriya odnogo goroda* was not superseded.

By far the greatest part of Saltykov's writing from the late 1850s was devoted to a survey of contemporary events and commentary on the social, economic, and moral effects of the Emancipation and other consequent changes in Russian life. The chief immediate effect of the Emancipation was, in Saltykov's view, disruption. The old social order was destroyed, but no new or better order was created. It was only gradually that out of this period of chaos and uncertainty the new dispositions of society emerged. The clearest effect of the Emancipation was the accelerated decline of the *pomeshchik* class, and the fate of the landed gentry is a central theme in Saltykov's assessment of post-reform Russia. The gentry were already a declining class before the liberation of the serfs. Saltykov's own experience of *pomeshchik* life as a child and as a provincial official provided him with plenty of evidence of the gentry's lack of vitality and of the demoralizing and corrupting influence which the serf system had had on them; this we find depicted in his major works on pre-reform *pomeshchik* life, *Gospoda Golovlevy* and *Poshekhonskaya starina*. His examination of the gentry in the reform and post-reform period traces their course from apprehension and incredulity at the prospect of Emancipation to their subsequent ruin brought on by their practical inability to cope in the new conditions. Economic ruin and the lack of a defined role in society caused them to retreat from life, and in the twilight figure of the *kul'turnyi chelovek* in *Ubezhishche Monrepo* and other works of the 1870s—the ruined *pomeshchik*, cultivated, ineffectual, and superfluous, living out his days on the decaying remnant of his estate— Saltykov provided a symbol of the times. Some *pomeshchiki* survived by joining the rush of post-reform speculators in commerce, banking, and railway construction, and these came under fire from Saltykov (notably in *Dnevnik provintsiala v Peterburge*) for manifesting the new rapacious spirit (*khishchnichestvo*) of the age. No more indulgent was he to those who in different ways had exploited the reforms of the 1860s to their own benefit—the lawyers and *zemstvo* officials who had won themselves comfortable incomes for the performance of functions which Saltykov considered trivial, if not disreputable.

Just as important as the *pomeshchik* in Saltykov's picture of post-reform Russia was the new element that came to fill the void left by the gentry—the *chumazyi*, the home-bred capitalist of lowly origin, the enterprising small merchant, the tavern-keeper, and the *kulak*, who had the skill and energy to exploit the possibilities for quick wealth and power offered by the post-reform situation—cheap land to be bought from run-down *pomeshchiki*, increased commercial activity that came with the railway boom, and the profitable liquor trade opened up by the abolition of the old *otkup* system. These were instinctive predators, brash, ruthless, energetic, and ready to prey on peasant and *pomeshchik* alike. These were also the new pillars of society, favoured by the authorities for their *blagonamerennost'* and for their proclaimed support for the ideals of the age, 'property, family, and state', the true character of which was exposed by Saltykov in a number of classic studies of the *chumazyi* type— Derunov (*Blagonamerennye rechi*), Kolupaev and Razuvaev (*Ubezhishche Monrepo*).

Saltykov's basic complaint about post-reform society was that, although the legal form of serfdom had been abolished, the mentality and attitudes which it engendered persisted and still characterized the life of the country. If anything, matters were actually worse, since the relatively cultivated order of the landed gentry was now replaced by the jungle law of the predators (*khishchniki*), the Derunovs, Razuvaevs, etc. The effects of this were bitterly evident in the continuing plight of the peasant who, despite his 'freedom', was still enslaved—to the land, to the commune, to the tavern, and to his own ignorance. The peasant occupies a major place in Saltykov's writing, particularly from the second half of the 1860s. This was, of course, the time when *narodnik* investigations of peasant life gave rise to a mass of essays, sketches, and tales on the subject of the peasant. Saltykov had none of the *narodnik* illusions about the ideal nature of the peasantry and its institutions and was critical of their ignorance, their conservatism, and their passivity. On the other hand, he was fully aware of the historical reasons for the peasants' state and regarded them as victims, worthy of pity and respect—never does he write scornfully or ironically of the peasant. In his presentation of the peasants' situation he concentrated on two aspects: first, the poverty and hardship which they suffered as a result of their hopeless economic state, and secondly, the paradox of the social order by which the peasant labours to provide wealth which others then enjoy (the case of the peasant is admirably summed up in the two prose fables 'Povest' o tom, kak odin muzhik dvukh generalov prokormil' and 'Konyaga').

The root cause of Russia's backwardness in terms of institutions and social and economic development was, in Saltykov's view, the lack in the Russian people of any real political sense. The mass of the population—the peasants—were completely lacking in political awareness and viewed the authority of the state with fatalistic awe as an extraneous incomprehensible force. The *glupovtsy* in *Istoriya odnogo goroda* (who represent the Russian people as a whole rather than any particular section of it) accept and even welcome the governors who torment them, and the work is no less critical of them than it is of the governors themselves. As far as the future was concerned, Saltykov considered the political immaturity of the Russian people crucial: only when they had advanced to a state of political consciousness could there be any hope of achieving a just and rational social order and Saltykov reckoned the major task of his time was to work towards this enlightenment. Such was the essential purpose underlying his satire.

This was Saltykov's view of the political mentality of the Russian people as a whole. Among the educated there was, of course, an increasing degree of political awareness. The period in which Saltykov wrote was one of intense political commitment: it was a time when the bases of the Russian state were called into question and when the opinions of conservatives, liberals, and radicals hardened in the situation created by the reform movement. Saltykov devoted a large part of his work to what he considered the politically negative forces of the country: the conservatives and liberals. Conservatism stood for the established order and opposition to it was natural. Particular manifestations of reaction evoked savage response from Saltykov—for example, the scene 'Torzhestvuyushchaya svin'ya' written on the surge of reaction after the assassination of Alexander II—and he consistently derided the conservative press and the arch-enemy, M. N. Katkov, editor of *Moskovskie vedomosti*, but conservative ideology as such received little attention: for Saltykov it was expressed in the existing social order and institutions of state, and the rejection of these was implied in all he wrote. It was liberalism which came in for more particular attack and which was the object of some of Saltykov's most scathing criticism. In the reform period he exposed the pseudo-liberalism affected by those who found it expedient for that particular time (*Satiry v proze, Pompadury i pompadurshi*), but the attack on this passing phenomenon was mild in comparison with his subsequent denunciation of the liberals proper on account of their timid gradualist policies and their readiness, as the political struggle intensified, to compromise and conform to official dictates. This was for Saltykov a despicable retreat from the high principles of freedom, justice, and equality proclaimed by the liberals. Throughout the period following the reforms until the closing of *Otechestvennye zapiski* the attack on the liberals was maintained. The liberal appears in his satires in various forms: as the *penkosnimatel'* (in *Dnevnik provintsiala v Peterburge*)—the 'cream-skimmer', superficially well-meaning, but effectively a parasite and prop to the new capitalist predators of society; as the *kul'turnyi chelovek*, the ageing 'man of the forties' who feebly cherishes ideals which he lacks the courage or strength to pursue; as the unworldly idealist who refuses to see the true violent nature of life (in the fable 'Karas' idealist'); as the recusant adventurers in *Sovremennaya idilliya* who publicly abandon their principles in order to win recognition as *blagonamerennye*; and, most damning of all, as the conforming hero of the bitter fable 'Liberal'.

Apart from his attacks on political opponents, Saltykov's works contain a valuable insight into the general political mood of the times, particularly in the critical situation of the late 1870s and early 1880s. He was much concerned for the ordinary public—the *srednii* or *stadnyi chelovek*, whose understandable reaction in such a period was to retreat from positive involvement in life into the shelter of routine occupations and domesticity. Saltykov's attitude to this reaction was understanding—that it is too much to expect heroism from the ordinary man he agreed, but none the less he urged his contemporaries not to pursue self-preservation as the only end in life, but to face up to its problems, for ultimately life would be shaped according to the wishes of the majority of ordinary people. This plea against escapism is nowhere better expressed than in the fable 'Premudryi piskar''.

In Saltykov's satires and commentaries on the contemporary situation it is easier to see what he is against than what he is for. As is generally the case with satirists' work, the positive ideal can only be deduced as the opposite of the negative situation portrayed. Saltykov leaves one in no doubt that he favoured a radical change in the social and political structure of Russia, a change which would destroy the rule of 'arbitrariness, hypocrisy, lying, rapacity, treachery, and vacuity' which he spent his life denouncing. At the same time he attached himself to no particular party; of the schemes for the future ordering of society none, in his view, could claim priority, and indeed he was unsympathetic to detailed schemes of social organization, but he approved in principle any which gave hope of establishing a just and rational social order. Thus, though not an extremist, he was prepared to defend the revolutionary youth and the 'new man' on the grounds that they represented a principled and positive force in the Russian situation. He believed in the future and was convinced that the human side of man would ultimately prevail in the establishment of a just society. The obstacles to be overcome in achieving this goal were those features of Russian life which he attacked so vigorously throughout his career: the tyranny and selfishness of those who enjoyed political and economic power, the ignorance of the masses, and the spineless political indifferentism of the majority of the educated classes.

Saltykov's writing took two basic forms: the analytical essay and the narrative sketch. Each form had its own style—the essay deliberate, turgid, often elusive, the sketch lively, pointed, with dialogue as the predominant element (the sketch may appear simply as a dramatic piece, as 'Mal'chik v shtanakh . . .' and 'Torzhestvuyushchaya svin'ya' in *Za rubezhom*). In most of his cycles both forms of composition are found. A cycle may open with an essay broaching the general theme to be explored and then follow this with illustrative sketches (which may be part sketch, part essay). Some works are more or less entirely composed in the essay form—for example, the letter cycles *Pis'ma o provintsii* and *Pis'ma k teten'ke* and the diary cycle *Kruglyi god*; others are extended narratives with relatively little of the ruminative element—for instance, *Gospoda Golovlevy*, *Dnevnik provintsiala v Peterburge*, and *Sovremennaya idilliya*.

Much of Saltykov's satire is presented in the form of first-person narrative. In *Gubernskie ocherki* he created the connecting figure of 'N. Shchedrin' and a large proportion of his later work he published under this name. In the later cycles 'Shchedrin' as a participant in the events described becomes a curiously complex figure, in some features identifiable with Saltykov himself, but in others presented satirically. In his skilful handling of the narrator figure Saltykov showed a detailed and subtle understanding of the psychology of different classes and social groups, as is evidenced by the part-satiric, part-sympathetic portrayal of the *kul'turnyi chelovek* in *Ubezhishche Monrepo* and other cycles and by the more openly negative self-revelations of other figures (the narrators in *Pompadury i pompadurshi* and *Sovremennaya idilliya*, Filoveritov in *Gubernskie ocherki*, etc.).

The 'essay' or 'sketch' treatment of a subject was largely conditioned by the fact that Saltykov wrote chiefly 'by instalments' for a monthly journal and each month produced a piece more or less complete in itself and of a certain length. It was, no doubt, partly due to his experience of writing in this way that he developed what is perhaps his chief quality as a commentator on his age—his ability to detect the essence of a situation and present it pin-pointed in a single episode or character. The best examples of his talent for condensing major problems of social history into significant small episodes are provided by the *Skazki*. In these he gave compact statements of social problems and attitudes, the presentation of which in a more conventional treatment might have filled a whole volume—for instance 'Konyaga' in a few pages presents the impossible plight of the peasant and provides as well a miniature survey of the whole problem of the relationship of the peasant to the educated classes; no less succinctly, 'Liberal' exposes and condemns the compromising nature of Russian liberalism. Such conciseness is found not only in Saltykov's fables; many of his ordinary sketches contain astonishingly brief, yet comprehensive accounts of complex subjects (see, for example, the chapter on the *zemstvo* in *Melochi zhizni* (26), or the characterization of the *chumazyi* in 'Predosterezhenie' (19)).

The essential characteristics of Russian political, social, and economic life of Saltykov's time are presented by him chiefly through the scores of individual characters who figure in his sketches: officials (Udar-Erygin, Feier, Krotikov, Kozelkov), landowners (Drakin, Utrobin, Lobkov, Progorelov), rural capitalists (Razuvaev, Polushkin, Derunov, Kolupaev), journalists (Prelestnov, Ochishchenny), lawyers (Balalaikin, Khlestakov), and many others. Following the long tradition of satire, the dominant feature of these characters is often directly or indirectly indicated by their name—Drakin (a violent landowner < драка 'fight'), Progorelov (a ruined *pomeshchik* < прогореть 'to go bust'), Razuvaev (a *chumazyi* < разувай 'a low tavern'). Many of these figures recur in different sketches (and in different cycles) as the established representatives of a particular aspect of life, and their importance is precisely as representative figures. Besides such named characters, Saltykov also created a whole gallery of 'group' figures who embody entire classes or social types. They may be named plurally, such as the 'Sidorychi' (old-style landowners), 'Ivan-ushki' (peasants), 'Molchaliny' (various subservient types explored in

V srede umerennosti i akkuratnosti), or they may be anonymous, designated only by type labels, such as *kul'turnyi chelovek, tashkentets, penkosnimatel', pestryi chelovek*, etc. Places too may occur as generalizing symbols—real places, such as Poshekhon'e (symbolic of backward rural Russia) and Tashkent (official tyranny), or invented places bearing characteristic names, such as the towns of Glupov and Umnov, the estates of Obiralovo, Progorelovo. The same succinct labelling device can be found in Saltykov's use of phrases which indicate the essence of policies and attitudes—for example, 'согнуть в бараний рог', 'политика ежовых рукавиц', and 'фюить', all of which denote official tyranny, the liberals' gradualist slogan 'полегоньку да потихоньку', the quietists' justification for inaction 'уши выше лба не растут', etc.

These characterizing labels and slogans play their part in the elaborate system of allusions and conventions built up over the years by Saltykov to act as a kind of code between himself and his readers. This is his celebrated 'aesopic' manner. An 'aesopism' in this context means simply a locution or phrase which, while avoiding calling a spade a spade, still makes it clear enough to the reader that a spade is being referred to. Saltykov's use of aesopisms was in the first place dictated by the need to avoid objections from the censors. It was not that he deceived them by his circumlocutions—after all, the censors were for the most part intelligent men and hardly less receptive to the implications of Saltykov's satires than the readers of *Otechestvennye zapiski*, but by using technically inoffensive terms he made it difficult for them to support a definite case for deletion. Besides fulfilling this purpose, however, aesopisms were for Saltykov (eventually, if not initially) a major artistic device, for by the ironic overtone contained in them they might not only name an unmentionable topic, but also convey the author's view of it. To use the word помпадур for губернатор (provincial governor) in *Pompadury i pompadurshi* played safe with the censors (if only just), while at the same time underlining the corruption and incompetence which, in Saltykov's view, characterized the administration. Conversely, a phrase such as 'идеалы будущего' as a designation of a future just social order was both suitably vague and at the same time distinctly positive in its implications. Administrative repression might be harshly denoted as 'политика ежовых рукавиц', but the same thing could just as effectively be referred to by understatement, as in the remark of Saltykov in *Kruglyi god* when he refers to the lack of police activity in the summer of 1879 (after an earlier attempt on the Tsar's life): 'рад, что и в июле никакой внутренней политики не случилось'. Similarly ironic are recurring phrases such as утруждение начальства (= 'informing to the police'), телят Макаровых пасти предоставить (= 'to send into exile'). Some aesopisms used by Saltykov were not invented by him, but were borrowed from official sources or from the conservative and liberal press—e.g. улучшение быта (the official euphemism for liberation of the serfs, see **28**), корни и нити (revolutionary intrigue), бредни ('progressive' political ideas). These provided both a suitable cover and at the same time an opportunity to attack his opponents by mimicry of their own phrases. The aesopic manner was then not solely an expedient, it was also a significant element in the satirist's method. It is worth reading Saltykov's own positive comments on what he called the 'рабий язык' in *Kruglyi god* (see **34**); evidence of his attachment to the device can also be found in a letter to Eliseev (10 September 1880), in which he expressed some apprehension that if the relatively liberal interlude of Loris-Melikov's 'dictatorship of the heart' continues 'that will be the end of aesopic language, which was taking on so well.'[11] A particular quality of the aesopic manner was that it created a kind of conspiratorial bond between the author and the initiated reader. It was like sharing and savouring together some private joke. There can be no doubt that Saltykov's language of allusion was for his contemporaries more striking and rewarding in its associations than it can ever be for the modern reader who has to depend on a commentary for decipherment: the best way of instructing oneself in his aesopic manner is, in fact, still to read through his works, as his contemporaries did, from *Gubernskie ocherki* to *Poshekhonskaya starina*.

Aesopic language was only one satirical device used by Saltykov. The most powerful weapons he employed were the traditional ones of the satirist—irony and sarcasm. There was an abundance of situations in the time when he wrote to provide him with material: he mocked the 'retrograde liberals' and the 'liberal retrogrades' who vied for power in the reform period, he pointed to the gulf between principles and the practice of those who avowed them, and to the fact that the happiness of the population was curiously in inverse proportion to the zeal displayed by their governors. In his presentation of such situations he made full use of the ironist's devices, mock seriousness, mock *naïveté*, overstatement, understatement, etc. He was a master of the killing phrase ('банковые дельцы . . . и прочие казнокрады', 'либерал — человек, которого никто не слушает') and the ironic misnomer ('курсы наук в ресторане Дюссо' (=youth spent in riotous living), 'пансион для девиц без преподавания древних языков' (=brothel)), and he was expert in inventing derogatory titles: крепостных дел мастер for a *pomeshchik*, лудильщик for a *zemstvo* official (an elaborate joke reference to the limited scope of *zemstvo* activities such as providing tin-plate (луженые) utensils in hospitals), and *Помои* and *Чего изволите?*—the names of gutter-press newspapers.

A favourite device of Saltykov was parody. Parodies of documents, projects, regulations, etc. abound in his works—see, for example, the

'Ustav Vol'nogo soyuza penkosnimatelei' (**23**) in *Dnevnik provintsiala v Peterburge*, and in the same work projects such as 'Proekt o rasstrelyanii i blagikh onogo posledstviyakh'. In *Istoriya odnogo goroda* he parodies the style of the Russian chronicles and the commentaries of pedantic editors, as well as the official style of letters, documents, orders, and laws (cf. Benevolensky's constitutional projects, such as the 'Ustav o dobroporyadochnom pirogov pechenii'). In other works he parodies the speeches of conservatives and 'reformers', leading articles of the liberal press, and academic dissertations. It is in such mocking parodies that Saltykov achieves some of his best comic effects. Another kind of parody occurs in the use he makes in his satires of previous literary heroes drawn from the works of Griboedov (Chatsky, Molchalin), Gogol' (Nozdrev, Khlestakov), Turgenev (Rudin, Lavretsky, Arkady Kirsanov), Goncharov (Oblomov, Volokhov), and others. He exploits these ready-made figures to telling effect: the self-effacing Molchalin becomes for him a group figure characterizing the mentality of the 1870s; others, particularly the 'superfluous' men—Chatsky, Rudin, Lavretsky, etc.—are resurrected by Saltykov and shown in the situation of his own time as middle-aged members of the 'establishment', who have exchanged their ideals for a comfortable existence in official or semi-official occupations; and by showing disreputable Gogolian characters such as Nozdrev and the 'son of Khlestakov' flourishing in his own day Saltykov reveals clearly enough his opinion of the new times.

Fantasy and the grotesque play an important part in Saltykov's presentation of life. They occur in many of his works, most strikingly in *Istoriya odnogo goroda* and the *Skazki*. In *Istoriya odnogo goroda*, for instance, one governor is an automaton with a device in his head capable of uttering two phrases only—'раззорю' and 'не потерплю'; a second governor has a head which turns out to be stuffed with truffles; a third is assisted by lead soldiers who come magically to life. Elsewhere, Glupov is boldly characterized as a place whose inhabitants have two stomachs and only half a head. In the *Skazki* fantasy and reality are freely interwoven, with bears in authority who smash printing-presses, 'moderate liberal' gudgeon, generals miraculously conveyed to a desert island in their night-shirts, and so on. In creating such fantastic characters and situations Saltykov made use of a colourful narrative device and at the same time gave himself latitude to treat subjects which could not in the conditions of censorship be treated openly. Fantasy also allowed him to present situations and characters in their essence, detached from the trammelling details of everyday reality. In a passage in *Pompadury i pompadurshi* (see **35**) Saltykov explains that fantasy, besides being a device to appeal to the reader's imagination, is also a means of revealing the fundamental character of an individual type, showing how ultimately he would act if conventional restraints were abandoned. A single example of this is provided by the generals in 'Povest' o tom, kak odin muzhik . . .', who cast off their veneer of civilization when once they are removed from the context of their 'real' life in St. Petersburg.

Fundamental to Saltykov's success as a writer was his ability to exploit for satirical purposes the rich resources of the Russian language. His knowledge and experience of the Russian language was, as his experience of Russian life, extremely wide and he had a full command of the many levels of the language from the most elevated to the most profane. He was particularly skilful in his use of speech and conversation and he made extensive use of the dialogue form in his sketches, convincingly reproducing—often for parodic purpose—the speech appropriate to his characters—officials, journalists, lawyers, socialites, peasants, merchants, etc. Language is often a major characterizing feature, as in the nauseating prattle of Porfiry in *Gospoda Golovlevy* or in the contrasting modes of speech of the German and Russian boys in 'Mal'chik v shtanakh i mal'chik bez shtanov' **(21)**. Saltykov's 'own' language in the analytical passages of his satires is a rich and elaborate mixture: on the one hand, ponderous bookish forms, officialese, Church Slavonicisms, biblical tags, and Latin phrases, and on the other, racy, colloquial, sometimes coarse locutions and turns of phrase. His formal language is often ironically inflated ('как из некоего водохранилища изливается на Россию многоводная река помпадурства'; '[либерал] препоясался на брань с действительностью'), and there is always an element of surprise in his language, achieved by incongruous juxtapositions ('не испивши всей чаши севооборота до дна'; 'идеально-благонамеренные скотины'), perversions of familiar phrases or quotations ('в три дня созидавшие и в три минуты разрушавшие созданное'), and bathetic parallels ('небольшая домашняя драма, называемая по-французски roman intime, а по-русски потасовкой'). The effectiveness of Saltykov's use of language is not, however, limited to satirical writing. He was capable of writing with impressive rhetorical and descriptive power. Admittedly, as a descriptive writer he concentrated exclusively on cheerless scenes and places, but few writers can rival his ability to evoke by sober intensity of language the atmosphere of misery, decay, and ruin which pervades works such as *Gospoda Golovlevy*, *Ubezhishche Monrepo*, and *Melochi zhizni*. No less impressive is the irony-tinged emotional and lyric power evidenced in such stylistically different pieces as Progorelov's 'Predosterezhenie' in *Ubezhishche Monrepo* **(19)** and the fable 'Premudryi piskar'' **(30)**.

It cannot be denied that the 'contrived' character of so much of Saltykov's language has played its part, together with the contemporariness of his subject-matter and the complexities of his style, in making him a largely remote figure for later generations of Russians and for foreign readers in general. However, the linguistic interest of his works amply justifies the effort that may sometimes be required to read them. First, of course, his language is interesting for its highly developed and consistent use as a satirical weapon. It is interesting too for its documentary quality: on the one hand it provides a curiously detailed characterization of Saltykov himself as a man of his generation, of particular social and cultural background, temperament, and experience, on the other it plays a significant part in evoking the atmosphere of the times in which he wrote, for in their own way Saltykov's particular means of expression were as much a product of his period as the issues on which he used them.

The extracts included in this selection are grouped according to a rough thematic scheme: **1–8** deal with relations between the Russian state and people, **9–15** with the Emancipation, reform, and counter-reform, **16–26** with aspects of the post-reform period, social changes, the liberal position, the *zemstvo*, **27–32** with the political mood of Russia in the late 1870s–1880s; **33–5** are concerned with Saltykov's literary position and satirical method. The passages have been selected to illustrate Saltykov's attitude to the outstanding problems of his day and to show as well the range of his technique as a satirist. As far as possible passages have been selected which are more or less self-contained. The aim has been to let Saltykov speak for himself, and comment has therefore been limited to short introductions indicating the context and relevance of particular passages and notes explaining references to historical persons, events, institutions, etc. A few notes on points of language have been included and there is a short Glossary of rarer words at the end of the book. Any more detailed linguistic commentary, however useful it would be for a full appreciation of Saltykov's writing, is beyond the scope and outside the intentions of the present volume.

For information on many of the references in the texts I am indebted to the excellent commentaries contained in the complete edition of Saltykov's works, M. E. Saltykov-Shchedrin, *Sobranie sochinenii v 20-i tomakh* (M., 1965–76), ed. S. A. Makashin, A. S. Bushmin, E. I. Pokusaev et al. This edition is of major importance in being the first to provide a detailed commentary to the whole of Saltykov's work, though mention should also be made of Ivanov-Razumnik's pioneering work in the commentaries to his six-volume selected works of Saltykov (M. E. Saltykov-Shchedrin, *Sochineniya* (M.-L., 1926–8)). There are also useful notes in the earlier twenty-volume edition of Saltykov's works, N. Shchedrin (M. E. Saltykov), *Polnoe sobranie sochinenii* (M., 1933–41), and in the twelve-volume selected works issued by 'Pravda' in 1951, N. Shchedrin (M. E. Saltykov), *Sobranie sochinenii* (M., 1951).

The texts in this volume are reprinted from the '1965' edition of the complete works (abbreviated *CC*). The source of the texts is given in the notes to the passages together with a note of the date and place of first publication. Notes are printed at the end of the passage to which they refer.

In preparing this volume for publication I have benefited from the generous help and advice of a number of colleagues and friends. I should like to thank in particular Sergey Aleksandrovich Makashin, Harry Shukman, Ronald Hingley, Anne Pennington, Mike and Emma Shotton, Edward Astle, and Jeremy Newton. Such faults as the book may have are, of course, my own responsibility.

NOTES

1. In *Kruglyi god*. See M. E. Saltykov-Shchedrin, *Sobranie sochinenii*, xiii (M., 1972), 502.

2. M. Gor'ky, *Istoriya russkoi literatury* (M., 1939), 274.

3. 'From there flowed to us belief in humanity, from there shone forth to us the conviction that the "golden age" lay not behind, but before us. . . .' See M. E. Saltykov-Shchedrin, *Sob. soch.* xiv (M., 1972), 112.

4. For *Otechestvennye zapiski* in the period of Saltykov's association with the journal, see V. E. Bograd, *Zhurnal 'Otechestvennye zapiski', 1868–1884* (M., 1971).

5. See N. Shchedrin (M. E. Saltykov), *Polnoe sobranie sochinenii*, i (M., 1941), 489–508.

6. The awe inspired by Saltykov even in his friends is amusingly reflected in the terms in which the poet S. Ya. Nadson requested N. A. Belogolovy (with whom Saltykov was travelling in Germany) to pass on his good wishes: 'What is Saltykov up to, and how are you getting on with him? Please choose a sunny day and some moment when he is in a good mood and, with all due precaution (*poostorozhnee*), give him my good wishes' (quoted in *M. E. Saltykov-Shchedrin v vospominaniyakh sovremennikov* (M., 1957), 28).

7. See V. G. Korolenko, *Sobranie sochinenii*, viii (M., 1955), 284.

8. Letter to Mikhailovsky, 29 June 1884. See also letters to K. D. Kavelin (12 May 1884) and P. V. Annenkov (17 May 1884) in N. Shchedrin (M. E. Saltykov), *Polnoe sob. soch.* xx (M., 1937).

9. In 1880 General M. T. Loris-Melikov (1825–88) was appointed by Alexander II as head of a Supreme Executive Commission (*Verkhovnaya rasporyaditel'-naya komissiya*) (subsequently he was also Minister of the Interior) charged especially with the task of combating and frustrating the revolutionary movement. This led to a number of conciliatory liberal measures being taken in the period up to the death of Alexander in 1881.

10. M. E. Saltykov-Shchedrin, *Sob. soch.* xiii (M., 1972), 505.

11. N. Shchedrin (M. E. Saltykov), *Polnoe sob. soch.* xix (M., 1939), 168.

THE RUSSIAN STATE AND PEOPLE

1. *История одного города:* Опись градоначальникам

There is perhaps no better summary of Saltykov's view of the Russian state administration than the list of governors with which he prefaced the history of Glupov, the town symbolic of Russia itself, in *Istoriya odnogo goroda*. A clear picture of the character and quality of government in Russia emerges from the list of inept and, for the populace, almost unexceptionally disastrous governors appointed to rule the town. Despite the fantastic nature of some of the references (Baklan snaps in two in a gale, Brudasty is an automaton, de Sanglot flies in the air), the factual associations of others are serious enough to emphasize the historical basis for the general picture of tyranny, incompetence, ignorance, and frivolity which characterizes the administration. The period covered by *Istoriya odnogo goroda* and referred to in the list of governors is 1731–1826, a period which roughly coincides with the hundred years between the death of Peter the Great (1725) and the accession of Nicholas I (1825). But, as Saltykov was at pains to point out (in a letter to A. N. Pypin, 2 April 1871), he was writing a satire not of Russia's past but of a particular state of affairs which was characteristic of Russia in the present no less than in the past ('Я совсем не историю предаю осмеянию, а известный порядок вещей'). It is this general significance of *Istoriya odnogo goroda* which gives it a particularly important place among Saltykov's satires.

ОПИСЬ ГРАДОНАЧАЛЬНИКАМ
в разное время в город Глупов от вышнего начальства поставленным

(1731—1826)

1) К л е м е н т и й, Амадей Мануйлович. Вывезен из Италии Бироном, герцогом Курляндским, за искусную стряпню макарон; потом, будучи внезапно произведен в надлежащий чин, прислан градоначальником. Прибыв в Глупов, не только не оставил занятия макаронами, но даже многих усильно к тому принуждал, чем себя и воспрославил. За измену бит в

23

1734 году кнутом и, по вырвании ноздрей, сослан в Березов.

2) Ф е р а п о н т о в, Фотий Петрович, бригадир. Бывый брадобрей оного же герцога Курляндского. Многократно делал походы против недоимщиков и столь был охоч до зрелищ, что никому без себя сечь не доверял. В 1738 году, быв в лесу, растерзан собаками.

3) В е л и к а н о в, Иван Матвеевич. Обложил в свою пользу жителей данью по три копейки с души, предварительно утопив в реке экономии директора.[2] Перебил в кровь многих капитан-исправников.[3] В 1740 году, в царствование кроткия Елисавет, быв уличен в любовной связи с Авдотьей Лопухиной,[4] бит кнутом и, по урезании языка, сослан в заточение в чердынский острог.

4) У р у с - К у г у ш - К и л ь д и б а е в, Маныл Самылович, капитан-поручик из лейб-кампанцев.[5] Отличался безумной отвагой, и даже брал однажды приступом город Глупов. По доведении о сем до сведения, похвалы не получил и в 1745 году уволен с распубликованием.

5) Л а м в р о к а к и с, беглый грек, без имени и отчества, и даже без чина, пойманный графом Кирилою Разумовским[6] в Нежине,[7] на базаре. Торговал греческим мылом, губкою и орехами; сверх того, был сторонником классического образования. В 1756 году был найден в постели, заеденный клопами.

6) Б а к л а н, Иван Матвеевич, бригадир. Был роста трех аршин и трех вершков, и кичился тем, что происходит по прямой линии от Ивана Великого (известная в Москве колокольня).[8] Переломлен пополам во время бури, свирепствовавшей в 1761 году.

7) П ф е й ф е р, Богдан Богданович, гвардии сержант, голштинский выходец. Ничего не свершив, сменен в 1762 году за невежество.[9]

8) Б р у д а с т ы й, Дементий Варламович. Назначен был впопыхах и имел в голове некоторое особливое устройство, за что и прозван был «Органчиком». Это не мешало ему, впрочем, привести в порядок недоимки, запущенные его предместником. Во время сего правления произошло пагубное безначалие, продолжавшееся семь дней, как о том будет повествуемо ниже.

9) Д в о е к у р о в, Семен Константиныч, штатский советник и кавалер. Вымостил Большую и Дворянскую улицы, завел пивоварение и медоварение, ввел в употребление горчицу и лавровый лист, собрал недоимки, покровительствовал наукам и ходатайствовал о заведении в Глупове академии. Написал сочинение: «Жизнеописания замечательнейших

обезьян». Будучи крепкого телосложения, имел последовательно восемь амант. Супруга его, Лукерья Терентьевна, тоже была весьма снисходительна, и тем много способствовала блеску сего правления. Умер в 1770 году своею смертью.

10) М а р к и з д е С а н г л о т, Антон Протасьевич, французский выходец и друг Дидерота. Отличался легкомыслием и любил петь непристойные песни. Летал по воздуху в городском саду, и чуть было не улетел совсем, как зацепился фалдами за шпиц, и оттуда с превеликим трудом снят. За эту затею уволен в 1772 году, а в следующем же году, не уныв духом, давал представления у Излера на минеральных водах*.[10]

11) Ф е р д ы щ е н к о, Петр Петрович, бригадир. Бывший денщик князя Потемкина.[11] При не весьма обширном уме, был косноязычен. Недоимки запустил; любил есть буженину и гуся с капустой. Во время его градоначальствования город подвергся голоду и пожару. Умер в 1779 году от объедения.

12) Б о р о д а в к и н, Василиск Семенович. Градоначальничество сие было самое продолжительное и самое блестящее. Предводительствовал в кампании против недоимщиков, причем спалил тридцать три деревни и, с помощью сих мер, взыскал недоимок два рубля с полтиною. Ввел в употребление игру ламуш и прованское масло; замостил базарную площадь и засадил березками улицу, ведущую к присутственным местам; вновь ходатайствовал о заведении в Глупове академии, но, получив отказ, построил съезжий дом. Умер в 1798 году, на экзекуции, напутствуемый капитан-исправником.

13) Н е г о д я е в, Онуфрий Иванович, бывый гатчинский[12] истопник. Размостил вымощенные предместниками его улицы и из добытого камня настроил монументов. Сменен в 1802 году за несогласие с Новосильцевым, Чарторыйским и Строгоновым[13] (знаменитый в свое время триумвират) насчет конституций, в чем его и оправдали последствия.

14) М и к а л а д з е, князь Ксаверий Георгиевич, черкашенин, потомок сладострастной княгини Тамары.[14] Имел обольстительную наружность, и был столь охоч до женского пола, что увеличил глуповское народонаселение почти вдвое. Оставил полезное по сему предмету руководство. Умер в 1814 году от истощения сил.

15) Б е н е в о л е н с к и й, Феофилакт Иринархович, статский советник, товарищ Сперанского по семинарии.[15] Был мудр

* Это очевидная ошибка. — *Прим. изд.*

и оказывал склонность к законодательству. Предсказал гласные суды и земство[16] Имел любовную связь с купчихою Распоповою, у которой, по субботам, едал пироги с начинкой. В свободное от занятий время сочинял для городских попов проповеди и переводил с латинского сочинения Фомы Кемпийского. Вновь ввел в употребление, яко полезные, горчицу, лавровый лист и прованское масло. Первый обложил данью откуп,[17] от коего и получал три тысячи рублей в год. В 1811 году, за потворство Бонапарту, был призван к ответу и сослан в заточение.

16) П р ы щ, майор, Иван Пантелеич. Оказался с фаршированной головой, в чем и уличен местным предводителем дворянства.

17) И в а н о в, статский советник, Никодим Осипович. Был столь малого роста, что не мог вмещать пространных законов. Умер в 1819 году от натуги, усиливаясь постичь некоторый сенатский указ.

18) Д ю Ш а р и о, виконт, Ангел Дорофеевич, французский выходец. Любил рядиться в женское платье и лакомился лягушками. По рассмотрении, оказался девицею. Выслан в 1821 году за границу.

20) Г р у с т и л о в, Эраст Андреевич, статский советник. Друг Карамзина. Отличался нежностью и чувствительностью сердца, любил пить чай в городской роще, и не мог без слез видеть, как токуют тетерева. Оставил после себя несколько сочинений идиллического содержания и умер от меланхолии в 1825 году. Дань с откупа возвысил до пяти тысяч рублей в год.

21) У г р ю м - Б у р ч е е в, бывый прохвост. Разрушил старый город и построил другой на новом месте.

22) П е р е х в а т - З а л и х в а т с к и й, Архистратиг Стратилатович, майор. О сем умолчу. Въехал в Глупов на белом коне, сжег гимназию и упразднил науки.

NOTES

От. зап. 1869, i; *CC* viii, 277–80.

1. Ernst Johann Biron (Bühren) (1690–1772), Duke of Courland, the tyrannical favourite of Empress Anne.

2. Presumably the director of the local office of the *Kollegiya ekonomii*, the state department which for much of the eighteenth century administered ecclesiastical lands and peasants.

3. The *kapitan-ispravnik* was the chief police officer of an *uezd*.

4. Presumably intended as a reference to Natal'ya Lopukhina, a lady-in-waiting at the court of Elizabeth, who on the orders of the Empress suffered the fate here ascribed to Velikanov. There was a historical Avdot'ya (Evdoksiya) Lopukhina—the first wife of Peter the Great, who had her put away in 1716 so that he could marry Catherine Mons. She died in 1731.

5. The title of лейб-кампания (компания) was given by Empress Elizabeth to the company of the Preobrazhensky Regiment by whose aid she came to the throne in 1741.

6. Field Marshal Count Kirill Grigor'evich Razumovsky (1728–1803), favourite of Empress Elizabeth.

7. Nezhin in the Ukraine (of which Razumovsky was *hetman*) had from the seventeenth century a considerable Greek trading community among its population.

8. The bell-tower in the Kremlin, over 260 feet high.

9. A transparent reference to Emperor Peter III, the son of Karl-Friedrich, Duke of Holstein, and Anna, the daughter of Peter the Great. He was murdered in 1762 by conspirators acting for his wife, who then reigned as Catherine II.

10. One of many deliberate anachronisms in *Istoriya odnogo goroda* (some, as here, the subject of facetious footnotes by Saltykov as 'editor' of the chronicle). Isler's 'Spa' was a popular place of entertainment in St. Petersburg in Saltykov's own day.

11. Prince Grigory Aleksandrovich Potemkin (1739–91), the statesman and favourite of Catherine II.

12. Having served, that is, at Gatchina, the palace of Emperor Paul near St. Petersburg.

13. N. N. Novosil'tsev (1761–1836), A. Czartoryski (1770–1861), and P. A. Stroganov (1772–1817), leading members of the 'Unofficial Committee' (*Neglasnyi komitet*) set up by Alexander I at the beginning of his reign to consider plans for reform; hopes that the work of the committee would lead to constitutional changes were, however, disappointed.

14. The legendary Queen Tamara of Georgia (1184–1213), famed for her beauty and wisdom.

15. Count Mikhail Mikhailovich Speransky (1772–1839), the statesman who played a leading role in the early years of the reign of Alexander I, by whom he was entrusted with the task of drafting constitutional reforms. He was the son of a priest and, as mentioned here, a seminarist. The Benevolensky/Speransky parallel is further emphasized by Benevolensky's exile; in 1812 Speransky was sent into exile for allegedly intriguing with French diplomatic agents.

16. Two of the major innovations of the 1860s: public court proceedings and elected organs of local government (*zemstvo*).

17. i.e. exacted 'tribute' (bribes) in disposing of the official concession to make and sell liquor.

Saltykov-Shchedrin

2. *История одного города:* Войны за просвещение [extract]

The chapter of *Istoriya odnogo goroda* devoted to the governorship of Borodavkin and his 'wars of enlightenment' touches on two basic facts of the Russian state system: (i) the state's view of its subjects as mere administrative 'fodder', so that even 'enlightenment' (here, ironically, the introduction of mustard) becomes an administrative act carried through by force *against* the needs of those who are to be enlightened, and (ii) the submissiveness of the people to authority, however absurd and tyrannical that authority may be. In the present episode, the *glupovtsy*, revolted by Borodavkin's innovations, are actually moved to protest, but so habituated are they to submission that even while protesting they remain prudently on their knees. The absurd character of official 'enlightenment' —here the imposition of a repugnant culinary habit—is not entirely a product of Saltykov's fantasy. There were in Russian history the so-called 'potato riots' (*kartofel'nye bunty*) of 1834 and 1840–4, when troops were used to put down peasant unrest caused by the introduction of potato cultivation—that Saltykov had these in mind is clear from the reference he makes to the town-governor Dvoekurov who had, before Borodavkin, introduced mustard and bay-leaf to Glupov as 'the founder of that bold line of innovators who three-quarters of a century later waged war in the name of the potato'.

Василиск Семенович Бородавкин, сменивший бригадира Фердыщенку[1] представлял совершенную противоположность своему предместнику. Насколько последний был распущен и рыхл, настолько же первый поражал расторопностью и какою-то неслыханной административной въедчивостью, которая с особенной энергией проявлялась в вопросах, касавшихся выеденного яйца[2] Постоянно застегнутый на все пуговицы и имея наготове фуражку и перчатки, он представлял собой тип градоначальника, у которого ноги во всякое время готовы бежать неведомо куда. Днем он, как муха, мелькал по городу, наблюдая, чтоб обыватели имели бодрый и веселый вид; ночью — тушил пожары, делал фальшивые тревоги и вообще заставал врасплох.

Кричал он во всякое время, и кричал необыкновенно. «Столько вмещал он в себе крику,— говорит по этому поводу летописец[3]— что от оного многие глуповцы и за себя, и за детей навсегда испугались». Свидетельство замечательное и находящее себе подтверждение в том, что впоследствии начальство вынуждено было дать глуповцам разные льготы, именно «испуга их ради». Аппетит имел хороший, но насыщался с поспешностью и при этом роптал. Даже спал только одним глазом, что приводило в немалое смущение его жену, которая, несмотря на двадцатипятилетнее сожительство, не могла без содрогания видеть его другое, недремлющее, совершенно круглое и любопытно на нее устремленное око. Когда же совсем нечего было делать, то есть не предстояло надобности ни мелькать, ни заставать врасплох (в жизни самых расторопных администраторов встречаются такие тяжкие минуты), то он или издавал законы, или маршировал по кабинету, наблюдая за игрой сапожного носка, или возобновлял в своей памяти военные сигналы.

Была и еще одна особенность за Бородавкиным: он был сочинитель. За десять лет до прибытия в Глупов он начал писать проект «о вящем армии и флотов по всему лицу распространении, дабы через то возвращение (sic) древней Византии под сень российския державы уповательным учинить»,[4] и каждый день прибавлял к нему по одной строчке. Таким образом составилась довольно объемистая тетрадь, заключавшая в себе три тысячи шестьсот пятьдесят две строчки (два года было високосных), на которую он не без гордости указывал посетителям, прибавляя при том:

— Вот, государь мой, сколь далеко я виды свои простираю!

Вообще, политическая мечтательность была в то время в большом ходу, а потому и Бородавкин не избегнул общих веяний времени. Очень часто видали глуповцы, как он, сидя на балконе градоначальнического дома, взирал оттуда, с полными слез глазами, на синеющие вдалеке византийские твердыни. Выгонные земли Византии и Глупова были до такой степени смежны, что византийские стада почти постоянно смешивались с глуповскими, и из этого выходили беспрестанные пререкания. Казалось, стоило только кликнуть клич... И Бородавкин ждал этого клича, ждал с страстностью, с нетерпением, доходившим почти до негодования.

— Сперва с Византией покончим-с,— мечтал он,— а потом-с...

На Драву, Мораву, на дальнюю Саву,
На тихий и синий Дунай...

Д-да-с!

Сказать ли всю истину: по секрету, он даже заготовил на имя известного нашего географа, К. И. Арсеньева,[5] довольно странную резолюцию: «Предоставляется вашему благородию,— писал он,— на будущее время известную вам Византию во всех учебниках географии числить тако: Константинополь, бывшая Византия, а ныне губернский город Екатериноград, стоит при излиянии Черного моря в древнюю Пропонтиду и под сень Российской державы приобретен в 17.. году, с распространением на оный единства касс (единство сие в том состоит, что византийские деньги в столичном городе Санктпетербурге употребление себе находить должны). По обширности своей город сей, в административном отношении, находится в ведении четырех градоначальников, кои состоят между собой в непрерывном пререкании[6] Производит торговлю грецкими орехами и имеет один мыловаренный и два кожевенных завода». Но, увы! дни проходили за днями, мечты Бородавкина росли, а клича все не было. Проходили через Глупов войска пешие, проходили войска конные.

— Куда, голубчики? — с волнением спрашивал Бородавкин солдатиков.

Но солдатики в трубы трубили, песни пели, носками сапогов играли, пыль столбом на улицах поднимали, и всё проходили, всё проходили.

— Валом валит солдат! — говорили глуповцы, и казалось им, что это люди какие-то особенные, что они самой природой созданы для того, чтоб ходить без конца, ходить по всем направлениям. Что они спускаются с одной плоской возвышенности для того, чтобы лезть на другую плоскую возвышенность, переходят через один мост для того, чтобы перейти вслед за тем через другой мост. И еще мост, и еще плоская возвышенность, и еще, и еще...

В этой крайности Бородавкин понял, что для политических предприятий время еще не наступило и что ему следует ограничить свои задачи только так называемыми насущными потребностями края. В числе этих потребностей первое место занимала, конечно, цивилизация, или, как он сам определял это слово, «наука о том, колико каждому Российской Империи доблестному сыну отечества быть твердым в бедствиях надлежит».

Полный этих смутных мечтаний, он явился в Глупов и прежде всего подвергнул строгому рассмотрению намерения и деяния своих предшественников. Но когда он взглянул на скрижали, то так и ахнул. Вереницею прошли перед ним: и Клементий, и Великанов, и Ламврокакис, и Баклан, и маркиз де Санглот, и Фердыщенко,[7] но что делали эти люди, о чем они думали, какие задачи преследовали — вот этого-то именно и нельзя было определить ни под каким видом. Казалось, что весь этот ряд — не что иное, как сонное мечтание, в котором мелькают образы без лиц, в котором звенят какие-то смутные крики, похожие на отдаленное галденье захмелевшей толпы... Вот вышла из мрака одна тень, хлопнула: раз-раз! — и исчезла неведомо куда; смотришь, на место ее выступает уж другая тень, и тоже хлопает как попало, и исчезает... «Раззорю!», «не потерплю!»[8]слышится со всех сторон, а что разорю, чего не потерплю — того разобрать невозможно. Рад бы посторониться, прижаться к углу, но ни посторониться, ни прижаться нельзя, потому что из всякого угла раздается все то же «раззорю!», которое гонит укрывающегося в другой угол и там, в свою очередь, опять настигает его. Это была какая-то дикая энергия, лишенная всякого содержания, так что даже Бородавкин, несмотря на свою расторопность, несколько усомнился в достоинстве ее. Один только штатский советник Двоекуров[9]с выгодою выделялся из этой пестрой толпы администраторов, являл ум тонкий и проницательный и вообще выказывал себя продолжателем того преобразовательного дела, которым ознаменовалось начало восемнадцатого столетия в России. Его-то, конечно, и взял себе Бородавкин за образец.

Двоекуров совершил очень много. Он вымостил улицы: Дворянскую и Большую, собрал недоимки, покровительствовал наукам и ходатайствовал об учреждении в Глупове академии. Но главная его заслуга состояла в том, что он ввел в употребление горчицу и лавровый лист. Это последнее действие до того поразило Бородавкина, что он тотчас же возымел дерзкую мысль поступить точно таким же образом и относительно прованского масла. Начались справки, какие меры были употреблены Двоекуровым, чтобы достигнуть успеха в затеянном деле, но так как архивные дела, по обыкновению, оказались сгоревшими (а быть может, и умышленно уничтоженными), то пришлось удовольствоваться изустными преданиями и рассказами.

— Много у нас всякого шуму было! — рассказывали старожилы,— и через солдат секли[10] и запросто секли... Многие даже в Сибирь через это самое дело ушли!

— Стало быть, были бунты? — спрашивал Бородавкин.

— Мало ли было бунтов! У нас, сударь, насчет этого такая примета: коли секут — так уж и знаешь, что бунт!

Из дальнейших расспросов оказывалось, что Двоекуров был человек настойчивый и, однажды задумав какое-нибудь предприятие, доводил его до конца. Действовал он всегда большими массами, то есть и усмирял, и расточал без остатка;

но в то же время понимал, что одного этого средства недостаточно. Поэтому, независимо от мер общих, он, в течение нескольких лет сряду, непрерывно и неустанно делал сепаратные набеги на обывательские дома и усмирял каждого обывателя по одиночке. Вообще во всей истории Глупова поражает один факт: сегодня расточат глуповцев и уничтожат их всех до единого, а завтра, смотришь, опять появятся глуповцы и даже, по обычаю, выступят вперед на сходках так называемые «старики» (должно быть, «из молодых да ранние»). Каким образом они нарастали — это была тайна, но тайну эту отлично постиг Двоекуров, и потому розог не жалел. Как истинный администратор, он различал два сорта сечения: сечение без рассмотрения и сечение с рассмотрением, и гордился тем, что первый в ряду градоначальников ввел сечение с рассмотрением, тогда как все предшественники секли как попало, и часто даже совсем не тех, кого следовало. И действительно, воздействуя разумно и беспрерывно, он добился результатов самых блестящих. В течение всего его градоначальничества глуповцы не только не садились за стол без горчицы, но даже развели у себя довольно обширные горчичные плантации для удовлетворения требованиям внешней торговли. «И процвела оная весь, яко крин сельный, посылая сей горький продукт в отдаленнейшие места державы Российской, и получая взамен оного драгоценные металлы и меха».[11]

Но в 1770 году Двоекуров умер, и два градоначальника, последовавшие за ним, не только не поддержали его преобразований, но даже, так сказать, загадили их. И что всего замечательнее, глуповцы явились неблагодарными. Они нимало не печалились упразднению начальственной цивилизации и даже как будто радовались. Горчицу перестали есть вовсе, а плантации перепахали, засадили капустою и засеяли горохом. Одним словом, произошло то, что всегда случается, когда просвещение слишком рано приходит к народам младенческим и в гражданском смысле незрелым. Даже летописец не без иронии упоминает об этом обстоятельстве: «Много лет выводил он (Двоекуров) хитроумное сие здание, а о том не догадался, что строит на песце».[12] Но летописец, очевидно, и в свою очередь, забывает, что в том-то собственно и заключается замысловатость человеческих действий, чтобы сегодня одно здание на «песце» строить, а завтра, когда оно рухнет, зачинать новое здание на том же «песце» воздвигать.

Таким образом, оказывалось, что Бородавкин поспел как раз кстати, чтобы спасти погибавшую цивилизацию. Страсть строить на «песце» была доведена в нем почти до исступления.

Дни и ночи он все выдумывал, чтобы такое выстроить, чтобы оно вдруг, по выстройке, грохнулось и наполнило вселенную пылью и мусором. И так думал, и этак, но настоящим манером додуматься все-таки не мог. Наконец, за недостатком оригинальных мыслей, остановился на том, что буквально пошел по стопам своего знаменитого предшественника.

— Руки у меня связаны, — горько жаловался он глуповцам, — а то узнали бы вы у меня, где раки зимуют!

Тут же кстати он доведался, что глуповцы, по упущению, совсем отстали от употребления горчицы, а потому на первый раз ограничился тем, что объявил это употребление обязательным; в наказание же за ослушание прибавил еще прованское масло. И в то же время положил в сердце своем: дотоле не класть оружия, доколе в городе останется хоть один недоумевающий.

Но глуповцы тоже были себе на уме. Энергии действия они с большою находчивостью противопоставили энергию бездействия.

— Что хошь[13] с нами делай! — говорили одни, — хошь — на куски режь; хошь — с кашей ешь, а мы не согласны!

— С нас, брат, не что возьмешь! — говорили другие, — мы не то что прочие, которые телом обросли! нас, брат, и уколупнуть негде!

И упорно стояли при этом на коленах.

Очевидно, что когда эти две энергии встречаются, то из этого всегда происходит нечто весьма любопытное. Нет бунта, но и покорности настоящей нет. Есть что-то среднее, чему мы видали примеры при крепостном праве. Бывало, попадется барыне таракан в супе, призовет она повара и велит того таракана съесть. Возьмет повар таракана в рот, видимым образом жует его, а глотать не глотает. Точно так же было и с глуповцами: жевали они довольно, а глотать не глотали.

— Сломлю я эту энергию! — говорил Бородавкин и медленно, без торопливости, обдумывал план свой.

А глуповцы стояли на коленах и ждали. Знали они, что бунтуют, но не стоять на коленах не могли. Господи! чего они не передумали в это время! Думают: станут они теперь есть горчицу, — как бы на будущее время еще какую ни на есть мерзость есть не заставили; не станут — как бы шелепов не пришлось отведать. Казалось, что колени в этом случае представляют средний путь, который может умиротворить и ту и другую стороны.

И вдруг затрубила труба, и забил барабан. Бородавкин, застегнутый на все пуговицы и полный отваги, выехал на белом коне. За ним следовал пушечный и ружейный снаряд. Глуповцы думали, что градоначальник едет покорять Византию, а вышло, что он замыслил покорить их самих...

Так начался тот замечательный ряд событий, который описывает летописец под общим наименованием «войн за просвещение».[14]

NOTES

От. зап. 1870, ii; *CC* viii, 333–9.

1. The simple-minded, dissolute Ferdyshchenko is the subject of three chapters of *Istoriya odnogo goroda* in which the disasters of famine and fire suffered by Glupov during his governorship are recounted.

2. i.e. matters of no importance (cf. the phrase выеденного яйца не стоить 'to be not worth tuppence'). Saltykov often uses the image in connection with administrators who make a show of activity but do nothing positive in practice.

3. The 'history' of the town of Glupov is purportedly based on a manuscript chronicle discovered by the 'editor' Saltykov, who intersperses the narrative with quotations from this chronicle couched in suitably antique language.

4. Borodavkin's Byzantine aspirations reflect the traditional ambition of Russian foreign policy to conquer Constantinople. They can be associated in particular with Potemkin's 'Greek project' of the 1780s which aimed at expelling the Turks from Europe and establishing a kingdom of Dacia under Russian hegemony. In the nineteenth century official expansionist policy against the Turkish Empire found support in the Pan-Slav movement, one object of which was to liberate the Balkan Slavs from Turkish rule. The lines quoted (inaccurately) below are from a poem 'Bezzvezdnaya polnoch' dyshala prokhladoi' (1847) by the Slavophile A. S. Khomyakov, in which he dreams of Slav unity (the Drava, Morava, and Sava are rivers in Croatia and Serbia).

5. K. I. Arsen'ev (1789–1865), the geographer and historian. That Borodavkin ('died 1798') should address him is one of many amusing anachronisms in *Istoriya odnogo goroda*. These anachronisms had also serious significance in emphasizing the contemporary relevance of the satire.

6. Presumably a reference to the contemporary conflict on the Balkan question which involved Britain, France, Russia, and Turkey.

7. See 1, Nos. 1, 3, 5, 6, 10, 11.

8. The two refrains played by the music-box contained in the head of the town-governor Brudasty (see 1, No. 8).

9. See 1, No. 9 and introductory note to the present passage.

10. The punishment usually reserved for military offenders in which the victim was made to pass between two ranks of soldiers who beat him with rods (шпицрутены).

11. Another direct quotation from the Glupov 'chronicle'. Весь: here 'village' (Ch. Sl.); яко крин сельный: 'like the lily of the field' (Ch. Sl.).

12. На песце: 'on sand' (Ch. Ll.)

13. Fоr хочешь.

14. Three more wars of enlightenment are mentioned in the further account of Borodavkin's governorship—one to make the *glupovtsy* build their houses on stone foundations, one to overcome their resistance to growing feverfew (a plant from which insect-powder is made), the last in connection with rumours of the establishment of an academy in Glupov.

3. *История одного города:* Подтверждение покаяния. Заключение   [extract]

Ugryum-Burcheev is the last of the governors whose rule is recorded in detail in *Istoriya odnogo goroda*. The chapter devoted to him can be regarded as the most important in the book, presenting as it does the ultimate in the suppression of the individual by the state. The grim 'idiot' Ugryum-Burcheev arrives in Glupov to succeed the dissolute mystic Grustilov (in whom are recognizable certain features of Alexander I). Ugryum-Burcheev's ideal is that of the straight line, and in conformity with this ideal he sets about reshaping the town of Glupov and the lives of its inhabitants. His plan is to organize and run the town as a military camp; his vision is of an ordered life of routine actions, performed by regimented beings in whom personal feelings and aspirations have been completely suppressed. The inspiration of this fantasy of regimentation was provided for Saltykov by Count A. A. Arakcheev (1769–1834), the notorious head of the Tsar's personal chancellery in the second half of Alexander I's reign, who was responsible for the establishment of military settlements in 1816–21. Apart from this historical reference, the account of Ugryum-Burcheev's governorship has claims to a wider significance as an early condemnation of the totalitarian state as it was yet to exist at the time when Saltykov was writing.

Он был ужасен.

Но он сознавал это лишь в слабой степени и с какою-то су-ровою скромностью оговаривался. «Идет некто за мной,— говорил он,— который будет еще ужаснее меня».

Он был ужасен; но, сверх того, он был краток и с изуми-тельною ограниченностью соединял непреклонность, почти гра-ничившую с идиотством. Никто не мог обвинить его в воин-ственной предприимчивости, как обвиняли, например, Бородав-кина[1] ни в порывах безумной ярости, которым были подвержены Брудастый, Негодяев[2] и многие другие. Страстность была вычеркнута из числа элементов, составлявших его природу, и заменена непреклонностью, действовавшею с регулярностью самого отчетливого механизма. Он не жестикулировал, не возвышал голоса, не скрежетал зубами, не гоготал, не топал ногами, не заливался начальственно-язвительным смехом; казалось, он даже не подозревал нужды в административных проявлениях подобного рода. Совершенно беззвучным голосом выражал он свои требования, и неизбежность их выполнения подтверждал устремлением пристального взора, в котором выражалась какая-то неизреченная бесстыжесть. Человек, на котором останавливался этот взор, не мог выносить его. Рождалось какое-то совсем особенное чувство, в котором первенствующее значение принадлежало не столько инстинкту личного самосохранения, сколько опасению за человеческую природу вообще. В этом смутном опасении утопали всевозможные предчувствия таинственных и непреодолимых угроз. Думалось, что небо обрушится, земля разверзнется под ногами, что налетит откуда-то смерч и все поглотит, все разом... То был взор, светлый как сталь, взор, совершенно свободный от мысли, и потому недоступный ни для оттенков, ни для колебаний. Голая решимость — и ничего более,

Как человек ограниченный, он ничего не преследовал, кроме правильности построений. Прямая линия, отсутствие пестроты, простота, доведенная до наготы,— вот идеалы, которые он знал и к осуществлению которых стремился. Его понятие о «долге» не шло далее всеобщего равенства перед шпицрутеном;[3] его представление о «простоте» не переступало далее простоты зверя, обличавшей совершенную наготу потребностей. Разума он не признавал вовсе, и даже считал его злейшим врагом, опутывающим человека сетью обольщений и опасных привередничеств. Перед всем, что напоминало веселье или просто досуг, он останавливался в недоумении. Нельзя сказать, чтоб эти естественные проявления человеческой природы приводили его в негодование: нет, он просто-напросто не понимал их. Он никогда не бесновался, не закипал, не мстил, не преследовал, а, подобно всякой другой бессознательно действующей силе природы, шел вперед, сметая с лица земли все, что не успевало посторониться с дороги. «Зачем?» — вот единственное слово, которым он выражал движения своей души.

Вовремя посторониться — вот все, что было нужно. Район, который обнимал кругозор этого идиота, был очень узок; вне этого района можно было и болтать руками, и громко говорить, и дышать, и даже ходить распоясавшись; он ничего не замечал, внутри района — можно было только маршировать. Если б глуповцы своевременно поняли это, им стоило только встать несколько в стороне и ждать. Но они сообразили это поздно, и в первое время, по примеру всех начальстволюбивых народов, как нарочно совались ему на глаза. Отсюда бесчисленное множество вольных истязаний, которые, словно сетью, охватили существование обывателей, отсюда же — далеко не заслуженное название «сатаны», которое народная молва присвоила Угрюм-Бурчееву. Когда у глуповцев спрашивали, что послужило поводом для такого необычного эпитета, они ничего толком не объясняли, а только дрожали. Молча указывали они на вытянутые в струну дома свои, на разбитые перед этими домами палисадники, на форменные казакины, в которые однообразно были обмундированы все жители до одного,— и трепетные губы их шептали: сатана!...

В городском архиве до сих пор сохранился портрет Угрюм-Бурчеева[4]. Это мужчина среднего роста, с каким-то деревянным лицом, очевидно никогда не освещавшимся улыбкой. Густые, остриженные под гребенку и как смоль черные волосы покрывают конический череп и плотно, как ермолка, обрамливают узкий и покатый лоб. Глаза серые, впавшие, осененные несколько припухшими веками; взгляд чистый, без колебаний; нос сухой, спускающийся от лба почти в прямом направлении книзу; губы тонкие, бледные, опушенные подстриженною щетиной усов; челюсти развитые, но без выдающегося выражения плотоядности, а с каким-то необъяснимым букетом готовности раздробить или перекусить пополам. Вся фигура сухощавая с узкими плечами, приподнятыми кверху, с искусственно выпяченною вперед грудью и с длинными, мускулистыми руками. Одет в военного покроя сюртук, застегнутый на все пуговицы, и держит в правой руке сочиненный Бородавкиным «Устав о неуклонном сечении»[5]; но, по-видимому, не читает его, а как бы удивляется, что могут существовать на свете люди, которые даже эту неуклонность считают нужным обеспечивать какими-то уставами. Кругом — пейзаж, изображающий пустыню, посреди которой стоит острог; сверху, вместо неба, нависла серая солдатская шинель...

Портрет этот производит впечатление очень тяжелое. Перед глазами зрителя восстает чистейший тип идиота, принявшего какое-то мрачное решение и давшего себе клятву привести его в исполнение. Идиоты вообще очень опасны, и даже не потому, что они непременно злы (в идиоте злость или доброта — совершенно безразличные качества), а потому, что они чужды всяким соображениям и всегда идут напролом, как будто дорога, на которой они очутились, принадлежит исключительно им одним. Издали может показаться, что это люди хотя и суровых, но крепко сложившихся убеждений, которые сознательно стремятся к твердо намеченной цели. Однако ж это оптический обман, которым отнюдь не следует увлекаться. Это просто со всех сторон наглухо закупоренные существа, которые ломят вперед, потому что не в состоянии сознать себя в связи с каким бы то ни было порядком явлений...

Обыкновенно противу идиотов принимаются известные меры, чтоб они, в неразумной стремительности, не все опрокидывали, что встречается им на пути. Но меры эти почти всегда касаются только *простых* идиотов; когда же придатком к идиотству является властность, то дело ограждения общества значительно усложняется. В этом случае грозящая опасность увеличивается всею суммою неприкрытости, в жертву которой, в известные исторические моменты, кажется отданною жизнь... Там, где простой идиот расшибает себе голову или наскакивает на рожон, идиот властный раздробляет пополам всевозможные рожны и совершает свои, так сказать, бессознательные злодеяния вполне беспрепятственно. Даже в самой бесплодности или очевидном вреде этих злодеяний он не почерпает никаких для себя поучений. Ему нет дела ни до каких результатов, потому что результаты эти выясняются не на нем (он слишком окаменел, чтобы на нем могло что-нибудь отражаться), а на чем-то ином, с чем у него не существует никакой органической связи. Если бы, вследствие усиленной идиотской деятельности, даже весь мир обратился в пустыню, то и этот результат не устрашил бы идиота. Кто знает, быть может, пустыня и представляет в его глазах именно ту обстановку, которая изображает собой идеал человеческого общежития?...

В то время еще ничего не было достоверно известно ни о коммунистах, ни о социалистах, ни о так называемых нивелляторах[6] вообще. Тем не менее нивелляторство существовало, и притом в самых обширных размерах. Были нивелляторы «хождения в струне», нивелляторы «бараньего рога», нивелляторы «ежовых рукавиц»[7] и проч. и проч. Но никто не видел в этом ничего угрожающего обществу или подрывающего его основы. Казалось, что ежели человека, ради сравнения[8] с сверстниками, лишают жизни, то хотя лично для него, быть может, особливого благополучия от сего не произойдет, но для сохранения общественной гармонии это полезно, и даже необходимо. Сами нивелляторы отнюдь не подозревали, что они — нивелляторы, а называли себя добрыми и благопопечительными устроителями, в мере усмотрения радеющими о счастии подчиненных и подвластных им лиц...

Такова была простота нравов того времени, что мы, свидетели эпохи позднейшей, с трудом можем перенестись даже воображением в те недавние времена, когда каждый эскадронный командир, не называя себя коммунистом, вменял себе, однако ж, за честь и обязанность быть оным от верхнего конца до нижнего.

Угрюм-Бурчеев принадлежал к числу самых фанатических нивелляторов этой школы. Начертавши прямую линию, он замыслил втиснуть в нее весь видимый и невидимый мир, и притом с таким непременным расчетом, чтоб нельзя было повернуться ни взад ни вперед, ни направо, ни налево. Предполагал ли он при этом сделаться благодетелем человечества? — утвердительно отвечать на этот вопрос трудно. Скорее, однако ж, можно думать, что в голове его вообще никаких предположений ни о чем не существовало. Лишь в позднейшие времена (почти на наших глазах) мысль о сочетании идеи прямолинейности с идеей всеобщего осчастливления была возведена в довольно сложную и неизъятую идеологических ухищрений административную теорию, но нивелляторы старого закала, подобные Угрюм-Бурчееву, действовали в простоте души, единственно по инстинктивному отвращению от кривой линии и всяких зигзагов и извилин. Угрюм-Бурчеев был прохвост[9] в полном смысле этого слова. Не потому только, что он занимал эту должность в полку, но прохвост всем своим существом, всеми помыслами. Прямая линия соблазняла его не ради того, что она в то же время есть и кратчайшая — ему нечего было делать с краткостью,— а ради того, что по ней можно было весь век маршировать и ни до чего не домаршироваться....

Еще задолго до прибытия в Глупов, он уже составил в своей голове целый систематический бред, в котором, до последней мелочи, были регулированы все подробности будущего устройства этой злосчастной муниципии. На основании этого бреда вот в какой приблизительно форме представлялся тот город, который он вознамерился возвести на степень образцового.

Посредине — площадь, от которой радиусами разбегаются во все стороны улицы, или, как он мысленно называл их, роты. По мере удаления от центра, роты пересекаются бульварами, которые в двух местах опоясывают город и в то же время представляют защиту от внешних врагов. Затем форштадт, земляной вал — и темная занавесь, то есть конец свету. Ни реки, ни ручья, ни оврага, ни пригорка — словом, ничего такого, что могло бы служить препятствием для вольной ходьбы, он не предусмотрел. Каждая рота имеет шесть сажен ширины — не больше и не меньше; каждый дом имеет три окна, выдающиеся в палисадник, в котором растут: барская спесь, царские кудри, бураки и татарское мыло. Все дома окрашены светло-серою краской, и хотя в натуре одна сторона улицы всегда обращена на север или восток, а другая на юг или запад, но даже и это упущено было из вида, а предполагалось, что и солнце и луна все стороны освещают одинаково и в одно и то же время дня и ночи.

В каждом доме живут по двое престарелых, по двое взрослых, по двое подростков и по двое малолетков, причем лица различных полов не стыдятся друг друга. Одинаковость лет сопрягается с одинаковостию роста. В некоторых ротах живут исключительно великорослые, в других — исключительно малорослые, или застрельщики. Дети, которые при рождении оказываются необещающими быть твердыми в бедствиях, умерщвляются; люди крайне престарелые и негодные для работ тоже могут быть умерщвляемы, но только в таком случае, если, по соображениям околоточных надзирателей,[10] в общей экономии наличных сил города чувствуется излишек. В каждом доме находится по экземпляру каждого полезного животного мужеского и женского пола, которые обязаны, во-первых, исполнять свойственные им работы и, во-вторых,— размножаться. На площади сосредоточиваются каменные здания, в которых помещаются общественные заведения, как-то: присутственные места и всевозможные манежи: для обучения гимнастике, фехтованию и пехотному строю, для принятия пищи, для общих коленопреклонений и проч. Присутственные места называются штабами, а служащие в них — писарями.[11] Школ нет, и грамотности не полагается; наука чисел преподается по пальцам. Нет ни прошедшего, ни будущего, а потому летосчисление упраздняется. Праздников два: один весною, немедленно после таянья снегов, называется «Праздником неуклонности» и служит приготовлением к предстоящим бедствиям; другой — осенью, называется «Праздником предержащих властей» и посвящается воспоминаниям о бедствиях, уже испытанных. От будней эти праздники отличаются только усиленным упражнением в маршировке.

Такова была внешняя постройка этого бреда. Затем предстояло урегулировать внутреннюю обстановку живых существ, в нем захваченных. В этом отношении фантазия Угрюм-Бурчеева доходила до определительности поистине изумительной.

Всякий дом есть не что иное, как *поселенная единица*,[12] имеющая своего командира и своего шпиона (на шпионе он особенно настаивал) и принадлежащая к десятку, носящему название *взвода*. Взвод, в свою очередь, имеет командира и шпиона; пять взводов составляют роту, пять рот — полк. Всех полков четыре, которые образуют, во-первых, две бригады и, во-вторых, дивизию; в каждом из этих подразделений имеется командир и шпион. Затем следует собственно *Город*, который из Глупова переименовывается в «вечно-достойныя памяти великого князя Святослава Игоревича город *Непреклонск*».[13] Над городом парит окруженный облаком градоначальник или, иначе, сухопутных и морских сил города Непреклонска обер-комендант, который со всеми входит в пререкания и всем дает чувствовать свою власть. Около него... шпион!!

В каждой поселенной единице время распределяется самым строгим образом. С восходом солнца все в доме поднимаются; взрослые и подростки облекаются в единообразные одежды (по особым, апробованным градоначальником рисункам), подчищаются и подтягивают ремешки. Малолетние сосут на скорую руку материнскую грудь; престарелые произносят краткое поучение, неизменно оканчивающееся непечатным словом; шпионы спешат с рапортами. Через полчаса в доме остаются лишь престарелые и малолетки, потому что прочие уже отправились к исполнению возложенных на них обязанностей. Сперва они вступают в «манеж для коленопреклонений», где наскоро прочитывают молитву; потом направляют стопы в «манеж для телесных упражнений», где укрепляют организм фехтованием и гимнастикой; наконец, идут в «манеж для принятия пищи», где получают по куску черного хлеба, посыпанного солью. По принятии пищи выстраиваются на площади в каре, и оттуда, под предводительством командиров, повзводно разводятся на общественные работы. Работы производятся по команде. Обыватели разом нагибаются и выпрямляются; сверкают лезвия кос, взмахивают грабли, стучат заступы, сохи бороздят землю,— всё по команде. Землю пашут, стараясь выводить сохами вензеля, изображающие начальные буквы имен тех исторических деятелей, которые наиболее прославились неуклонностию. Около каждого рабочего взвода мерным шагом ходит солдат с ружьем, и через каждые пять минут стреляет в солнце. Посреди этих взмахов, нагибаний и выпрямлений прохаживается по прямой линии сам Угрюм-Бурчеев, весь покрытый потом, весь преисполненный казарменным запахом, и затягивает:

Раз — первой! раз — другой! —

а за ним все работающие подхватывают:

Ухнем!
Дубинушка, ухнем!

Но вот солнце достигает зенита, и Угрюм-Бурчеев кричит: «Шабаш!» Опять повзводно строятся обыватели и направляются обратно в город, где церемониальным маршем проходят через «манеж для принятия пищи» и получают по куску черного хлеба с солью. После краткого отдыха, состоящего в маршировке, люди снова строятся, и прежним порядком разводятся на работы впредь до солнечного заката. По закате всякий получает по новому куску хлеба и спешит домой лечь спать. Ночью над Непреклонском витает дух Угрюм-Бурчеева и зорко стережет обывательский сон...

Ни бога, ни идолов — ничего...

В этом фантастическом мире нет ни страстей, ни увлечений, ни привязанностей. Все живут каждую минуту вместе, и всякий чувствует себя одиноким. Жизнь ни на мгновенье не отвлекается от исполнения бесчисленного множества дурацких обязанностей, из которых каждая рассчитана заранее и над каждым человеком тяготеет как рок. Женщины имеют право рожать детей только зимой, потому что нарушение этого правила может воспрепятствовать успешному ходу летних работ. Союзы между молодыми людьми устраиваются не иначе, как сообразно росту и телосложению, так как это удовлетворяет требованиям правильного и красивого фронта.[14] Нивелляторство, упрощенное до определенной дачи черного хлеба,— вот сущность этой кантонистской[15] фантазии...

Тем не менее, когда Угрюм-Бурчеев изложил свой бред перед начальством, то последнее не только не встревожилось им, но с удивлением, доходившим почти до благоговения, взглянуло на темного прохвоста, задумавшего уловить вселенную. Страшная масса исполнительности, действующая как один человек, поражала воображение. Весь мир представлялся испещренным черными точками, в которых, под бой барабана, двигаются по прямой линии люди, и всё идут, всё идут. Эти поселенные единицы, эти взводы, роты, полки — все это, взятое вместе, не намекает ли на какую-то лучезарную даль, которая покамест еще задернута туманом, но со временем, когда туманы рассеются и когда даль откроется... Что же это, однако, за даль? что скрывает она?

— Ка-за-р-рмы! — совершенно определительно подсказывало возбужденное до героизма воображение.

— Казар-р-мы! — в свою очередь, словно эхо, вторил угрюмый прохвост и произносил при этом такую несосветимую клятву, что начальство чувствовало себя как бы опаленным каким-то таинственным огнем...

NOTES

От. зап. 1870, ix; *CC* viii, 397–400, 402–7.

1. See **2**.

2. See **1**, Nos. 8, 13.

3. 'Rod', used for flogging, especially in the punishment in which military offenders were made to run the gauntlet (гонять сквозь строй). See **2**, n. 10.

4. A correspondence has been pointed out between the portrait description of Ugryum-Burcheev and the appearance of his claimed prototype Arakcheev.

5. An example of Saltykov's fondness for referring to parodic documents, here simply by title. A supplement to *Istoriya odnogo goroda* contains the texts of three 'documents'—Borodavkin's 'Mysli o gradonachal′nicheskom edino-myslii', Mikaladze's 'O blagovidnoi vsekh gradonachal′nikov naruzhnosti', and Benevolensky's 'Ustav o svoistvennom gradopravitelyu dobroserdechii'.

6. 'Levellers'.

7. Levellers of various repressive types suggested by the expressions ходить в струне 'to toe the line', согнуть в бараний рог 'to bend into submission', and держать в ежовых рукавицах 'to keep under heel'.

8. Сравнение here evidently in the sense of сравнивание 'equalization'.

9. Saltykov's use of the word прохвост is deliberately ambiguous. Its earliest meaning was 'master-at-arms' (on ships) or 'military policeman' (cf. the sense of its English cognate 'provost')—relevant here since this had been Ugryum-Burcheev's function during his military service. The word subsequently took on the meaning of 'sanitary orderly' and, outside the military context, became used as a vulgar term of abuse 'swine', 'scoundrel'.

10. 'District police inspectors'—officers in charge of a police sub-division (*okolotok*) of a town.

11. '(Army) clerks', 'clerical orderlies'.

12. 'Habitation unit'.

13. Ugryum-Burcheev's town of 'Resolution' is dedicated to the Kievan prince Svyatoslav Igorevich (ruled 962–72), a great warrior who was noted for the rigorous simplicity of his life when campaigning.

14. '(Front) rank(s)' (of military drill formation).

15. 'Cantonist'—typical, that is, of someone who has passed through one of the military schools attended by soldiers' sons who were trained for service in the army.

4. *Губернские очерки:* Надорванные [extract]

In the preceding passages from *Istoriya odnogo goroda* (**1**–**3**) Saltykov has represented the Russian state system as a kind of irrational tyranny, the only consistent aim of which is to suppress the population it controls. In the following extract from Saltykov's first major satirical cycle, *Gubernskie ocherki*, the author provides, on a more practical level, an example of the executive arm of this administration in the figure of Filoveritov. Filoveritov is presented as an ideal subordinate, the devoted servant of his superiors, in the execution of whose commands he is capable of submerging entirely his own personality and acting regardless of the dictates of reason or humanity. (Such unquestioning loyalty of Russian servants of the state calls to mind the declaration of Prince Shirinsky-Shikhmatov, Minister of Education under Nicholas I in 1850–3, quoted by Nikitenko in his diary: 'У меня нет ни своей мысли, ни своей воли, — я только слепое орудие воли государя' (A. V. Nikitenko, *Dnevnik* (L., 1955–6), i, 392.)

Saltykov frequently presented the objects of his satire by means of first-person narrative. He does so in the case of Filoveritov, who frankly declares his character. By this device of self-portrayal (which is here not one-sided—it includes reference to the human instincts which Filoveritov has to suppress in order to fulfil his duty) Saltykov enhances not only the psychological credibility but also the fearful implications of the character.

«Если вы захотите узнать от крутогорских[1] жителей, что я за человек, вам наверное ответят: «О, это собака!» И я не только смиренно преклоняюсь перед этим прозвищем, но, коли хотите, несколько даже горжусь им.

Репутация эта до такой степени утвердилась за мной, что если моему начальнику не нравится физиономия какого-нибудь смертного, он ни к кому, кроме меня, не взывает об уничтожении этого смертного. «Любезный Филоверитов,— говорит он мне,— у такого-то господина NN нос очень длинен; это нарушает симметрию администрации, а потому нельзя ли, carissimo ...» И я лечу исполнить приказание моего начальника, я впиваюсь когтями и зубами в ненавистного ему субъекта и до тех пор не оставляю его, пока жертва не падает к моим ногам, изгрызенная и бездыханная.

Мягкость сердца не составляет моего отличительного качества. Скажу даже, что в то время, когда я произвожу травлю, господин NN, который, в сущности, представляет для меня лицо совершенно постороннее, немедленно делается личным моим врагом, врагом тем более для меня ненавистным, чем более он употребляет средств, чтобы оборониться от меня. Я внезапно вхожу во все виды моего начальника; взор мой делается мутен, у рта показывается пена, и я грызу, грызу до тех пор, пока сам не упадаю от изнеможения и бешенства... Согласитесь сами, что в этом постоянном, неестественном напряжении всех струн души человеческой есть тоже своя поэтическая сторона, которая, к сожалению, ускользает от взора пристрастных наблюдателей.

И не то чтоб я был, в самом деле, до того уж озлоблен, чтобы несчастие ближнего доставляло мне неизреченное удовольствие... совсем нет! Но я строго различаю мою обыденную, будничную деятельность от деятельности служебной, официяльной. В первой сфере я — раб своего сердца, раб даже своей плоти, я увлекаюсь, я умиляюсь, я делаюсь негодным человеком; во второй сфере — я совлекаю с себя ветхого человека, я отрешаюсь от видимого мира и возвышаюсь до ясновиденья. Если злоба и желчь недостаточно сосут мое сердце, я напрягаю все силы, чтоб искусственными средствами произвести в себе болезнь печени.

В большей части случаев я успеваю в этом. Я столько получаю ежедневно оскорблений, что состояние озлобления не могло не сделаться нормальным моим состоянием. Кроме того, жалованье мое такое маленькое, что я не имею ни малейшей возможности расплыться в материяльных наслаждениях. Находясь постоянно впроголодь, я с гордостью сознаю, что совесть моя свободна от всяких посторонних внушений, что она не подкуплена брюхом, как у этих «озорников»,[2] которые смотрят на мир с высоты гастрономического величия.

Фамилия моя Филоверитов.[3] Это достаточно объясняет вам, что я не родился ни в бархате, ни в злате. Нынешний начальник мой, искавший для своих домашних потребностей такую собаку, которая сочла бы за удовольствие закусать до смерти других вредоносных собак, и видя, что цвет моего лица отменно желт, а живот всегда подобран, обратил на меня внимание.

— Чувствуешь ли ты в себе столько силы,— сказал он мне,— чтоб быть всегда озлобленным, всегда готовым бодро и злокачественно следовать указанию перста моего?

Я сошел в свою совесть и убедился, что в состоянии оправдать возложенные на меня надежды. Я посредством целого ряда ясных и строгих силлогизмов дошел до убеждения, что человек официяльный не имеет права обладать ни одним из пяти чувств, составляющих неотъемлемую принадлежность обыкновенного человека. Что я такое и что значу в этой громаде администрации, которая пугает глаза, поражает разум сложностью и цепкостью всех частей своего механизма? Я не больше как ничтожный атом, который фаталистически осужден на те или другие отправления и который ни на пядь не может выйти из очарованного круга, начертанного для него невидимою рукой! Какое право предъявлю я, чтоб иметь свое убеждение? И кому оно нужно, это убеждение? Однажды я как-то осмелился заикнуться перед моим начальником, что *по моему мнению*... так он только поглядел на меня, и с тех пор я более не заикался. И он был прав...

С этой поры все у нас идет ладно и гладко. Не скрою от вас, что это постоянное заказное озлобление иногда утомляет меня. Бывают времена, что вся спинная кость как будто перешибена, и ходишь весь сгорбленный... Но это только на время: почуется в воздухе горечь, получается новое приказание, вызывающее к деятельности, и я, как почтовая лошадь, распрямляю разбитые ноги и скачу по камням и щебню, по горам и оврагам, по топям и грязи. Ноги у меня искровавлены, дыханье делается быстро и прерывисто, как у пойманной крысы, но я все-таки останавливаюсь только затем, чтобы вновь скакать, не переводя духу.

Эта скачка очень полезна; она поддерживает во мне жизнь, как рюмка водки поддерживает жизнь в закоснелом пьянице. Посмотришь на него: и руки и ноги трясутся, словно весь он ртутью налит, а выпил рюмку-другую — и пошел ходить как ни в чем не бывало. Точно таким образом и я: знаю, что на мне лежит долг, и при одном этом слове чувствую себя всегда готовым и бодрым. Не из мелкой корысти, не из подлости действую я таким образом, а по крайнему разумению своих обязанностей, как человека и гражданина.

Деятельность моя была самая разнообразная. Был я и следователем, был и судьею; имел, стало быть, дело и с живым материялом, и с мертвою буквою, но и в том и в другом случае всегда оставался верен самому себе или, лучше сказать, идее долга, которой я сделал себя служителем.

Следственную часть вы знаете: в ней представляется столько искушений, если не для кармана, то для сердца, что трудно овладеть собой надлежащим образом. И я вам откровенно сознаюсь, что эта часть не по нутру мне; вообще, я не люблю живого материяла, не люблю этих вздохов, этих стонов: они стесняют у меня свободу мысли![4]

. . . .

Но я вам сказал уже, что следственной части не люблю, по той главной причине, что тут живой материял есть. То ли дело судейская часть! Тут имеешь дело только с бумагою; сидишь себе в кабинете, никто тебя не смущает, никто не мешает; сидишь и действуешь согласно с здравою логикой и строгою законностью. Если силлогизм построен правильно, если все нужные посылки сделаны,— значит, и дело правильное, значит, никто в мире кассировать меня не в силах.

Я не схожу в свою совесть, я не советуюсь с моими личными убеждениями; я смотрю на то только, соблюдены ли все формальности, и в этом отношении строг до педантизма. Если есть у меня в руках два свидетельские показания, надлежащим порядком оформленные, я доволен и пишу: *есть;* если нет их — я тоже доволен и пишу: *нет.* Какое мне дело до того, совершено ли преступление в действительности или нет! Я хочу знать, *доказано* ли оно или *не доказано,*— и больше ничего.

Кабинетно-силлогистическая деятельность представляет мне неисчерпаемые наслаждения. В нее можно втянуться точно так же, как можно втянуться в пьянство, в курение опиума и т. п. Помню я одну ночь. Обвиненный ускользал уже из моих рук, но какое-то чутье говорило мне, что не может это быть, что должно же быть в этом деле такое болото, в котором субъект непременно обязан погрязнуть. И точно; хотя долго я бился, однако открыл это болото, и вы не можете себе представить, какое наслаждение вдруг разлилось по моим жилам...

Вы можете, в настоящее время, много встретить людей одинакового со мною направления, но вряд ли встретите другого *меня.* Есть много людей, убежденных, как и я, что вне администрации в мире все хаос и анархия, но это большею частию или горлопаны, или эпикурейцы, или такие младенцы, которые приступиться ни к чему не могут и не умеют. Ни один из них не возвысился до понятия о *долге,* как о чем-то серьезном, не терпящем суеты, ни один не возмог умертвить свое *я* и принесть всего себя в жертву своим обязанностям.

Делают мне упрек, что манеры мои несколько жестки, что весь я будто сколочен из одного куска, что вид мой не внушает доверия и т. п. Странная вещь! от чиновника требовать грациозности! Какая в том польза, что я буду мил, любезен и предупредителен? Не лучше ли, напротив, если я буду стоять несколько поодаль, чтобы всякий смотрел на меня если не со страхом, то с чувством неизвестности?

В губерниях чиновничество и без того дошло до какого-то странного панибратства. Для того, чтобы выпить лишнюю рюмку водки, съесть лишний кусок лакомого блюда, а главное — насытить свой нос зловонными испарениями лести и ласкательства, готовы лезть почти на преступление. «Это не взятка»,— говорят. Да, это не взятка, но хуже взятки. Взятку берет чиновник с осмотрительностью, а иногда и с невольным угрызением совести, а едучи на обед, он не ощущает ничего, кроме удовольствия. Рассудите сами, можете ли вы отказать в чем-нибудь человеку, который оказывал вам тысячу предупредительностей, тысячу маленьких услуг, которые ценятся не деньгами, а сердцем? Нет, и тысячу раз нет. Деньги можно назад отдать, если дело оказывается чересчур сомнительным, а невесомые, моральные взятки остаются навеки на совести чиновника и рано или поздно вылезут из него или подлостью, или казнокрадством.

А между тем посмотрите вы на наших губернских и уездных аристократов,[5] как они привередничают, как они пыжатся на обеде у какого-нибудь негоцианта, который только потому и кормит их, чтобы казну обворовать поделикатнее. Фу ты, что за картина! Сидит индейский петух и хвост распустит — ну, не подступишься к нему, да и только! Ан нет! покудова он там распускает хвост, в голове у него уж зреет канальская идея, что как, мол, не прибавить по копеечке такому милому, преданному негоцианту!

Скажите же на милость, каким тут образом не сделаться желчным человеком, когда кругом себя видишь только злоупотребления или такое нахальное самодовольство, от которого в груди сердце воротит!..

NOTES

Русский вестник 1857, i; *СС* ii, 267–9, 272–3.

1. Krutogorsk is the provincial town which is the principal scene of action in *Gubernskie ocherki*.

2. In the preceding sketch of *Gubernskie ocherki* Saltykov portrays the озорник ('madcap', 'rapscallion') type. This is the young provincial administrator of superior rank who despises his peasant charges ('cette canaille', as he calls them) for their dirtiness and ignorance and leaves the practicalities of administration to his subordinates, preferring himself purely theoretical aspects of administration. His detached—and absolutist—view of the administrative problem is summed up in his statement: 'В моих глазах целый мир есть не что иное, как вещество, которое, в руках искусного мастера, должно принимать те или другие формы.' His only serious practical concern is to enjoy all the material pleasures of life—hence Filoveritov's remark here.

3. Filoveritov's name, as he points out, suggests a fairly humble social background. His name indicates that he was the son of a priest.

4. Filoveritov here goes on to relate two cases investigated by him in which he found it necessary to suppress his sympathy for the simple peasant criminals in order to fulfil his duty as an official.

5. i.e. higher officials in the provincial (*guberniya*) and district (*uezd*) administrations.

5. *История одного города:* Эпоха увольнения от войн [extract]

A corollary of Saltykov's view that in Russia the administration represents for the people merely an agency of oppression is that the less the people are governed the happier and more prosperous they will be. In *Istoriya odnogo goroda* this point is amusingly made in the account of the governorship of Pryshch, whose declared policy of inaction led to an unprecedented flourishing of the town's affairs. The episode ends with a fine example of Saltykov's use of the fantastic—Pryshch's downfall comes when his head is discovered to be stuffed with truffles and is consumed by the Marshal of the Nobility.

Но счастию глуповцев, по-видимому, не предстояло еще скорого конца. На смену Беневоленскому[1] явился подполковник Прыщ и привез с собою систему администрации еще более упрощенную.

Прыщ был уже не молод, но сохранился необыкновенно. Плечистый, сложенный кряжем, он всею своею фигурой так, казалось, и говорил: не смотрите на то, что у меня седые усы: я могу! я еще очень могу! Он был румян, имел алые и сочные губы, из-за которых виднелся ряд белых зубов; походка у него была деятельная и бодрая, жест быстрый. И все это украшалось блестящими штаб-офицерскими эполетами, которые так и играли на плечах при малейшем его движении.

По принятому обыкновению, он сделал рекомендательные визиты к городским властям и прочим знатным обоего пола особам, и при этом развил перед ними свою программу.

— Я человек простой-с,— говорил он одним,— и не для того сюда приехал, чтоб издавать законы-с. Моя обязанность наблюсти, чтобы законы были в целости и не валялись по столам-с. Конечно, и у меня есть план кампании, но этот план таков: отдохнуть-с!

Другим он говорил так:

— Состояние у меня, благодарение богу, изрядное. Командовал-с; стало быть, не растратил, а умножил-с. Следственно, какие есть насчет этого законы — те знаю, а новых издавать не желаю. Конечно, многие на моем месте понеслись бы в атаку, а может быть, даже устроили бы бомбардировку, но я человек простой и утешения для себя в атаках не вижу-с!

Третьим высказывался так:

— Я не либерал и либералом никогда не бывал-с. Действую всегда прямо и потому даже от законов держусь в отдалении. В затруднительных случаях приказываю поискать, но требую одного: чтоб закон был старый. Новых законов не люблю-с. Многое в них пропускается, а о прочем и совсем не упоминается. Так я всегда говорил, так отозвался и теперь, когда отправлялся сюда. От новых, говорю, законов увольте, прочее же надеюсь исполнить в точности!

Наконец, четвертым он изображал себя в следующих красках:

— Про себя могу сказать одно: в сражениях не бывал-с, но в парадах закален даже сверх пропорции. Новых идей не понимаю. Не понимаю даже того, зачем их следует понимать-с.

Этого мало: в первый же праздничный день он собрал генеральную сходку глуповцев и перед нею формальным образом подтвердил свои взгляды на администрацию.

— Ну, старички,— сказал он обывателям,— давайте жить мирно. Не трогайте вы меня, а я вас не трону. Сажайте и сейте, ешьте и пейте, заводите фабрики и заводы — что же-с! все это вам же на пользу-с! По мне, даже монументы воздвигайте — я и в этом препятствовать не стану! Только с огнем, ради Христа, осторожнее обращайтесь, потому что тут не долго и до греха. Имущества свои попалите, сами погорите — что хорошего!

Как ни избалованы были глуповцы двумя последними градоначальниками,[2] но либерализм столь беспредельный заставил их призадуматься: нет ли тут подвоха? Поэтому некоторое время они осматривались, разузнавали, говорили шепотом и вообще «опасно ходили».[3] Казалось несколько странным, что градоначальник не только отказывается от вмешательства в обывательские дела, но даже утверждает, что в этом-то невмешательстве и заключается вся сущность администрации.

— И законов издавать не будешь? — спрашивали они его с недоверчивостью.

— И законов не буду издавать — живите с богом!

— То-то! уж ты сделай милость, не издавай! Смотри, как за это прохвосту-то[4] (так называли они Беневоленского) досталось! Стало быть, коли опять за то же примешься, как бы и тебе и нам в ответ не попасть!

Но Прыщ был совершенно искренен в своих заявлениях и твердо решился следовать по избранному пути. Прекратив все дела, он ходил по гостям, принимал обеды и балы и даже завел стаю борзых и гончих собак, с которыми травил на городском выгоне зайцев, лисиц, а однажды заполевал очень хорошенькую мещаночку. Не без иронии отзывался он о своем предместнике,[5] томившемся в то время в заточении.

— Филат Иринархович, — говорил, — больше на бумаге сулил, что обыватели при нем якобы благополучно в домах своих почивать будут, а я на практике это самое предоставлю... да-с!

И точно: несмотря на то что первые шаги Прыща были встречены глуповцами с недоверием, они не успели и оглянуться, как всего у них очутилось против прежнего вдвое и втрое. Пчела роилась необыкновенно, так что меду и воску было отправлено в Византию почти столько же, сколько при великом князе Олеге.[6] Хотя скотских падежей не было, но кож оказалось множество, и так как глуповцам за всем тем ловчее было щеголять в лаптях, нежели в сапогах, то и кожи спровадили в Византию полностию, и за все получили чистыми ассигнациями.[7] А поелику навоз производить стало всякому вольно, то и хлеба уродилось столько, что, кроме продажи, осталось даже на собственное употребление. «Не то что в других городах, — с горечью говорит летописец,[8] — где железные дороги* не успевают перевозить дары земные, на продажу назначенные, жители же от бескормицы в отощание приходят. В Глупове, в сию счастливую годину, не токмо хозяин, но и всякий наймит ел хлеб настоящий, а не в редкость бывали и шти с приварком».[9]

Прыщ смотрел на это благополучие и радовался. Да и нельзя было не радоваться ему, потому что всеобщее изобилие отразилось и на нем. Амбары его ломились от приношений, делаемых в натуре; сундуки не вмещали серебра и золота, а ассигнации просто валялись по полу.

Так прошел и еще год, в течение которого у глуповцев всякого добра явилось уже не вдвое или втрое, но вчетверо. Но по мере того, как развивалась свобода, нарождался и исконный враг ее — анализ. С увеличением материального благосостояния приобретался досуг, а с приобретением досуга явилась способность исследовать и испытывать природу ве-

---

* О железных дорогах тогда и помину не было, но это один из тех безвредных анахронизмов, каких очень много встречается в «Летописи». — *Изд.*

щей. Так бывает всегда, но глуповцы употребили эту «новоявленную у них способность» не для того, чтобы упрочить свое благополучие, а для того, чтоб оное подорвать.

Неокрепшие в самоуправлении глуповцы начали приписывать это явление посредничеству какой-то неведомой силы. А так как на их языке неведомая сила носила название чертовщины, то и стали думать, что тут не совсем чисто и что, следовательно, участие черта в этом деле не может подлежать сомнению. Стали присматривать за Прыщом и нашли в его поведении нечто сомнительное. Рассказывали, например, что однажды кто-то застал его спящим на диване, причем будто бы тело его было кругом обставлено мышеловками. Другие шли далее и утверждали, что Прыщ каждую ночь уходит спать на ледник. Все это обнаруживало нечто таинственное, и хотя никто не спросил себя, какое кому дело до того, что градоначальник спит на леднике, а не в обыкновенной спальной, но всякий тревожился. Общие подозрения еще более увеличились, когда заметили, что местный предводитель дворянства[10] с некоторого времени находится в каком-то неестественно-возбужденном состоянии, и всякий раз, как встретится с градоначальником, начинает кружиться и выделывать нелепые телодвижения.

Нельзя сказать, чтоб предводитель отличался особенными качествами ума и сердца; но у него был желудок, в котором, как в могиле, исчезали всякие куски. Этот не весьма замысловатый дар природы сделался для него источником живейших наслаждений. Каждый день с раннего утра он отправлялся в поход по городу и поднюхивал запахи, вылетавшие из обывательских кухонь. В короткое время обоняние его было до такой степени изощрено, что он мог безошибочно угадать составные части самого сложного фарша.

Уже при первом свидании с градоначальником предводитель почувствовал, что в этом сановнике таится что-то не совсем обыкновенное, а именно, что от него пахнет трюфлями. Долгое время он боролся с своею догадкою, принимая ее за мечту воспаленного съестными припасами воображения, но чем чаще повторялись свидания, тем мучительнее становились сомнения. Наконец он не выдержал и сообщил о своих подозрениях письмоводителю дворянской опеки[11] Половинкину.

— Пахнет от него! — говорил он своему изумленному наперснику,— пахнет! Точно вот в колбасной лавке!

— Может быть, они трюфельной помадой голову себе мажут-с? — усомнился Половинкин.

— Ну, это, брат, дудки! После этого каждый поросенок будет тебе в глаза лгать, что он не поросенок, а только поросячьими духами прыскается!

На первый раз разговор не имел других последствий, но мысль о поросячьих духах глубоко запала в душу предводителя. Впавши в гастрономическую тоску, он слонялся по городу, словно влюбленный, и, завидев где-нибудь Прыща, самым нелепым образом облизывался. Однажды, во время какого-то соединенного заседания, имевшего предметом устройство во время масленицы усиленного гастрономического торжества, предводитель, доведенный до исступления острым запахом, распространяемым градоначальником, вне себя вскочил с своего места и крикнул: «Уксусу и горчицы!» И затем, припав к градоначальнической голове, стал ее нюхать.

Изумление лиц, присутствовавших при этой загадочной сцене, было беспредельно. Странным показалось и то, что градоначальник, хотя и сквозь зубы, но довольно неосторожно сказал:

— Угадал, каналья!

И потом, спохватившись, с непринужденностию, очевидно притворною, прибавил:

— Кажется, наш достойнейший предводитель принял мою голову за фаршированную... ха, ха!

Увы! Это косвенное признание заключало в себе самую горькую правду!

Предводитель упал в обморок и вытерпел горячку, но ничего не забыл и ничему не научился. Произошло несколько сцен, почти неприличных. Предводитель юлил, кружился и наконец, очутившись однажды с Прыщом глаз на глаз, решился.

— Кусочек! — стонал он перед градоначальником, зорко следя за выражением глаз облюбованной им жертвы.

При первом же звуке столь определенно формулированной просьбы градоначальник дрогнул. Положение его сразу обрисовалось с той бесповоротной ясностью, при которой всякие соглашения становятся бесполезными. Он робко взглянул на своего обидчика и, встретив его полный решимости взор, вдруг впал в состояние беспредельной тоски.

Тем не менее он все-таки сделал слабую попытку дать отпор. Завязалась борьба; но предводитель вошел уже в ярость и не помнил себя. Глаза его сверкали, брюхо сладостно ныло. Он задыхался, стонал, называл градоначальника «душкой», «милкой» и другими несвойственными этому сану именами; лизал его, нюхал и т. д. Наконец с неслыханным

53

остервенением бросился предводитель на свою жертву, отрезал ножом ломоть головы и немедленно проглотил...

За первым ломтем последовал другой, потом третий, до тех пор, пока не осталось ни крохи...

Тогда градоначальник вдруг вскочил и стал обтирать лапками те места своего тела, которые предводитель полил уксусом. Потом он закружился на одном месте и вдруг всем корпусом грохнулся на пол.

На другой день глуповцы узнали, что у градоначальника их была фаршированная голова...

Но никто не догадался, что, благодаря именно этому обстоятельству, город был доведен до такого благосостояния, которому подобного не представляли летописи с самого его основания.

NOTES

От. зап. 1870, iii; *СС* viii, 365–70.

1. See **1**, No. 15.

2. See **1**, Nos. 14–15.

3. 'Walked circumspectly'. The phrase is a biblical one, see **6**, n. 6.

4. See **3**, n. 9. The word is used here simply in its abusive sense.

5. i.e. Benevolensky, see n. 1 above.

6. The reference is to Oleg, one of the first princes of Kiev (ruled 879–912), under whom the Russians carried on both war and trade with Byzantium. Honey, beeswax, and furs were the chief Russian exports at this time and are commonly mentioned in the chronicles.

7. A deliberate paradox, since ассигнации (i.e. paper money) were in nineteenth-century Russia regularly valued at a debased rate relative to the nominal coin equivalent, while чистый is used particularly to emphasize 'undebasedness' in phrases such as чистое золото, чистая монета.

8. i.e. the writer of the 'Glupov Chronicle' on which *Istoriya odnogo goroda* is purportedly based.

9. 'Cabbage soup with something solid (i.e. meat, etc.) in it'. Шти is a regional form of щи.

10. Marshal of the Nobility, elected head of the local corporation of the *dvoryanstvo*.

11. Clerk of the Gentry Board of Guardians.

6. *Помпадуры и помпадурши:* Сомневающийся [extract]

The point made in the extract from *Istoriya odnogo goroda* about Pryshch (see **5**)—that only an inactive administration can contribute to the happiness of the population—is developed further in this extract from *Pompadury i pompadurshi* (for this cycle, see introductory note to **13**), in which the governor of a town—*pompadur* in Saltykov's ironic aesopism —sets out to discover in what light the ordinary people regard the authorities. To his surprise he finds that they have no conception of the law and the administration as anything other than an extraneous negative force, one of the hazards of life which has to be suffered if it cannot be avoided. Though chiefly a condemnation of officialdom as something irrelevant to ordinary life, the piece also underlines a negative side of the population itself—their lack of social and political awareness and their resigned acceptance of authority and its impositions simply as part of their lot in life.

Решимость эта заключалась в том, чтобы исследовать в самом источнике, узнать от чистых сердцем и нищих духом (сии суть столпы), нужны ли помпадуры! В каких отношениях находится к этому источнику практика помпадурская и в каких — практика законов? которая из них имеет перевес? в каком смысле — в смысле ли творческом, или просто в смысле реактива, производящего баламут?

Чтобы осуществить эту мысль, он прибегнул к самому первоначальному способу, то есть переоделся в партикулярное платье и в первый воскресный день incognito отправился на базарную площадь.

День был веселый, и базар многолюдный; площадь была загромождена возами с осенними продуктами; говор несся отовсюду. В воздухе пахло капустой, грибами и овощами. Звякали медные гроши, слышалось хлопанье по рукам, пробное щелканье глиняной посуды, ржание лошадей. В одном месте пели песни, в другом ругались; там и сям кричали: караул! Бабы торговались с такой энергией, что, казалось, готовы были перервать друг другу горло. Были и случаи неповиновения властям: будочник просил у торговки пять грибов на щи, а она давала два, и будочник качал головой, как бы обдумывая, не расстрелять ли бабу за упорство...

Но помпадур ничего не замечал. Он был от природы не сентиментален, и потому вопрос, счастливы ли подведомственные ему обыватели, интересовал его мало. Быть может, он даже думал, что они не смеют не быть счастливыми. Поэтому проявления народной жизни, проходившие перед его глазами, казались не более как фантасмагорией, ключ к объяснению которой, быть может, когда-то существовал, но уже в давнее время одним из наезжих помпадуров был закинут в колодезь, и с тех пор никто оттуда достать его не может.

Тем не менее кое-что из происходившего даже ему бросилось в глаза.

Прежде всего его поразило следующее обстоятельство. Как только он сбросил с себя помпадурский образ, так тотчас же все перестали оказывать ему знаки уважения. Стало быть, того особого помпадурского вещества, которым он предполагал себя пропитанным, вовсе не существовало, а если и можно было указать на что-нибудь в этом роде, то, очевидно, что это «что-нибудь» скорее принадлежало мундиру помпадура, нежели ему самому.

Второе поразившее его обстоятельство было такого рода. Шел по базару полицейский унтер-офицер (даже не квартальный),² — и все перед ним расступались, снимали шапки. Вскоре, вслед за унтер-офицером, прошел по тому же базару так называемый ябедник с томом законов под мышкой — и никто перед ним даже пальцем не пошевелил. Стало быть, и в законе нет того особливого вещества, которое заставляет держать руки по швам, ибо если б это вещество было, то оно, конечно, дало бы почувствовать себя и под мышкой у ябедника.

Стало быть, вещество заключено собственно в мундире; взятые же независимо от мундира, и он, помпадур, и закон — равны.

Заключение это вскоре было самым блистательным образом подтверждено и другими исследованиями.

Как ни старательно он прислушивался к говору толпы, но слова: «помпадур», «закон» — ни разу не долетели до его слуха. Либо эти люди были счастливы сами по себе, либо они просто дикие, не имеющие даже элементарных понятий о том, что во всем образованном мире известно под именем общественного благоустройства и благочиния. Долго он не решался заговорить с кем-нибудь, но, наконец, заметил довольно благообразного старика, стоявшего у воза с кожами, и подошел к нему.

— Вот что, почтеннейший, — начал он, — человек я приезжий, и нужно мне до вашего градоначальника дойти. Каков он у вас?

— Это какой же начальник?

— Да вон тот... главный... что на пожарном дворе живет.

— А кто его знает! надобности нам в нем не видится.

Помпадура даже передернуло при этом ответе.

— Как же это, почтеннейший! до градоначальника — да надобности нет? А ну, ежели, например... чтó бы, например...

Он стал отыскивать подходящий пример, но как ни усиливался, мог отыскать только следующий:

— А ну, например, ежели в часть[3] попадешь?

— До сих пор бог миловал. А ежели когда попадем, тогда и узнаем.

— Но, может быть, слухи какие-нибудь ходят... ведь это градоначальник, почтеннейший! говорят же о нем что-нибудь.

— И слухов не знаем. Потому, ничего нам этого не надобно.

— Гм... Стало быть, так и живете? и ничего не опасаетесь?

— Опасаться как не опасаться; завсегда опасаемся, потому что всё до поры до времени.

— Может, закона боишься?

— Говорю тебе: до поры до времени. Выедешь, это, из дому хоть бы на базар, а воротишься ли домой — вперед сказать не можешь. Вот тебе и сказ. Может быть, закон тебе пропишут, али бы что...

— Странно это. Если ты ведешь себя хорошо, если ты ничего не делаешь... я надеюсь, что господин градоначальник настолько справедлив...

— Ты и надейся, а мы надежды не имеем. Никаких мы ни градоначальников, ни законов твоих не знаем, а знаем, что у каждого человека своя планида[4] И ежели, примерно, сидеть тебе, милый человек, сегодня в части, так ты хоть за сто верст от нее убеги, все к ней же воротишься!

Таково было содержание первого разговора. Покончив с кожевенником, помпадур устремился к старичку-мещанину, стоявшему у палатки, увешанной лубочными картинками. Старик был обрит и одет в немецкое платье и сквозь круглые очки читал одну из книг московского изделия, которыми тоже, по-видимому, производил торг.

— Почтеннейший! — обратился он к мещанину,— я человек приезжий и имею надобность до вашего градоначальника. Каков он?

— А как вам, сударь, сказать. Нужды мы до сих пор в господине градоначальнике не видели.

— Однако ж?

— Так точно-с. От съезжей[5] покуда бог миловал, а о прочем о чем же нам с господином градоначальником разговор иметь?

— Стало быть, так живете, что и опасаться вам нéчего?

— Ну, тоже не без опаски живем. И в Писании сказано: блюдите да опасно ходите.[6] По нашему званию, каждую минуту опасаться должно.

— Чего же вы боитесь? О градоначальнике, как вы сами сейчас сказали, даже понятия не имеете — закон, что ли, вам страшен?

— И о законе доложу вам, сударь: закон для вельмож да для дворян действие имеет, а простой народ ему не подвержен!

— Не понимаю.

— Да и не легко понять-с, а только действительно оно так точно. Потому, народ — он больше натуральными правами руководствуется. Поверите ли, сударь, даже податей понять не может!

— Однако чего же нибудь да боитесь вы?

— Планиды-с. Все до поры до времени. У всякого своя планида, все равно как камень с неба. Выйдешь утром из дому, а воротишься ли — не знаешь. В темном страхе — так и проводишь всю жизнь.

— Но я надеюсь, что господин градоначальник настолько справедлив, что ежели вы ничего не сделали...

В это время к беседующим подошел сельский священник и дружески поздоровался с продавцом картин.

— Вот, отец Трофим, господин приезжий сведение о господине градоначальнике получить желают.

— Надобность имеете? — вопросил отец Трофим.

— Да-с, надобность.

— Личного знакомства с господином градоначальником не имею, да и надобности до сих пор, признаться, не виделось, но, по слухам, рекомендовать могу. К храму божьему прилежен и мзду приемлет без затруднения... Только вот с законом, по-видимому, в ссоре находится.

— А они вот и насчет законов тоже разговорились,— вставил свое слово продавец картин,— спрашивают, боится ли простой народ закона?

— Закон, я вам доложу, наверху начертан. Все равно, как планета...

Но он уже не слушал дальше. Завидев пошатывающегося вдали, с гармонией в руках, мастерового, он правильно заключил, что этот человек несомненно сиживал на съезжей, а следовательно, во всяком случае имеет понятие о степени и пределах власти градоначальника.

— Эй, почтенный, слышь!

Но не успел он формулировать свой вопрос, как мастеровой сразу огорошил его восклицанием:

— Вашему благородию, господину пррахвостову![7]

Он шарахнулся, как обожженный, и скрылся в толпу. Там, чтобы не быть узнанным, подсел он на скамеечку к торговке, продававшей сусло и гречневики.

— А позвольте, голубушка, узнать,— сказал он,— каков таков здешний градоначальник?

Но торговка даже не взглянула на него, а просто сказала краткое, но сильное слово:

— А что? видно, давно ты на съезжей не сиживал?

Он был удовлетворен и уже хотел возвратиться восвояси, но по дороге завидел юродивую Устюшу и не вытерпел, чтобы не подойти к ней.

— Устюша! скажи ты мне, сделай милость...

Но блаженная, не дав ему кончить, не своим голосом закричала:

— Воняет! воняет!

В дальнейших исследованиях, очевидно, не предстояло никакой надобности.

Результат перешел за пределы его ожиданий. Ни помпадуры, ни закон — ничто не настигает полудикую массу. Ее настигает только «планида» — и дорого бы он дал в эту минуту, чтобы иметь эту «планиду» в своих руках.

Что такое «закон», что такое «помпадур» в глазах толпы? — это не что иное, как страдательные агенты «планиды», и притом не *всей* «планиды», а только той ее части, которая осуществляет собой карательный элемент. Они не могут ни оплодотворить земли, ни послать дождь или вёдро, ни предотвратить наводнение — одним словом, не могут принять творческого участия во всем том круге явлений, среди которых движется толпа и влияние которых она исключительно на себе ощущает. Они могут воспрепятствовать, возбранить, покарать; но творчество никогда им принадлежать не будет, а будет принадлежать «планиде». Даже самая кара их имеет свойство далеко не «планидное», ибо, настигая одних, она не замечает, что тут же рядом стоят десятки и сотни других, которых тоже не мешает подобрать и посадить на съезжую. А потому, толпа даже и в каре видит не кару, а несчастие.

NOTES

От. зап. 1871, v; *СС* viii, 135–9.

1. The governor who is the subject of this chapter of *Pompadury i pompadurshi* has been perplexed to discover that the power of the governor is not absolute

and that his actions are restricted by laws which accord to citizens rights as well as duties. If there are laws to command, then what, he asks, is the purpose of governors?

2. i.e. квартальный надзиратель, the officer in charge of a police sub-division (*kvartal*) in a town.

3. 'Police station' (*politseiskaya chast'*).

4. 'Fate'. Планида is a regional form of планета, also used in this sense (cf. Police station p. 58).

5. 'Police station', 'lock-up'.

6. 'See that ye walk circumspectly' (Eph. 5:15).

7. i.e. прохвостову. For прохвост, see 3, n. 9.

7. *Сатиры в прозе:* К читателю [extract]

In the introduction ('K chitatelyu') to the cycle *Satiry v proze* Saltykov comments on the illusory dawn offered by the Emancipation and reforms; he exposes the superficiality of the liberal attitudes adopted by bureaucrats and others in conformity to the official trend of the times; and he warns would-be reformers of the overwhelming difficulty of introducing new ways into the life of Glupov (this satirical label for Russia was used by Saltykov for the first time in this cycle—see introductory note to **12**), for the inhabitants, both gentry (глуповцы старшие) and peasants (глуповцы меньшие or Иванушки), unquestioningly accept their present lot and are unreceptive to change. This extract on the peasants describes and condemns not only their passivity in the face of authority (which may, as here, act stupidly and unjustly), but also their readiness to connive in their own enslavement. This is an early major statement by Saltykov of the lamentable ignorance and political immaturity of the mass of the Russian people, a theme to which he often returns later.

Что касается до Иванушек,[1] то прежде всего я должен сделать общее, но весьма справедливое замечание. Можно мыслить, можно развиваться и совершенствоваться, когда дух свободен, когда брюхо сыто, когда тело защищено от неблагоприятных влияний атмосферы и т. п. Но нельзя мыслить, нельзя развиваться и совершенствоваться, когда мыслительные способности всецело сосредоточены на том, чтоб как-нибудь не лопнуть с голоду, а будущее сулит только чищение сапогов и ношение подносов («Смотри, подлец! не урони подноса: морда отвечать будет!» — кричит господин, имеющий возможность развиваться и совершенствоваться).

Руководясь этими мыслями, наши Иванушки успокоились. Они не смотрят ни вверх, ни по сторонам, а все в землю и в землю, справедливо рассуждая, что смотреть по сторонам и парить под облаками — дело не ихнее, а Сени Бирюкова,² которому на это и крылья даны... И знаешь ли что? я полагаю, что они даже очень рады тому, что у них выработалась под ногами такая солидная историческая почва, потому что, опираясь на нее, они не только освобождаются от тех бесчисленных и горьких тревог, исход которых если не совсем безнадежен, то, во всяком случае, крайне сомнителен, но вместе с тем приобретают для себя всегда готовую и даже весьма приличную отговорку.

Спроси у глуповца: отчего ты не развит, груб и невежествен? Он ответит тебе: а оттого, что тятька и мамка смолоду мало секли. Спроси еще: отчего ты имеешь лишь слабое понятие о человеческом достоинстве? отчего так охотно лезешь целовать в плечико добрых благодетелей? и пр. и пр. Он ответит: а вот у нас Сила Терентьич есть — так тот онамеднись, как его выстегали, еще в ноги поклонился, в благодарность за науку!

В самом деле, что мы за выскочки такие, чтоб учить других! Мы находимся на исторической почве — и знать ничего не хотим. И как ты там ни ломайся, как ты там ни глумись, а глуповец все-таки останется прав, спокоен и доволен... потому что он объяснился, и объяснение это вполне снимает гнет с его совести.

Другое дело, если ты примешься поплотнее, если ты спросишь глуповца, зачем же он не соскочит с этой неудобной исторической почвы? О, в таком случае... в таком случае он несколько сконфузится и покраснеет, и... все-таки постарается свернуть на историческую почву.

А впрочем, он и объясняться-то с тобой не станет! Наш Иванушка вряд ли даже сознает, что под ним есть какая-то историческая почва. Мне кажется, что он просто-напросто носит эту почву с собой, как часть своего собственного существа, и даже не подозревает, чтоб тут настояла надобность в чем-то оправдываться, что-то объяснять.

По этому поводу считаю не лишним рассказать тебе некоторый глуповский анекдот.

Однажды весной, в самое половодье, подъезжал я к родному моему Глупову. День был базарный, и та часть реки

Большой Глуповицы, где была устроена паромная пристань, была буквально усыпана народом. Требовался порядок; а если требовался порядок, то, натурально, ощущалась потребность и в начальстве. Оно и было тут налицо, и на этот раз заблагорассудило распорядиться так, чтоб ни одна из плывущих по реке барок и лодок отнюдь не осмеливалась переплывать за паромный ход, покуда не свалит весь народ. Сказано — сделано; барки и лодки остановились и оцепенели, как очарованные. Однако одна лодка соскучилась; к величайшему своему несчастию, она обладала способностью анализа и на этом основании решила, что рассуждение начальства неудовлетворительно и что, покуда машина нагружается, сотни лодок могут очутиться по другую сторону паромного хода. Но начальство немедленно подняло гвалт и откомандировало своего дантиста[3] для преследования и наказания ослушника. До сих пор все в порядке вещей, и я, конечно, не остановился бы на таком общеизвестном и общепонятном факте, если бы рядом с формальным его проявлением не раскрывался и внутренний его смысл, высказавшийся как в положении, принятом преследуемым, так и в отношении к нему толпы, теснившейся на пароме.

Преследуемый, как только завидел дантиста, не пустился наутек, как можно было бы ожидать, но показал решимость духа изумительную, то есть перестал грести и, сложив весла, ожидал. Мне показалось даже, что он заранее и инстинктивно дал своему телу наклонное положение, как бы защищаясь только от смертного боя. Ну, натурально, дантист орлом налетел, и через минуту воздух огласился воплями раздирающими, воплями, выворачивающими наизнанку человеческие внутренности.

А толпа была весела, толпа развратно и подло хохотала. «Хорошень[4] его! хорошень его!» — неистово гудела тысячеустая. «Накладывай ему! накладывай! вот так! вот так!» — вторила она мерному хлопанью кулаков. Только один нашелся честный старик, который не вытерпел и прошептал: «Разбойники!» — но и тот, заметив, что я расслышал невольный его вздох, как-то изменился в лице и стал робко пробираться сквозь толпу на ту сторону парома.

Разберем этот факт логически.

Ни слова о действии паромного начальства: оно поступило здесь... как бы потемнее выразиться?.. ну, да поступило по соображению с обстоятельствами дела и идеею собственного своего величия...

Исследованию нашему подлежат собственно два предмета: положение преследуемого и отношение толпы к происшествию.

Для чего преследуемый не пошел наутек, для чего он сложил весла? — для того, что он фаталист, что он видит вдали силу и вперед убежден, что от силы не скрыть ему своего тела нигде. Почему он фаталист, почему он верит в вечное, неотразимое торжество силы, он сам этого не объясняет себе, но он чувствует паническое ошеломление при одном появлении силы, но он, как кролик при виде боа, сидит недвижим и как бы очарован до тех пор, пока чудовище не поглотит его.

Однако и он вздумал же однажды протестовать и, несмотря на запрещение, все-таки переплыл по ту сторону паромного хода. Что означает этот факт? А то, и только то, что ему не безызвестно из практики, что не всегда же сила дерется, но иногда и улыбается, что иногда она благодушна и согласна удовольствоваться тем, что обругает непотребно, но до зубов не коснется. Вот на эту-то приятную случайность, на эту-то возможность улыбки он и рассчитывал.

Но для чего же он дает своему телу наклонное положение, и притом такое, чтоб голова, то есть именно та часть тела, которая всего более представляет шансов для смертного боя, была по возможности защищена? Неужели смерть не составляет для него высшего блага? Неужели и он еще дорожит жизнью? Нет, он не дорожит ею с разумной точки зрения, то есть не видит в ней блага, одному ему принадлежащего, блага, которым никто посторонний не имеет права располагать по своему произволу; но он дорожит ею инстинктивно, дорожит, потому что жил вчера, живет нынче, надо же и завтра жить. Он трус и не пойдет открыто навстречу смерти, но встретит смерть равнодушно, когда она сама придет к нему, откуда бы и почему бы она ни пришла (время ли тут справляться, когда умирать надо!), и еще равнодушнее, или, лучше сказать, ходчее, натуральнее встретит, если она придет к нему как логическое последствие целого ряда фактов, каковы, например, побои. Возьмем хотя настоящий случай: здесь преследуемый укрывает от ударов свою голову, но почему? — потому, и только потому, что он еще не знает, потребуется ли она. Потребуйся эта голова — ничего, он и ее вытащит и будет только охать да взывать к батюшкам и матушкам, но защищаться не станет ни под каким видом — слишком учтив! И выйдет тут умертвие — и больше ничего!

От преследуемого перейдем к толпе.

Скажите, бога ради, благосклонный читатель, отчего ее не прорвало при виде этой гнусной расправы с одним из своей среды? Ужели она не доросла, по крайней мере, до того сознания, что нельзя же наказывать не только смертным, но и никаким боем, и не только такое преступление, как, например, нарушение бессмысленного приказания паромного унтер-офицера, но и всякое другое преступление, хотя бы оно было во сто раз тяжеле, хотя бы отданное приказание было не бессмысленно и отдал его не унтер-офицер, а сам Удар-Ерыгин?[5] Положа руку на сердце, я полагаю, что именно оттого ее и не прорвало, что она не доросла даже до этого понятия. Опять-таки повторяю: такого рода понятие доступно вам, любезные читатели, вам, которые занимались самоусовершенствованием в тиши кабинета, в сообществе книжек или сочувственных вам людей, под условием взаимного обмена мыслей и чувств, но недоступно грубой толпе, которая из-за куска насущного хлеба потела и выбивалась из сил, вскидывая вилами навоз на телеги и потом раскидывая его по полям.

Но, сверх того, толпа имеет ту же непреклонную веру в роковую неизбежность силы, как и сам преследуемый. Она живет не под влиянием умозрений, но под влиянием действия эмпириков и шарлатанов, которые научили ее горькому житейскому опыту.

Один утешительный факт — это старик, который вздохнул: «Разбойники!» Но нет, и он безобразен. Как он подло стушевался, как только заметил, что вздох его кем-то расслушан! как робко, с каким наивно-гнусным видом стал он и подмигивать, и подсмеиваться, и тишком-тишком пробираться на другую сторону парома, чтоб не обвинили его в христианском сочувствии к ближнему! Положим, что в его понятиях я был одним из тех, против которых он осмелился протестовать — что ж из этого? Или протестовать можно только втихомолку? Или уж такая печать роковая положена, в силу которой самое праведное негодование разрешается лишь кукишем в кармане?[6]

Вот тебе младший наш Глупов, вот тебе наш Иванушка!

NOTES

Современник 1862, ii; *CC* iii, 284–8.

1. i.e. the peasants.

2. A young man-about-town and liberal *poseur* who figures in a number of Saltykov's sketches of the 1860s and early 1870s. He is mentioned in the discussion of the глуповцы старшие which comes before this section on the peasants, and the reference to him here is as to one of the peasants' 'betters'.

3. 'Strong-arm official'. Дантист, apart from its standard meaning of 'dentist', was used (first, apparently, by Gogol') in the facetious secondary sense of 'teeth-smasher'.

4. 'Give it to him proper'. Хорошень is popular for хорошенько, used here with verbal force.

5. A corrupt and rapacious pre-reform police officer to whom reference has been made earlier in the introduction to *Satiry v proze*. His name, like that of many of Saltykov's characters, is a characterizing one—Удар 'blow', Ерыгин < ерыга (ярыга), an antique word for 'police constable', which had the secondary meaning of 'drunkard'.

6. '(Giving) the fig (with your hand) in your pocket'—i.e. an impotent sign of protest.

8. *Сказки:* Повесть о том, как один мужик двух генералов прокормил

This, the first and also the best known of Saltykov's celebrated prose fables, states succinctly the injustice of the Russian social system. In it Saltykov attacks the parasitic life of the privileged classes, represented by the generals, whose uselessness and unpracticality he contrasts with the energy and resourcefulness of the peasant by whose efforts they survive. On the other hand, the *skazka* reflects bitterly on the passivity with which the peasant accepts his lot and submits to the authority of his inferior masters. Again we see the two fundamental aspects of the peasant problem as Saltykov saw it: on the one hand, the peasant as the universal provider by his toil, on the other, as the victim of an unjust social order *and* of his own ignorance and submissiveness. Though light in manner, the *skazka* is a basic and illuminating statement by Saltykov on this major social problem.

Жили да были два генерала, и так как оба были легкомысленны, то в скором времени, по щучьему велению, по моему хотению, очутились на необитаемом острове.

Служили генералы всю жизнь в какой-то регистратуре; там родились, воспитались и состарились, следовательно, ничего не понимали. Даже слов никаких не знали, кроме: «Примите уверение в совершенном моем почтении и преданности».

Упразднили регистратуру за ненадобностью и выпустили генералов на волю. Оставшись за штатом, поселились они в Петербурге, в Подьяческой улице, на разных квартирах; имели каждый свою кухарку и получали пенсию. Только вдруг очутились на необитаемом острове, проснулись и видят: оба под одним одеялом лежат. Разумеется, сначала ничего не поняли и стали разговаривать, как будто ничего с ними и не случилось.

— Странный, ваше превосходительство, мне нынче сон снился,— сказал один генерал,— вижу, будто живу я на необитаемом острове...

Сказал это, да вдруг как вскочит! Вскочил и другой генерал.

— Господи! да что ж это такое! где мы! — вскрикнули оба не своим голосом.

И стали друг друга ощупывать, точно ли не во сне, а наяву с ними случилась такая оказия. Однако, как ни старались уверить себя, что все это не больше как сновидение, пришлось убедиться в печальной действительности.

Перед ними с одной стороны расстилалось море, с другой стороны лежал небольшой клочок земли, за которым сталось все то же безграничное море. Заплакали генералы в первый раз после того, как закрыли регистратуру.

Стали они друг друга рассматривать и увидели, что они в ночных рубашках, а на шеях у них висит по ордену.

— Теперь бы кофейку испить хорошо! — молвил один генерал, но вспомнил, какая с ним неслыханная штука случилась, и во второй раз заплакал.

— Что же мы будем, однако, делать? — продолжал он сквозь слезы,— ежели теперича доклад написать — какая польза из этого выйдет?

— Вот что,— отвечал другой генерал,— подите вы, ваше превосходительство, на восток, а я пойду на запад, а к вечеру опять на этом месте сойдемся; может быть, что-нибудь и найдем.

Стали искать, где восток и где запад. Вспомнили, как начальник однажды говорил: «Если хочешь сыскать восток, то встань глазами на север, и в правой руке получишь искомое». Начали искать севера, становились так и сяк, перепробовали все страны света, но так как всю жизнь служили в регистратуре, то ничего не нашли.

— Вот что, ваше превосходительство: вы пойдите направо, а я налево; этак-то лучше будет! — сказал один генерал, который, кроме регистратуры, служил еще в школе военных кантонистов[2] учителем каллиграфии и, следовательно, был поумнее.

Сказано — сделано. Пошел один генерал направо и видит — растут деревья, а на деревьях всякие плоды. Хочет генерал достать хоть одно яблоко, да все так высоко висят, что надобно лезть. Попробовал полезть — ничего не вышло, только рубашку изорвал Пришел генерал к ручью, видит: рыба там, словно в садке на Фонтанке,[3] так и кишит, и кишит.

«Вот кабы этакой-то рыбки да на Подьяческую!» — подумал генерал и даже в лице изменился от аппетита.

Зашел генерал в лес — а там рябчики свищут, тетерева токуют, зайцы бегают.

— Господи! еды-то! еды-то! — сказал генерал, почувствовав, что его уже начинает тошнить.

Делать нечего, пришлось возвращаться на условленное место с пустыми руками. Приходит, а другой генерал уж дожидается.

— Ну что, ваше превосходительство, промыслил что-нибудь?

— Да вот нашел старый нумер «Московских ведомостей»,[4] и больше ничего!

Легли опять спать генералы, да не спится им натощак. То беспокоит их мысль, кто за них будет пенсию получать, то припоминаются виденные днем плоды, рыбы, рябчики, тетерева, зайцы.

— Кто бы мог думать, ваше превосходительство, что человеческая пища, в первоначальном виде, летает, плавает и на деревьях растет? — сказал один генерал.

— Да,— отвечал другой генерал,— признаться, и я до сих пор думал, что булки в том самом виде родятся, как их утром к кофею подают!

— Стало быть, если, например, кто хочет куропатку съесть, то должен сначала ее изловить, убить, ощипать, изжарить... Только как все это сделать?

— Как все это сделать? — словно эхо, повторил другой генерал.

Замолчали и стали стараться заснуть; но голод решительно отгонял сон. Рябчики, индейки, поросята так и мелькали перед глазами, сочные, слегка подрумяненные, с огурцами, пикулями и другим салатом.

— Теперь я бы, кажется, свой собственный сапог съел! — сказал один генерал.

— Хороши тоже перчатки бывают, когда долго ношены! — вздохнул другой генерал.

Вдруг оба генерала взглянули друг на друга: в глазах их светился зловещий огонь, зубы стучали, из груди вылетало

67

глухое рычание. Они начали медленно подползать друг к другу и в одно мгновение ока остервенились. Полетели клочья, раздался визг и оханье; генерал, который был учителем каллиграфии, откусил у своего товарища орден и немедленно проглотил. Но вид текущей крови как будто образумил их.

— С нами крестная сила! — сказали они оба разом,— ведь этак мы друг друга съедим! И как мы попали сюда! кто тот злодей, который над нами такую штуку сыграл!

— Надо, ваше превосходительство, каким-нибудь разговором развлечься, а то у нас тут убийство будет! — проговорил один генерал.

— Начинайте! — отвечал другой генерал.

— Как, например, думаете вы, отчего солнце прежде восходит, а потом заходит, а не наоборот?

— Странный вы человек, ваше превосходительство: но ведь и вы прежде встаете, идете в департамент, там пишете, а потом ложитесь спать?

— Но отчего же не допустить такую перестановку: сперва ложусь спать, вижу различные сновидения, а потом встаю?

— Гм... да... А я, признаться, как служил в департаменте, всегда так думал: «Вот теперь утро, а потом будет день, а потом подадут ужинать — и спать пора!»

Но упоминовение об ужине обоих повергло в уныние и пресекло разговор в самом начале.

— Слышал я от одного доктора, что человек может долгое время своими собственными соками питаться,— начал опять один генерал.

— Как так?

— Да так-с. Собственные свои соки будто бы производят другие соки, эти, в свою очередь, еще производят соки, и так далее, покуда, наконец, соки совсем не прекратятся...

— Тогда что ж?

— Тогда надобно пищу какую-нибудь принять...

— Тьфу!

Одним словом, о чем ни начинали генералы разговор, он постоянно сводился на воспоминание об еде, и это еще более раздражало аппетит. Положили: разговоры прекратить, и, вспомнив о найденном нумере «Московских ведомостей», жадно принялись читать его.

«Вчера,— читал взволнованным голосом один генерал,— у почтенного начальника нашей древней столицы был парадный обед. Стол сервирован был на сто персон с роскошью изумительною. Дары всех стран назначили себе как бы рандеву на этом волшебном празднике. Тут была и «шекснинска стерлядь золотая»[5] и питомец лесов кавказских,— фазан, и, столь редкая в нашем севере в феврале месяце, земляника...»

— Тьфу ты, господи! да неужто ж, ваше превосходительство, не можете найти другого предмета? — воскликнул в отчаянии другой генерал и, взяв у товарища газету, прочел следующее:

«Из Тулы пишут: вчерашнего числа, по случаю поимки в реке Упе осетра (происшествие, которого не запомнят даже старожилы, тем более что в осетре был опознан частный пристав[6] Б.), был в здешнем клубе фестиваль. Виновника торжества внесли на громадном деревянном блюде, обложенного огурчиками и держащего в пасти кусок зелени. Доктор П., бывший в тот же день дежурным старшиною, заботливо наблюдал, дабы все гости получили по куску. Подливка была самая разнообразная и даже почти прихотливая...»

— Позвольте, ваше превосходительство, и вы, кажется, не слишком осторожны в выборе чтения! — прервал первый генерал и, взяв, в свою очередь, газету, прочел:

«Из Вятки пишут: один из здешних старожилов изобрел следующий оригинальный способ приготовления ухи: взяв живого налима, предварительно его высечь; когда же, от огорчения, печень его увеличится...»

Генералы поникли головами. Все, на что бы они ни обратили взоры,— все свидетельствовало об еде. Собственные их мысли злоумышляли против них, ибо как они ни старались отгонять представления о бифштексах, но представления эти пробивали себе путь насильственным образом.

И вдруг генерала, который был учителем каллиграфии, озарило вдохновение...

— А что, ваше превосходительство,— сказал он радостно,— если бы нам найти мужика?

— То есть как же... мужика?

— Ну, да, простого мужика... какие обыкновенно бывают мужики! Он бы нам сейчас и булок бы подал, и рябчиков бы наловил, и рыбы!

— Гм... мужика... но где же его взять, этого мужика, когда его нет?

— Ка́к нет мужика — мужик везде есть, стоит только поискать его! Наверное, он где-нибудь спрятался, от работы отлынивает!

Мысль эта до того ободрила генералов, что они вскочили как встрепанные и пустились отыскивать мужика.

Долго они бродили по острову без всякого успеха, но, наконец, острый запах мякинного хлеба и кислой овчины⁷ навел их на след. Под деревом, брюхом кверху и подложив под голову кулак, спал громаднейший мужичина и самым нахальным образом уклонялся от работы. Негодованию генералов предела не было.

— Спишь, лежебок! — накинулись они на него,— небось и ухом не ведешь, что тут два генерала вторые сутки с голода умирают! сейчас марш работать!

Встал мужичина: видит, что генералы строгие. Хотел было дать от них стречка, но они так и закоченели, вцепившись в него.

И зачал он перед ними действовать.

Полез сперва-наперво на дерево и нарвал генералам по десятку самых спелых яблоков, а себе взял одно, кислое. Потом покопался в земле — и добыл оттуда картофелю; потом взял два куска дерева, потер их друг об дружку — и извлек огонь. Потом из собственных волос сделал силок и поймал рябчика. Наконец, развел огонь и напек столько разной провизии, что генералам пришло даже на мысль: «Не дать ли и тунеядцу частичку?»

Смотрели генералы на эти мужицкие старания, и сердца у них весело играли. Они уже забыли, что вчера чуть не умерли с голоду, а думали: «Вот как оно хорошо быть генералами — нигде не пропадешь!»

— Довольны ли вы, господа генералы? — спрашивал между тем мужичина-лежебок.

— Довольны, любезный друг, видим твое усердие! — отвечали генералы.

— Не позволите ли теперь отдохнуть?

— Отдохни, дружок, только свей прежде веревочку.

Набрал сейчас мужичина дикой конопли, размочил в воде, поколотил, помял — и к вечеру веревка была готова. Этою веревкою генералы привязали мужичину к дереву, чтоб не убег, а сами легли спать.

Прошел день, прошел другой; мужичина до того изловчился, что стал даже в пригоршне суп варить. Сделались наши генералы веселые, рыхлые, сытые, белые. Стали говорить, что вот они здесь на всем готовом живут, а в Петербурге между тем пенсии ихние всё накапливаются да накапливаются.

— А как вы думаете, ваше превосходительство, в самом ли деле было вавилонское столпотворение, или это только так, одно иносказание? — говорит, бывало, один генерал другому, позавтракавши.

— Думаю, ваше превосходительство, что было в самом деле, потому что иначе как же объяснить, что на свете существуют разные языки!

— Стало быть, и потоп был?

— И потоп был, потому что, в противном случае, как же было бы объяснить существование допотопных зверей? Тем более, что в «Московских ведомостях» повествуют...

— А не почитать ли нам «Московских ведомостей»?

Сыщут нумер, усядутся под тенью, прочтут от доски до доски, как ели в Москве, ели в Туле, ели в Пензе, ели в Рязани — и ничего, не тошнит!

———

Долго ли, коротко ли, однако генералы соскучились. Чаще и чаще стали они припоминать об оставленных ими в Петербурге кухарках и втихомолку даже поплакивали.

— Что-то теперь делается в Подьяческой, ваше превосходительство? — спрашивал один генерал другого.

— И не говорите, ваше превосходительство! все сердце изныло! — отвечал другой генерал.

— Хорошо-то оно хорошо здесь — слова нет! а все, знаете, как-то неловко барашку без ярочки! да и мундира тоже жалко!

— Еще как жалко-то! Особливо, как четвертого класса, так на одно шитье посмотреть, голова закружится!

И начали они нудить мужика: представь да представь их в Подьяческую! И что ж! оказалось, что мужик знает даже Подьяческую, что он там был, мед-пиво пил, по усам текло, в рот не попало!⁹

— А ведь мы с Подьяческой генералы! — обрадовались генералы.

— А я, коли видели: висит человек снаружи дома, в ящике на веревке, и стену краской мажет, или по крыше словно муха ходит — это он самый я и есть! — отвечал мужик.

И начал мужик на бобах разводить, как бы ему своих генералов порадовать за то, что они его, тунеядца, жаловали и мужицким его трудом не гнушалися! И выстроил он корабль — не корабль, а такую посудину, чтоб можно было океан-море переплыть вплоть до самой Подьяческой.

— Ты смотри, однако, каналья, не утопи нас! — сказали генералы, увидев покачивавшуюся на волнах ладью.

— Будьте покойны, господа генералы, не впервой! — отвечал мужик и стал готовиться к отъезду.

Набрал мужик пуху лебяжьего мягкого и устлал им дно лодочки. Устлавши, уложил на дно генералов и, перекрестившись, поплыл. Сколько набрались страху генералы во время пути от бурь да от ветров разных, сколько они ругали мужичину за его тунеядство — этого ни пером описать, ни в сказке сказать. А мужик все гребет да гребет, да кормит генералов селедками.

Вот, наконец, и Нева-матушка, вот и Екатерининский славный канал, вот и Большая Подьяческая! Всплеснули кухарки руками, увидевши, какие у них генералы стали сытые, белые да веселые! Напились генералы кофею, наелись сдобных булок и надели мундиры. Поехали они в казначейство, и сколько тут денег загребли — того ни в сказке сказать, ни пером описать!

Однако, и об мужике не забыли; выслали ему рюмку водки да пятак серебра: веселись, мужичина!

NOTES

От. зап. 1869, ii; *CC* xvi(1), 7–13.

1. 'By the pike's command and my desire'—a formula used in folk-tales, the manner of which is partly imitated by Saltykov in the *Skazki*. Cf. also the opening 'Жили да были...'

2. For 'cantonist', see **3**, n. 15.

3. 'The fish-hatchery on the Fontanka'. The Fontanka is an arm of the River Neva which passes through the central part of St. Petersburg.

4. The conservative newspaper edited by M. N. Katkov, ideologically opposed to Saltykov and a frequent butt of his satire.

5. 'Golden sterlet from the Sheksna'—the opening line of Derzhavin's well known poem 'Priglashenie k obedu'.

6. 'Police superintendent'—the officer in charge of a main police district (*chast'*) of a town.

7. The smell of chaff-bread and sheepskin characteristic of the peasant.

8. Evidently the generals were of the fourth rank in the Table of Ranks (the first rank to confer the status of 'general').

9. Another formula found in folk-tales, usually as a tail-piece in which the narrator pretends to authenticate his story. Here it is used ironically to underline the 'have-not' status of the peasant.

REFORM AND COUNTER-REFORM

9. *Мелочи жизни:* Введение [extract]

The situation of the Russian peasantry was a major theme in Saltykov's work throughout his career. In fact, he wrote relatively little about serfdom itself (most of his writings on the peasant belong to the period after 1861 and are concerned with the post-Emancipation situation), but it is serfdom which provides the background to his understanding of the problems—economic, social, and psychological—of the peasant, even in the post-1861 period. The institution of serfdom he regarded as an unmitigated evil and his descriptions of it give prominence to its inhuman aspects (see, for example, the story 'Misha i Vanya' (1863) in *Nevinnye rasskazy*, and the early chapters of *Poshekhonskaya starina*). The following extract from *Melochi zhizni* recalls the degradation and exploitation suffered by serfs at the hands of their masters.

Я вырос на лоне крепостного права, вскормлен молоком крепостной кормилицы, воспитан крепостными мамками и, наконец, обучен грамоте крепостным грамотеем. Все ужасы этой вековой кабалы я видел в их наготе.

Самые разнообразные виды рабской купли и продажи существовали тогда. Людей продавали и дарили, и целыми деревнями, и поодиночке; отдавали в услужение друзьям и знакомым; законтрактовывали партиями на фабрики, заводы, в судовую работу (бурлачество); торговали рекрутскими квитанциями[1] и проч. В особенности жестоко было крепостное право относительно дворовых людей:[2] даже волосы крепостных девок эксплуатировали, продавая их косы парикмахерам. Хотя закон, изданный, впрочем, уже в нынешнем столетии, и воспрещал продажу людей в одиночку,[3] но находили средства обходить его. Не дозволяли дворовым вступать в браки и продавали мужчин (особенно поваров, кучеров, выездных лакеев и вообще людей, обученных какому-нибудь мастерству) поодиночке, с придачею стариков, отца и матери,— это называлось продажей целым семейством; выдавали девок замуж в чужие вотчины — это называлось: продать девку на вывод. Женский персонал помещичий был по преимуществу выдумчив по этой части. Не в редкость было в то время слышать такие разговоры:

— Что же, сударыня, продадите, что ли, девку-то? — спрашивал сосед-помещик помещицу-кулака, чересчур дорожившуюся живым товаром.

— Да дешево уж очень даете.

— Помилуйте! шестьдесят рублей (на ассигнации)! их нынче по сорока рублей за штуку — сколько угодно!

— А вы за кого ее замуж хотите отдать?

— Есть у меня, видите ли, вдовец. Не стар еще, да детей куча, тягла[4] править не в силах. Своих девок на выданье у меня во всей вотчине хоть шаром покати,— поневоле в люди идешь!

— Вот видите ли, за вдовца! За шестьдесят рублей я девку несчастною должна сделать!

— Да прибавь ей, сударь, пять рубликов! — вступается муж помещицы-кулака.

— Ну, видно, нечего с вами делать. Извольте шестьдесят пять рублей.

— Хорошо, я согласна. Хоть и дешевенько, да для соседа.

Торг заключался. За шестьдесят рублей девку не соглашались сделать несчастной, а за шестьдесят пять — согласились. Синенькую бумажку[5] ее несчастье стоило. На другой день девке объявляли через старосту, что она — невеста вдовца и должна навсегда покинуть родной дом и родную деревню. Поднимался вой, плач, но «задаток» был уже взят — не отдавать же назад!

То же проделывалось с рекрутчиной, которая представляла уже серьезную статью дохода. Торговать рекрутами закон не дозволял, но продавать зачетные рекрутские квитанции было разрешено[6] Главный контингент для этого рода эксплуатации доставляли те же дворовые люди. В старину помещики охотно переводили крестьян в дворовые[7] особливо ежели крестьянское семейство приходило почему-либо в упадок. Дворовые люди представляли несомненную выгоду. Во-первых, им не нужно было давать «дней» для работы на себя, а можно было каждодневно томить на барской работе;[8] во-вторых, при их посредстве можно было исправлять рекрутчину, не нарушая целости и благосостояния крестьянских семей.

Я помню, как еще при первых слухах о предстоящем наборе[9] помещичьи гнезда наполнялись шушуканьем. Помещики и помещицы, во время обеда, чая и ужина, начинали говорить по-французски; лакеи настороживали уши, усиливаясь понять, на кого падет жребий. Вообще весь воздух, начиная от конюшен и кончая барскими хоромами, наполнялся томительным ожиданием. За всем тем нужно заметить, что в крестьянской среде рекрутская очередь велась неупустительно, и всякая крестьянская семья обязана была отбыть ее своевременно; но это была только проформа, или, лучше сказать, средство для вымогательства денег. Зажиточные семьи в большинстве случаев откупались, и тут-то вот и шли в ход зачетные квитанции. Бо́льшая часть их расходилась между своими, излишние — продавались на сторону.

Перед отвозом людей в рекрутское присутствие сохранялась глубокая тайна относительно назначенных в рекруты. Последних даже приголубливали, выказывали им удовольствие («Ванька! да, никак, ты уж и пить перестал! Молодец, брат!»). Но некоторые чутьем угадывали ожидающую их участь и скрывались, несмотря на строгий надзор. Большинство не уходило дальше своего же леса и скиталось там, несмотря на зимний холод, все время, покуда длилась процедура отвоза. Тем, которых застигали врасплох или излавливали, набивали на ноги колодки, надевали железные поручни или приковывали к «стулу» (так называлось толстое бревно, сквозь которое продета была железная цепь, оканчивавшаяся железным ошейником). Я думаю, что в некоторых старинных помещичьих гнездах эти орудия пытки сохранились и поднесь, во свидетельство прошлого.

Самая барщина представляла ряд распоряжений, которые даже в то не знавшее законов время считались беззаконными. Закон требовал, чтобы три дня в неделю крестьянин работал на помещика, а остальные три дня предоставлял ему для собственных работ. Но у редких помещиков барщина отбывалась «брат на брата»;[10] у большинства — совсем не велось никакого учета, или же последний велся смотря по состоянию погоды и по другим хозяйственным соображениям. При продолжительном ненастье первые ведреные дни отдавались исключительно барщине, причем предполагалось, что крестьяне уже воспользовались «своими днями» прежде, и т. д. Словом сказать, нельзя не только было разобраться в этом хаосе, но и определить, как изворачивается крестьянин, как он устраивается на зиму и чем живет. Но он жил — это считалось достаточным.

И было время, когда все эти ужасающие картины никого не приводили в удивление, никого не пугали. Это были «мелочи»,[11] обыкновенный жизненный обиход, и ничего больше...

Saltykov-Shchedrin

NOTES

Вестник Европы 1886, xi; *CC* xvi (2), 28–31.

1. See n. 6 below.

2. 'House-serfs', i.e. peasant domestic servants of various kinds who worked in the master's house and did not engage in agriculture.

3. The splitting up of families by the sale of individual peasants was implicitly forbidden by decrees issued in the first decades of the nineteenth century, but categorical prohibition of the practice came only in 1841.

4. The peasant's obligation to work for or make payment in kind to his master.

5. A five-rouble note.

6. Recruitment to the army was chiefly by conscription. There was, however, also a system of voluntary enlistment and at each levy exemptions from conscription could be granted according to the number of recruits who had joined voluntarily. Certificates of exemption (*zachetnye rekrutskie kvitantsii*) were offered for sale by the authorities and a purchaser could make a handsome profit by opportunely reselling exemptions to those liable for call-up.

7. Until 1858 masters were entirely free to move their peasants from field-work to employment as house-serfs.

8. As explained below, by the *barshchina* system serfs engaged in agriculture divided their time between work on their master's land and work on their own plots. House-serfs worked solely for their masters.

9. i.e. a conscription (*rekrutskii nabor*). There was normally one every year.

10. i.e. according to the legal prescription by which the six days of the peasant's nominal working week were divided equally between work for himself and for his master.

11. *Melochi zhizni*, the title of the cycle in which this extract appeared, is here recalled.

10. *Сатиры в прозе:* Госпожа Падейкова [extract]

The Emancipation of the peasants in 1861 was the result of several years' planning. Discussions had begun in 1856 and were a matter of public knowledge from the end of 1857, when the order was given to set up provincial committees of the gentry to work out proposals for the reform. The prospect of Emancipation was a cause of bitter resentment among many landowners and their reactions provided the theme of a number of Saltykov's sketches. The reactions he records vary from the bewildered apprehension of Padeikova in the present sketch to the belief that no real change will result ('только так будет', in the words of General Utrobin in *Blagonamerennye rechi*) and the determination to continue in the old way regardless of the consequences (expressed in *Satiry v proze* by Captain Postukin: 'Только уж тово... по мордасам... бббуду! ххоть миллион штрафу... а бббуду!').

'Gospozha Padeikova' was originally written as one of the stories for a cycle entitled *Kniga ob umirayushchikh*. Saltykov did not complete this cycle and subsequently included 'Gospozha Padeikova' in *Satiry v proze*.

В конце не помню уж какого года,[1] но только не очень давно, случилось происшествие, которое в особенности поразило умственные способности Прасковьи Павловны Падейковой.

А именно, двадцатого ноября, в самый день преподобного Григория Декаполита, собственная, приданая ее девка Феклушка торжественно, в общем собрании всей девичьей, объявила, что скоро она, Феклушка, с барыней за одним столом будет сидеть и что неизвестно еще, кто кому на сон грядущий пятки чесать будет, она ли Прасковье Павловне, или Прасковья Павловна ей.

О таковой, распространяемой девкой Феклушкой, ереси ключница Акулина не замедлила доложить Прасковье Павловне.

Но прежде нежели продолжать рассказ, необходимо сказать несколько слов о героине его.

Госпожа Падейкова — женщина лет сорока пяти и в целом околотке известна как дама, которой пальца в рот не клади. Оставшись после мужа вдовой в весьма молодых летах и будучи еще в детстве воспитана в самой суровой школе («я тандрессов-то этих да сахаров не знала, батюшка... да!» — отзывалась она о себе в минуты откровенности), Прасковья Павловна мало-помалу приучилась к полной самостоятельности в своих действиях, что, однако ж, не мешает ей называть себя сиротою и беззащитною, в особенности если разговор коснется чего-нибудь чувствительного. В ее наружности есть нечто мужественное, не терпящее ни противоречий, ни оправданий. Высокая и плечистая, она сложена как-то по-мужски, голос имеет резкий и повелительный, поступь твердую, а взор светлый и до того проницательный, что, наверно, ни одна дворовая девка не укроет от него своей беременности. Прасковья Павловна вдовеет честно, то есть без малейшей тени подозрения насчет кучера Фомки или повара Павлушки, и потому в действиях ее царствует совершенное нелицеприятие, что бывает редко в тех случаях, когда сердце барыни, уязвленное поваром Павлушкой, невольным образом разделяет все его дворовые ненависти и симпатии. Приятно видеть, как она сама за всем присматривает, сама всем руководит и сама же творит суд и расправу, распределяя виновным: кому два, кому три тычка. Велемудрых иностранных очков она не носит и, будучи с детства поклонницей патриархального воззрения, с большою основательностью полагает, что ничто так не исправляет ленивых и не поощряет ретивых, как тычок, данный вовремя и с толком.

— Не нужно только рукам волю давать,— говорит она соседям, приезжающим к ней поучиться мудрому управлению имением,— а то как не наказывать — не наказывать нельзя!

Понятно, что при такой самостоятельности действий, посреди общего, никогда не нарушаемого беспрекословия, поступок Феклушки должен был сильно взволновать Прасковью Павловну.

— Кто тебя волтерианству научил? — спросила она Феклушку, поставив ее пред лицо свое и предварительным телодвижением дав ей почувствовать разницу между действительностью и утопией,— отвечай, кто тебя волтерианству научил?

Феклушка сначала оробела, но потом пустилась в различные извороты и доложила барыне, что сам преподобный Григорий Декаполит являлся ей во сне и объявил безотменную свою волю, чтоб она на будущее время всякое кушанье серебряной ложечкой ела. Но Прасковья Павловна, хотя и была богомольна, не далась в обман.

— Врешь ты, паскуда! — сказала она,— станет преподобный к тебе, холопке, являться!.. Сослать ее, мерзавку, на скотный двор!

Сделавши это распоряжение, Прасковья Павловна, однако, не успокоилась.

Переходя от одного умозаключения к другому, она весьма основательно пришла к убеждению, что все эти штуки исходят не от кого другого, как от садовника Порфишки, которого уж не раз и не два заставали вдвоем с Феклушкой.

— Так вот они об чем шушукались! — сказала Прасковья Павловна,— позвать ко мне Порфишку!

Порфишку привели. Должно быть, ему уже было приблизительно известно, в чем должен заключаться предстоящий с барыней разговор, потому что он стал перед Прасковьей Павловной с решительным видом и, заложив руки за спину, отставил одну ногу вперед. Прасковью Павловну прежде всего поразило это последнее обстоятельство.

— Где у тебя ноги? — спросила она, подступая к Порфишке.

— При себе-с,— отвечал Порфишка, решившись, по-види-мому, относиться к барыне иронически.

— Я тебя спрашиваю, где у тебя ноги? — повторила Пра-сковья Павловна, все решительнее и решительнее подступая к Порфишке.

— Не извольте, сударыня, драться! — отвечал Порфишка, не смущаясь и не переменяя позы.

Прасковья Павловна была женщина, и вследствие того имела душу деликатную. При виде столь дерзкой невозмути-мости деликатность эта вдруг всплыла наверх и заставила ее не только опустить подъятые длани, но и сделать несколько шагов назад.

— Долой с моих глаз... грубиян! — сказала она,— не огор-чай меня своим присутствием!

Порфишка взглянул на барыню с какой-то грустной иро-нией, разинул было рот, чтоб еще что-нибудь высказать, но только пожевал губами и, вероятно, отложив объяснение до более удобного случая, вышел. Таким образом предположен-ное дознание не удалось. После объяснения этого Прасковья Павловна осталась в неописанном волнении. Надо сказать правду, что происшествие с Феклушкой вовсе не составляло для нее столь неожиданного факта, как это можно было бы подумать с первого взгляда. Давно уже по селам и весям но-сились слухи, бог весть кем и откуда заносимые, что вот-вот все Феклушки, Маришки, Порфишки и Прошки вдруг ото-бьются от рук, откажутся подавать барыне умываться, пере-станут чистить ножи, выносить из лоханей и проч. Сначала Прасковья Павловна подозревала, что слухи эти идут от раз-носчика Фоки, который по временам наезжал в Падейково с разным хламом и имел привычку засиживаться в девичьей. Вследствие этого Фоке запрещен был въезд в деревню и в то же время приняты были и другие действительные меры к охра-нению нравственности дворовых. Но слухи не унимались; на-против того, как волны, они росли и высились, принимая, по обычаю, самые прихотливые и фантастические формы.

То будто звезда на небе странная появилась: это значит — Маришка барыне хвост показывает; то будто середь поля мальчик в белой рубашечке невесть откуда взялся и орешки в руках держит и жалобненько так-то на всех глядит: это зна-чит — Димитрий-царевич по душу Бориса царя приходил;[2] то будто Авдей-кузнец, лежа на печи, похвалялся: «мне-ста, да мы-ста, да вы-ста» и все в том же тоне.[3] Очевидно, что есть что-нибудь, а если что-нибудь есть, то еще очевиднее, что надо принять против этого «что-нибудь» неотложные и решительные меры, надо подумать о том, каким образом встретить невзгоду так, чтоб она не застала врасплох.

Но как ни усиливалась Прасковья Павловна, как ни изощряла свои умственные способности, однако ничего, кроме розги, выдумать не могла.

«Так бы, кажется, и перепорола всех»,— думала она по временам, и думала совсем не потому, чтоб была зла, а единственно потому, что смысл всех завещанных ей преданий удостоверял ее в том, что в розге заключается глубокое нравственно-дидактическое таинство.

Поступок Феклушки и Порфишки окончательно расстроил ее.

«Как! — думала она, тревожно расхаживая по зале,— какой-нибудь скверный холопишка смеет говорить со мною, отставивши ногу вперед!»

В это время истопник Семка, полукалека, полуидиот, явился в комнату, неся на спине беремя дров, которые с грохотом рассыпались по полу.

«Вот и этот, чай, барином будет!» — полупрезрительно, полуиронически сказала про себя Прасковья Павловна, останавливаясь перед Семкой.

— Семка! скоро и ты, чу, в баря выдешь!

Семка бессмысленно засмеялся и замотал головой. Прасковье Павловне показалось, что он уже сочувствует Феклушке и Порфишке.

«Нет, видно, во всех этот *яд* уж действует!» — подумала она и вслух прибавила:

— Что ж, хочется, что ли, Семка?

Семка загототал и утеряся рукавом своей пестрядинной рубашки.

— Вон, подлец! — крикнула Прасковья Павловна и вне себя выбежала в девичью.

— Девки! сейчас все до одной молитесь богу, чтоб *этого* зла не было! — сказала она.

Но не успели еще девки исполнить приказание ее, как к крыльцу подъехала повозка, запряженная тройкой лошадей. Оказалось, что приезжий был некто Гаврило Семеныч Грузилов, сосед Падейковой, служивший вместе с тем заседателем от господ дворян в М. уездном суде.[4]

Грузилов, хотя и находился в былые времена в военной службе, где, с божьею помощью, дослужился даже до прапорщичьего чина[5] но, за давно прошедшим временем, все, что было в наружности его напоминающего о поползновениях воинственности, улетучилось; и в нем, как он сам выражался,

80

никаких военных аллюров не осталось, кроме некоторой слабости к старику-ерофеичу.[6] Вообще, он принадлежал к числу тех благонравных мелкопоместных дворян, которые, в присутствии сильных и богатых помещиков, скромно жмутся в углу или около печки, заложив одну руку за спину, а другую приютивши где-то около пуговиц форменного и всегда застегнутого сюртука.

— А, Гаврило Семеныч! откуда, сударь, пожаловал! — сказала Прасковья Павловна, идя навстречу входящему Грузилову,— а у меня, батюшка, здесь между девками вольность проявилась... констинтунциев, видишь, хочется! Вот я вам задам ужо констинтунциев!

— Точно так-с, Прасковья Павловна,— осмелился заметить Грузилов,— точно так-с; нынче это промежду них модный дух... так точно, как бы сказать, между благородными людьми мода бывает!

— Вот я эту моду ужо повыбью! — отвечала Прасковья Павловна и повела гостя во внутренние покои.

— Я к вам, Прасковья Павловна, с дельцем-с,— таинственно проговорил Грузилов, едва держась на кончике стула и беспокойно поглядывая на полуотворенную дверь, мимо которой беспрестанно шмыгали дворовые девки.

Прасковья Павловна изменилась в лице.

— Что такое? — спросила она дрожащим голосом, **уже** предчувствуя беду.

— Гм... точно-с... известие-с... до всех касающе...— пробормотал Грузилов, сам инстинктивно робея.

— Да ты не гымкай, а говори, сударь, дело! — сказала с сердцем Прасковья Павловна.

Грузилов снова с беспокойством взглянул на дверь, **где,** как ему показалось, торчали две женские головы, очевидно желавшие подслушать барский разговор.

— Перметтé... ле порт? — сказал он решительно, хотя до настоящей минуты отроду не выговаривал ни одного французского слова.

— Фермé,— отвечала Прасковья Павловна.

Грузилов припер дверь поплотнее.

— Имею честь доложить,— сказал он вполголоса,— что на сих днях *оно*[7] уж кончено, то есть решено и подписано-с!

— Как решено? кем подписано? да говори же, сударь, говори!

— Так точно-с; для *них*, можно сказать, все счастие составили-с!

— Парле франсé,— сказала Прасковья Павловна, поднимаясь с дивана и подступая к Грузилову,— де ки, де ки савé?

— Семен Иванович вчерашнего числа достоверное известие получили-с.

Прасковья Павловна с глухим воплем опустилась на диван. Грузилов засуетился около нее.

— Матушка Прасковья Павловна! — говорил он несколько ослабнувшим от страха голосом,— матушка, не сердитесь! бог даст, все по-прежнему будет!

Прасковья Павловна, упершись в спинку дивана и зажмурив глаза, безмолвствовала.

— Не прикажете ли из девок кого-нибудь позвать? — продолжал растерявшийся Грузилов.

Но Прасковья Павловна по-прежнему безмолвствовала, Грузилов бросился к двери.

— Ах нет! — вскрикнула Прасковья Павловна томным голосом.

— Успокойтесь, матушка! — утешал Грузилов.— Семен Иванович сказывали, что все это только так-с, предварительно-с... для того только, чтоб французу по губам помазать...[8] Да прикажите же, сударыня, девку-то позвать!

— Ах нет, Гаврило Семеныч! — отвечала Прасковья Павловна,— зачем их беспокоить! бог знает, может быть, еще нам с тобой придется за ними ухаживать!

— Уж это не дай бог-с,— уныло молвил Грузилов.

— Нет уж, нет... нет, нет, нет! с нынешнего дня, с нынешнего дня!.. это! горько! — восклицала Падейкова, томно устремляя глаза к небу.

— Успокойтесь же, матушка! — увещевал между тем Грузилов,— все это слух один-с... И в древности Сим-Хам-Иафет[9] были-с, и на будущее время нет им резона не быть-с!

— Нет, Гаврило Семеныч,— сентиментально продолжала Прасковья Павловна,— я вот как скажу: с нынешнего дня я всю мою надежду на бога возложила,— как он, царь небесный, положит, так пусть и будет... Только уж я в обиду себя не дам! — прибавила она совершенно неожиданно.

Грузилов молчал.

— Я еще давеча чувствовала, что готовится что-то ужасное! даже сон был какой-то странный... Всегда видишь во сне что-нибудь приятное: или по ковру ходишь, или по реке плывешь, или вообще что-нибудь на пользу делаешь, а нынче просто-напросто привиделось какое-то большущее черное пятно: так будто и колышется перед глазами! то налево повернет, то направо пошатнется, то будто под сердце подступить хочет...

— Это точно-с, что сон несообразный,— заметил Грузилов,— а впрочем, не всегда сны вероятия достойны, сударыня! Не далеко искать, жена-покойница видела, примерно хоть нонче, будто, с позволения сказать, в грязи погрузла, ну и думали мы тогда, что это значит — наследство получить; ан, заместо того, она назавтра преставилась-с!..

— Нет, Гаврило Семеныч, мой сон правду говорит... я это вижу! Ну что ж, и пускай все будут дворянками! Вот завтра позову всех, и Феклушку позову... ну, и скажу им: теперь, девки, уж не мне вами командовать, а вы командуйте мной! вы теперь барыни, а я ваша холопка! Только прелюбопытно это будет, Гаврило Семеныч, как это они за команду-то примутся? Ведь они это дело как понимают? По-ихнему, сидеть бы сложа руки, чтоб все это им даром да шаром... а того и не подумают, мерзавки, что даром-то и прыщ на носу не вскочит: все сначала почешется.

— Это точно-с.

— Поэтому-то я и говорю, что в этих случаях всего вернее на бога упование возлагать. Вот и давеча: точно меня в грудь кольнуло; сижу я одна и все говорю: «Что батюшка царь небесный захочет, то и сделает! мы ему не то что тела, а и души, и платье, и дом... и все, словом сказать, в безотчетность препоручить должны!» Так вот и говорю, и сама не знаю, что́ со мной сделалось, а только все говорю, все говорю! а в груди-то у меня так и колет, словно вот кто меня сзади подталкивает: смотри, дескать, все это не даром! сокрушат твое счастие! Так оно и случилось. Нет, Гаврило Семеныч, меня предчувствия никогда не обманывают... никогда!

Очевидно, что Прасковья Павловна, незаметно для самой себя, понемногу вошла в тот фазис душевного состояния, когда постигшее человека несчастие мало-помалу отодвигается на задний план, а вперед выступает бесконечное самоуслаждение своими собственными соболезнованиями. Она, если можно так выразиться, смаковала свое горе, прислушиваясь к своим речам, и, внезапно вообразив себя чем-то вроде кроткой страдалицы, искренно начала чувствовать то приятное расслабление во всем организме, которое, как известно, предшествует всем подвигам самоотвержения.

NOTES

Русская беседа 1859, xvi; *СС* iii, 295–301.

1. i.e. 1857. The first intimation of the government's plans for the liberation of

the serfs was the so-called 'Nazimov rescript', in which the Tsar ordered the Governor-General of Vilna, General V. I. Nazimov, to initiate schemes for Emancipation in the Lithuanian territories. It was issued on 20 November 1857, the date referred to in the next paragraph.

2. The Tsarevich Dmitry, son of Ivan IV, was allegedly murdered on the order of Boris Godunov, whose soul, according to this interpretation of signs, he comes to claim—a retribution similar to that now feared by Padeikova.

3. The suffix -ста used with personal pronouns in reported speech implies boastfulness on the part of the speaker, here Avdey, the blacksmith, who is getting above himself.

4. The *uezd* court, which dealt with criminal and civil cases, consisted of three members, a judge and two assessors (*zasedateli*) elected by the gentry of the district.

5. An ironic statement—the rank of *praporshchik* ('ensign') was the most junior officer's rank in the army.

6. Ерофеич is an obsolete name applied to vodka and vodka-based liqueurs; its patronymic association evidently accounts for the facetious 'старик'.

7. i.e. the order to proceed with plans for Emancipation.

8. 'To cajole the French'. A rumour current in *pomeshchik* circles in the late 1850s claimed that the liberation of the serfs was the subject of a secret clause included, on the insistence of Napoleon III, in the terms of the Treaty of Paris (1856), which ended the Crimean War.

9. Shem, Ham, and Japheth, the sons of Noah. Ham's son, Canaan, was condemned by Noah to be the 'servant of servants' to Shem and Japheth (Gen. 9:18–27).

11. *Сатиры в прозе:* Наш губернский день [extract]

The sketches of *Satiry v proze* are chiefly concerned with the state of Russia in the throes of reform. In the introduction to this cycle Saltykov sums up the character of the times by the word 'конфуз'—the state of uncertainty and confusion caused by the Crimean débâcle, the prospect of change and reform, and the general ferment of ideas in this new situation. The following extract is part of the introduction to a group of sketches entitled 'Nash gubernskii den''. It describes the state of suspense in which the country awaits the as yet unformulated changes and the anguished bewilderment of officials, by whom any change is regarded as disastrous. Written in 1862, this sketch no doubt owes much to Saltykov's own observations of bureaucratic reactions to the impending reforms in Tver', where he served as Vice-Governor until February of that year. Significantly, in the concluding section of 'Nash gubernskii den'' Saltykov predicts that in fact nothing fundamental will change as a result of the reforms, a prediction which he was to confirm in many later sketches on the post-reform period.

Как там ни шути, а жить скучно. Жизнь сорвалась с прежней колеи, а на новую попасть и не смеет, и не умеет. Люди ходят как сонные или сидят себе сложа руки, вперив взоры в туманную даль — ничего в волнах не видно! Особенно мастерски умеем скучать мы, провинциалы. Там, в Петербурге, что-то затевается, какая-то все стряпня идет; одни болтают, что готовится нечто громадное, другие брешут, что чересчур что-то маленькое. Мы сидим в мурье и недоумеваем; нам-то желалось бы, чтоб все это было маленькое да миниатюрненькое... а вдруг, черт возьми, левиафана хватят? Ведь с нашими робятами и это случиться может!

Вот пронеслись слухи, будто откупа трещат[1] — председатель казенной палаты[2] дрожит и слабеет желудком. «Куда же я с малыми детьми денусь? — спрашивает он сам себя,— да пойми же ты, черт, что у меня восемь дочерей, и каждой надобно по приданому!»

До сведения губернатора доходит, что в губерниях будут заведены новые какие-то учреждения,[3] совсем будто бы независимые учреждения, которых все и назначение будто бы в том заключаться будет, чтоб давать щелчки в нос его превосходительству. «Как же я теперича повелевать буду? — вопрошает он сам себя.— Да пойми же ты, черт, как я за благосостояние губернии-то отвечать буду?»

Губернский штаб-офицер[4] пронюхал, будто отныне всякое дело начистоту надо вести будет.[5] Легкая бледность внезапно отуманивает его красивое чело; надушенные усы дрогнули; в самых манерах, которых благородству удивлялись во время экзекуций все помещики, появилась порывистость и даже некоторое верноподданническое дерзновение (я, мол, свое дело сделал, а там как угодно!). «Ну что ж, это хорошо! Ну что ж, и пускай их! и пускай их! — скрипит он про себя,— только что ж это со мной-то они делают? Да пойми же ты, черт, как же я теперь в люди-то покажусь?»

Председатель судебной палаты[6] тоже узнал кое-что о гласном судопроизводстве[7] и тоже совсем растерялся. Он то застегнет, то расстегнет свой вицмундир, то берется за шляпу, точно идти куда-то собирается, то бросает шляпу на стол и садится. Наконец решается послать за секретарем.

— Иван Ксенофонтыч! слышал?

— Поговаривают-с.

— Ну?

— Поговаривают-с.

— Как же это... в публике-то сидеть?

— Будем прописывать-с.

— Да, но как же, брат, это... в публике-то?

— Будем прописывать-с.

— Да пойми же ты, любезный: ведь кругом-то везде публика понатыкана! Пу-бли-ка!

— Что же-с? Каждому кто что заслужил-с!

— О, черт побери да и совсем!

— Это точно-с.

Одним словом, все повесили головы, все отстали от дела, которое уже признается старым, отжившим свой век, все ждут чего-то нового, а новое не идет.

— Хоть бы развязали, что ли!—слышится со всех сторон.

Все эти люди сидят начеку, словно куда-то собираются, словно теперь только почему-то вспомнили, что они лишь временные жильцы этого мира. Очевидно, нечто волнует их, и мы, конечно, поймем и это волнение, и эту озабоченность, если припомним, что это «нечто» — ни более, ни менее, как вопрос о жизни и смерти их.

Скучно жить! Скучно видеть людей, которые разучились смеяться, которых мысль постоянно находится в отсутствии. Подойдешь к губернатору, спросишь: «Не угодно ли вашему превосходительству карточку?»— а он вместо ответа выпучит глаза и бормочет какие-то бессвязные фразы: «Гм... да... что?.. об чем бишь мы говорили?» Прошу покорно тут думать о каких-нибудь общественных удовольствиях при виде столь огорченного начальника!

Да и один ли губернатор, один ли председатель опустили носы? Увы! улицы пусты, базары обезлюдели! Полиция слоняется как шальная: не знает, драться ли ей или вежливенько приглашать: пойдем, дескать, милый мой, я тебя в части[8] посеку! Обыватели тоже пришли в сомнение: не знают, точно ли их бить не велено, или нет-нет да и пойдет треск и гвалт на всю улицу? То, что прежде разрешалось в одно мгновение ока и одним мановением руки, нынче перекладывается с места на место, перевертывается с боку на бок, да так на боку и остается.

— Да разреши ты мою нужду! — пристает несчастный обыватель к лицу власть имеющему.

— Нельзя, братец, закона нет! — ответствует лицо власть имеющее.

И добро бы дело о нужном шло! А то ведь об том только и разговор, как сечь: с соблюдением ли законных форм или без соблюдения, просто как бог на душу пошлет... ох, уж эти мне либералы!

— Ох, да хоть бы уж развязали поскорей! — вопит обыватель, и следом за ним эхо из конца в конец перекатывает: — «Ох, да хоть бы уж развязали поскорей!»

Как жить? как поступать? чем быть? — вот вопросы, которые слышатся всюду. Пойдешь направо — назовут ретроградом; сунешься налево — прослывешь прогрессистом... Оба прозвища равно не безопасны. Один мой знакомый говорит: «А мы пройдем середочкой!» Гм... хорошо, коли кто эквилибристике обучался; а каково тому, кто этой науки не знает? Каково идти-то по этой переузине? Каково целую жизнь об том только думать, как бы не покачнуться ни направо, ни налево и не выронить из рук спасительного шеста? Нет, воля ваша, это не жизнь, а какое-то мучительное театральное представление.

Об чем писать? какие подвиги воспевать? Подвигов нет — их место заступило унылое балансирование; героев нет — их место заступили люди, у которых трясутся поджилки; фестивалей и пиршеств нет — их место заступили молчаливые сборища с головными помаваниями, с односложными речами и скорбными дрожаниями уст и ноздрей. Что за время! что за время!

NOTES

Время 1862, ix; *СС* iii, 382–4.

1. Concessions contracted by the government to individuals (*otkupshchiki*) giving them the right to produce and sell liquor in return for a fixed payment to the exchequer. The *otkup* system, which had become the source of notorious abuses, was abolished in 1863 and was replaced by a system of direct taxation on liquor sales (*aktsiz*).

2. The head of the *guberniya* taxation and finance department. One of his responsibilities was the arranging of *otkup* contracts with the *otkupshchiki*, for which he could expect to receive handsome bribes.

3. i.e. the *zemstva*, elected organs with certain powers of local self-government (in the event, very limited: see **26**), introduced in 1864.

4. i.e. the local commander of the Corps of Gendarmes, the executive arm of the Third Section, responsible for internal security.

5. i.e. cases against offenders will have to be dealt with openly, with public court proceedings.

6. 'President of the (*guberniya*) law court'.

7. Public court proceedings, introduced in 1864.

8. 'Police station'.

12. *Сатиры в прозе:* Наши глуповские дела [extracts]

The following extracts, written in 1861, give Saltykov's view of provincial society at the height of the reform period. He states already what will be his final judgement on the reforms as a whole—that the changes taking place are purely superficial and that the old order and its attitudes remain intact. Here he concentrates on the privileged classes of 'Glupov' society, comparing the old-style gentry with their successors in the age of reform. Outwardly the latter appear more civilized, educated, and liberal-minded, but underneath Saltykov shows that the same selfishness and ignorance persist, and social attitudes and habits remain fundamentally unchanged. If anything, Saltykov prefers the old brutish spontaneity to the smooth hypocrisy of the new age. The hopeful view expressed at the end—that the 'new Glupovite' will be the 'last of the Glupovites'—is a sign of the optimism with which even Saltykov initially regarded the reform movement (cf. his vision of 'burying the past' in the final sketch of *Gubernskie ocherki*).

Glupov, the town which is the setting of the present sketch, was first introduced by Saltykov in a group of sketches (the so-called 'Glupov cycle'), written in 1861–2, which were for the most part subsequently incorporated in *Satiry v proze.* The creation of Glupov represented a major departure in Saltykov's satire: from Krutogorsk, the setting for *Gubernskie ocherki,* which was inspired by his Vyatka experiences, he turned to Glupov, which he made the symbolic microcosm of the whole of Russia. In this role it figures in the later *Istoriya odnogo goroda* (see **1,** etc.).

Между «хорошими» людьми доброго старого времени (old merry Gloupoff) много было плутов, забулдыг и мерзавцев pur sang. Почему они назывались «хорошими» людьми, а не канальями, это тайна глуповской почвы и глуповской природы. Но, разбирая дело внимательно, полагаю, что это происходило оттого, что над упомянутыми выше качествами парило какое-то добродушие, какая-то атласистость сердечная, при существовании которых как-то неловко думать о вменяемости. Для объяснения прибегну к примерам. Бывало, «хорошій» человек выпорет вплотную какого-нибудь Фильку[1] и вслед за тем скажет другому такому же «хорошему» человеку: «А пойдем-ко, брат, выпьем по маленькой». Разве это не добродушие? Или, например, передернет нечаянно в карты (за что тут же получит возмездие в рождество)[2] и вслед за

этим воскликнет: «А не распить ли нам бутылочку холоднень-
кого?» Разве это не атласистость сердечная?

А коли есть добродушие, коли есть атласистость, стало
быть, и говорить не о чем: chantons, buvons et... aimons! —
и все тут!

Сообразно с этими наклонностями, «хорошие» люди и разговоры имели между собой самые простые, так сказать, перво-
начальные. Надо сказать правду, что «хороший» человек старого времени не имел обширных сведений в области наук. По
части истории запас его познаний не выходил из круга расска-
зов о том, как в тринадцатом году русский бился с немцем об
заклад, что сотворит такую пакость, от которой у него, немца,
глаза на лоб полезут,— и действительно сделал пакость на
славу. По части географии он мог утвердительно сказать
только то, что на том самом месте, где он в настоящее время
играет в карты и закусывает, рос некогда непроходимый лес
и что недавно еще уездный стряпчий Толковников из окна
своей квартиры бивал из ружья во множестве дупелей и бека-
сов. Юридическое образование его ограничивалось: по части
прав состояния — отсылкою грубиянов на конюшню;[3] по части
гражданского права — выдачею заемных писем и неплатежом
по ним.

И между тем жили, пили, ели, женились и посягали, сла-
вословили, занимали начальственные места и пользовались
покровительством законов наравне с людьми, которым не-
безызвестно даже о распрях, происходивших в Испании между
карлистами и христиносами.[4]

«Хороший» человек имел привычки патриархальные. Обе-
дал рано и в послеобеденное время любил посвятить часок-
другой гастрическим сновидениям, сопровождая это занятие
аккомпанементом всевозможных шипящих звуков, которыми
так изобилуют преисподние глуповских желудков. По испол-
нении этого он, по крайней мере в продолжение двух часов,
не мог прийти в себя и вплоть до самого вечера чувствовал
себя глупым. Тут выпивалось несчетное количество графинов
холодного квасу; тут испускались такие страшные потяготы
и позевоты, от которых содрогались на улице прохожие. «Господи! какая тоска!» — беспрестанно восклицал он, отплевы-
ваясь во все стороны, и в это время не суйся к нему на глаза
никто: разобьет зубы!

«Хороший» человек имел слабость к женскому полу и взятых им в полон крепостных девиц называл «канарейками».

— Ну, брат, намеднись какую мне канарейку из деревни

прислали! — говорил он своему другу-приятелю,— просто персик!

И при этом причмокивал, обонял и облизывался.

В обращении с «канарейками» он не затруднялся никакими соображениями. Будучи того убеждения, что канарейка есть птица, созданная на утеху человеку, он действовал вполне соответственно этому убеждению, то есть заставлял их петь и плясать, приказывал им любить себя и никаких против этого возражений не принимал. Если же со временем канарейка ему прискучивала, то он ссылал ее на скотный двор или выдавал замуж за камердинера и всенепременно присутствовал на свадьбе в качестве посаженого отца.

«Хороший» человек в непривычном ему обществе терялся. В гостиной, в особенности в присутствии женщин, он был застенчив, как фиалка, и неразговорчив, как пустынножитель. В таких тесных обстоятельствах он с мучительным беспокойством поглядывал на дверь, ведущую в кабинет хозяина, где, как ему известно, давным-давно поставлена водка и разложен зеленый стол, и пользовался первым удобным случаем, чтоб бочком-бочком проскользнуть в обетованную дверь. Вообще, он любил натянуться дома, в халате, с добрыми знакомыми, и называл это жуировать жизнью; в публику же показывался редко, и то в клубах, и притом лишь тогда, когда ему было известно, что там соберутся такие же теплые други-приятели, как и он сам. Напившись, наевшись и досыта наигравшись в карты, он, ложась на ночь спать, с легким сердцем восклицал: «Вот, слава богу, я наелся, напился и наигрался!»

В это хорошее старое время, когда собирались где-либо «хорошие» люди, не в редкость было услышать следующего рода разговор:

— А ты зачем на меня, подлец, так смотришь? — говорил один «хороший» человек другому.

— Помилуйте...— отвечал другой «хороший» человек, нравом посмирнее.

— Я тебя спрашиваю не «помилуйте», а зачем ты на меня смотришь? — настаивал первый «хороший» человек.

— Да помилуйте-с...

...Бац в рыло!..

— Да плюй же, плюй ему прямо в лохань! (так в просторечии назывались лица «хороших» людей!) — вмешивался случавшийся тут третий «хороший» человек.

И выходило тут нечто вроде светопреставления, во время которого глазам сражающихся, и вдруг, и поочередно, представлялись всевозможные светила небесные...

«Хороший» человек был патриот по преимуществу. Он зарождался, жил и умирал в своем милом Глупове. Он был, так сказать, продуктом местных нечистот; об них одних болело его сердце; к ним одним стремились его вожделения, и никаких иных навозных куч он не желал, кроме тех, которыми окружено было его счастливое детство. Петербурга он не любил и не понимал; он охотно допускал, что хорошие люди могут зарождаться в Москве, в Рязани, в Тамбове и, разумеется, в Глупове; но в Петербурге, по его мнению, могут существовать только выморозки, не имеющие ни малейшего понятия о том, что за блаженство есть буженину, когда она изжарена в соку и притом легонько натерта чесноком...

Повторяю: тип «хорошего» человека исчезает, и вместе с тем исчезает и глуповское добродушие, и глуповская сердечная атласистость. Фильку наказывают по-прежнему, но уже без прибауток; передергивают в карты по-прежнему, но, получая возмездие в рождество, уже протестуют и притворяются оскорбленными.

Но мы, которые были свидетелями и этого добродушия, и этой атласистости, мы, молодые люди прежнего времени, мы не можем быть равнодушными к нашим воспоминаниям. Мы должны хранить их во всей непорочности, мы должны оберегать их от всякого нечистого прикосновения! Боже! как было тогда все тепло и уютно! как любили и уважали мы этих доблестных руководителей нашей юности! и как, с другой стороны, и они радовались и утешались, взирая на нас!

. . . .

Старые «хорошие» люди исчезают — это верно. Словно персидский порошок бог весть откуда на них посыпался; но каждая новая минута есть вместе с тем и минута смерти для кого-нибудь из глуповских Гостомыслов. Гостомыслы умирают беспрекословно, скрестивши на груди руки и облачившись в свои лучшие глуповские одежды. Как некогда умирающий Трифоныч алкал предстать пред лицо божие тем же дворовым господина Чертопханова человеком, каким состоял в земной сей юдоли, так и ныне умирающие глуповцы выказывают твердое намерение и в загробной жизни воспрянуть старыми, непреклонными глуповцами, недоступными ни резонам, ни соображениям....

Но место старых глуповцев не могло быть не занято уже по тому одному, что «место свято пусто не будет», а наконец, и потому, что «было бы болото, а черти будут». Вместо прежних «хороших» людей должны были явиться новые «хорошие» люди — и они явились.

Они явились — и мы были ослеплены их сиянием; они явились — и глуповские дамы всем собором объявили, что никогда еще глуповская жизнь не была так сладостна, никогда еще не представляла она столько pittoresque и imprevu. Бойко и ходко накинулись эти новые рюриковичи[7] на тучно удобренную глуповскую землю, и глуповская земля не выдержала: из груди ее вырвался тяжкий и болезненный стон. Казалось, все «родители» разом запротестовали из могил своих...

Нынешний «хороший» человек в наружном отношении представляет совершенную противоположность «хорошему» человеку доброго старого времени. Последний был неряшлив и неумыт, частенько даже несло от него словно морскими травами; первый, напротив того, безукоризнен и чист, как кристалл. Последний был невежествен и груб; первый, напротив того, утончен и образован. Голова последнего положительным образом представляла собой плотную роговую накипь, сквозь которую трудно было даже с молотком пробраться; голова первого, напротив того, на свет прозрачна, а при малейшем щелчке звенит, как серебро.

Нынешний «хороший» человек в карты ни-ни, историй с рылами, микитками и подсалазками[8] удаляется, buvons употребляет лишь благородным манером, то есть душит шампанское и презирает очищенную, и только к aimons обнаруживает прежнее ехидное пристрастие. Зато прям как аршин, поджар как борзая собака, высокомерен как семинарист, дерзок как губернаторский камердинер и загадочен как тот хвойный лес, который от истоков рек Камы и Вятки тянется вплоть до Ледовитого океана.

Нынешний «хороший» человек не наедается за обедом до отвала и не падает, после гречневой каши, от изнеможения сил. Он обедает вообще умеренно (хотя и на чужой счет), и послеобеденное время любит посвятить разумной беседе с приятелями о прекрасном устройстве Оксфордского университета, о воскресных забавах англичан, о рыбном обеде английских министров и о других достопримечательностях, в которых старые глуповцы ни уха, ни рыла не смыслили. Он очень мило говорит об self-government и даже находит qu'au fond il y a du vrai dans tout ceci, но в то же время не может не поставить на вид, что большие континентальные государства едва ли, без опасения за свою самостоятельность, могут принять формы самоуправления.

92

Нынешний «хороший» человек в делах любви избегает солнечного света. Он развратничает по уголкам и всему на свете предпочитает так называемые благородные интриги. Он любит, чтоб его называли Жоржем, а не Егорушкой, Мишелем, а не Мишуточкой, и pour rien au monde не согласится любить женщину, которая носит рубашки из посконного полотна?

Нынешний «хороший» человек паче всего любит публичность и не затрудняется ни пред каким обществом. Он жаждет позировать неустанно, позировать наяву и во сне, позировать в гостиной и в чулане. Он всю свою изобретательность употребляет на то, чтоб подыскать себе публику, и, достигнув этого, охотно во всякое время выбрасывает перед нею накопившийся в затхлом архиве души хлам юродивства, прикрытого громкими именами бескорыстия, честности, гласности и т. д.

Нынешние «хорошие» люди, когда встречаются в обществе, не плюют друг другу в лохань, но ведут меж собой скромную и даже отчасти ученую беседу.

— А что, mon cher, читали вы в «Русском вестнике» последнее политическое обозрение?.. délicieux! — говорит один «хороший» человек другому.

— А я, с своей стороны, рекомендую вам, mon cher, «Письмо из Турина»... charmant! — отвечает другой «хороший» человек.

Таким манером все обходится тихо, сражающихся не бывает, и даже светил небесных никто не видит.

Хотя уроженец Глупова, нынешний «хороший» человек относится к своей родине с холодностью и даже с некоторым высокомерием. Конечно, глуповские дамы... oh! les dames de Gloupoff sont délicieuses, il n'y a rien à dire! но зато le reste... фи!.. К Глупову он привязан горькою необходимостью возрождения; в Глупов он явился для исправления диких нравов и показания своей благонамеренности, но мысль, но сердце его не здесь, а там, в том милом, вечно юном Петербурге, где живут его добрые начальники, где он целовал ручки у светлокудрой Florence, через которую и получил место в Глупове!.. Глупов — это anima vilis, над которою ему предоставлено провидением делать какие угодно операции; Петербург — это alma mater, к которой он привязан незримою, но прочною, несокрушимою пуповиной. В благоговении своем перед Петербургом он возвышается до фанатизма, он делается ужасен...

. . . .

. . . . Конечно, древний глуповец был отвратителен, но вместе с тем он был и мил... Он представлялся милым уже потому, что был не ужасно, а смешно отвратителен. Он весь был нелепость, а потому и оценка его деятельности могла быть только нелепая. Человек, доведенный до необходимости вступить в сношения с ним, имел полное право воскликнуть: «Ах, да какая же ты славная бестия!» — но не имел права считать свою руку оскверненною прикосновением его руки. Новый глуповец продолжает быть отвратительным и в то же время утратил способность быть милым. Его прикосновение положительно оскверняет.

Но, переходя от форм деятельности к самому содержанию ее, я колеблюсь еще менее. Содержание это до такой степени тождественно, что невозможно без смеха даже подумать об этом. И в том и в другом случае пространно и размашисто развивается все та же знаменитая глуповская пословица: «Кого люблю, того и бью»,— и в том и в другом случае мотивы и побуждения деятельности нераздельно слиты с общим строем глуповского миросозерцания.

По-прежнему глуповцы оказываются бедными инициативой, шаткими и зависимыми в убеждениях; по-прежнему гибко и недерзновенно пригибаются они то в ту, то в другую сторону, беспрекословно следуя направлению ледовитых ветров, цепенящих родную их равнину из одного края в другой.[10]

По-прежнему они наивно открывают рты при всяком вопросе, выработанном жизнью, и не могут дать никакого разрешения, кроме тупого и бесплодного гнета, не могут дать никакого ответа, не справившись наперед в многотомном и, к сожалению, еще не съеденном мышами архиве канцелярской рутинной мудрости. Скажу более: в прежние времена глуповская необузданность смягчалась подкупностью и другими качествами, гнусность которых хотя и не подлежит спору, но которые в свое время все-таки оказывали не малую практическую пользу; а нынче и это последнее убежище глуповских вольностей рухнуло, благодаря каплуньему высокомерию и каплуньим операциям[11] in anima vili, производимым ревнителями глуповского возрождения.[12]

Новоглуповец откровенно и даже залихватски кладет ноги на стол; но спросите его, что он желает выразить этим действием, чего он требует, чего он ждет от Глупова,— он станет в тупик. Темное ярмо тяготеет не только над действиями его, но и над помыслами. Да, и над помыслами, потому что он до такой степени усовершенствовал себя, что нашел средство поработить не только тело, но и свободную душу.

В сущности, и старый и новый глуповец руководятся одним и тем же правилом: «Травы не мять, цветов не рвать и птиц не пугать». Но на практике, но в способах проведения этого правила в жизни, между ними замечается ощутительная разница. Старый глуповец видел эти слова написанными на доске и выполнял их не рассуждая. Новый глуповец не только выполняет, но и резонирует, не только резонирует, но и любуется самим собою. Он возводит исполнение правила в принцип, и в этом принципе находит достаточно содержания для наполнения всей своей жизни. И горе тому, кто затронет новоглуповца в этом последнем убежище, горе тому, кто отнесется легко к этой последней святыне его сердца: он в одну минуту налает столько, сколько не успели налаять его достославные предки в продолжение многих столетий; он загрызет, он докажет целому миру, что и в Глупове могут зарождаться своего рода Робеспьеры, что и глуповская почва способна производить сорванцов исполнительности.

Глуповское миросозерцание, глуповская закваска жизни находятся в агонии — это несомненно. Но агония всегда сопровождается предсмертными корчами, в которых заключена страшная конвульсивная сила. Представителями этой силы, этих ужасных попыток древлеглуповского миросозерцания удержаться на старой почве служат новоглуповцы. В лице их оно празднует свою последнюю, бессмысленную вакханалию; в лице их оно исчерпывает последнее свое содержание; в лице их оно торжественно и окончательно заявляет миру о своей несостоятельности...

Итак, Матрена Ивановна права: старинный глуповский air fixe, усовершенствованный и усиленный, целиком переселился в новоглуповцев. Но она не права в другом отношении: она думает и надеется, что глуповцам не будет конца, что за новоглуповцами последуют новейшие глуповцы, а за новейшими — самоновейшие, и так далее, до скончания веков.

Этого не будет.

В этом отношении я даже чувствую некоторую симпатию к новоглуповцу. Он мил мне потому, что он — последний из глуповцев.

NOTES

Современник 1861, xi; *CC* iii, 488–91, 499–502, 514–16.

1. i.e. 'some peasant'.

2. 'Will get his face bashed in recompense'. Рождество is used here facetiously for рожа.

3. i.e. to be given a beating.

4. The dispute over the Spanish succession (1833–41) between the supporters of the pretender Don Carlos (Carlists) and of the regent Christina Maria (Cristinos).

5. The use of the word выморозки here is odd. Normally it refers to an alcoholic drink strengthened by having its water content reduced through freezing. This, even in a figurative sense, seems inappropriate here. Might Saltykov have intended выморки (= мертвые души) with the implication of 'run-down', 'effete' people?

6. Gostomysl was a ninth-century ruler of Novgorod. The 'Glupov Gostomysls' can be taken in the sense of 'old rulers of Glupov'.

7. Rurikids, descendants of Rurik, the first prince of Kiev. Saltykov distinguishes between these 'new men' and the pre-Rurik Gostomysls mentioned above.

8. 'Episodes involving face-bashing, belly-punching and jaw-socking'.

9. i.e. a peasant woman.

10. The reference is to the 'new Glupovites' following the shifting tendencies of official policy.

11. Каплуний 'capon-like' indicates the devitalized nature of the new times. The 'capon' theme was developed by Saltykov in an article entitled 'Kapluny' ('Capons') which he wrote in 1862 (intended for publication in *Sovremennik*, though in the event not published until after his death). Here he uses 'capon', with its associations of 'well-fed' and 'devoid of passion', as a generic term for those who stand apart from the struggle to transform society—these may be conservatives (каплуны настоящего) or idealists who contemplate a utopian future but do nothing to achieve it in reality (каплуны будущего).

12. 'Glupov renaissance', i.e. the reform movement.

13. *Помпадуры и помпадурши:* Помпадур борьбы [extract]

The following extract traces, in the case history of the governor Feden'ka Krotikov, the decline of 'official' liberalism during the 1860s and the turning of the authorities towards reaction. In *Pompadury i pompadurshi* (1863–74), the cycle from which it is taken, Saltykov examines the shifting attitudes of the administration during the reform period and makes some important observations on the Russian administrative machine in general (see, for example, 6). (The term помпадур < Pompadour used in this work is an aesopism for 'governor' (*gubernator*), помпадурша for the mistress of a помпадур.) The theme of 'no fundamental change' is broached in the very first sketch of this cycle. This describes the departure of the old governor (appointed in the reign of Nicholas I) and his replacement by a new, supposedly reforming official. The irony of the reforms is soon revealed, however, when it turns out that the new governor's policy is precisely the same as that of his predecessor: to collect unpaid taxes and flog the inhabitants. This continuing repressive character of the administration, despite liberal stances, is further demonstrated in sketches devoted to a particular type of contemporary official—the frivolous 'bright young man' who proclaims liberal progressive policies for which he has in fact neither sympathy nor understanding and which he abandons as readily as he takes them up. Such an official is Krotikov, the hero of the present sketch, who begins his career as governor with airy, superficial plans for progress, but soon reveals his true reactionary and authoritarian nature.

'Pompadur bor'by', written in 1873, has also connections with contemporary events in France, then in the midst of the reaction which followed the suppression of the Paris Commune in 1871.

Я с детских лет знаю Феденьку Кротикова.[1] В школе это был отличный товарищ, готовый и в форточку покурить, и прокатиться в воскресенье на лихаче, и кутнуть где-нибудь в задних комнатах ресторанчика. По выходе из школы, продолжая оставаться отличным товарищем, он в каких-нибудь три-четыре года напил и наел у Дюссо[2] на десять тысяч рублей и задолжал несколько тысяч за ложу на Минерашках,[3] из которой имел удовольствие аплодировать m-lle Blanche Gandon[4] Это заставило его взглянуть на свое положение серьезнее. Роль доброго товарища обходилась слишком дорого; надо было остепениться и избрать карьеру. И вот, не прошло четырех лет — слышим, что он, прямо из-под ферулы Дюссо, вдруг выказал необыкновенный административный блеск. Еще немного — и Феденька был уже помпадуром в городе Навозном...

Каким образом все это случилось — никто не мог дать себе отчета. Все видели, что Феденька сидит у Дюссо, но никто не подозревал, что он сидит неспроста, а изучает дух времени. У Дюссо же, кстати, собираются наезжие помпадуры и за бутылкой доброго вина развивают виды и предположения, какие кому бог на душу пошлет, а следовательно, для молодых кандидатов в администраторы лучшей школы не может быть. И Феденька воспользовался ею вполне, то есть прислушивался и смекал И вот, когда он понял, что для современного администратора ничего больше не требуется, кроме свободных манер, то тотчас же сообразил, что и он в этом отношении не лыком шит. Проникнув в известные сферы, из которых, как из некоего водохранилища, изливается на Россию многоводная река помпадурства, Феденька, не откладывая дела в долгий ящик, сболтнул хлесткую фразу, вроде того, что Россию губит излишняя централизация, что необходимо децентрализовать, то есть эмансипировать помпадуров, усилив их власть; что высшая администрация слишком погружена в подробности и мелочи; что мелочи отвлекают ее от главных задач, то есть от внутренней политики[5] и т. д. Одним словом, высказал все, что говорится у Дюссо за стаканом доброго вина наезжими и жаждущими эмансипироваться помпадурами. Сболтнул — и понравился; понравился — и был признан способным уловлять вселенную...

Я первый порадовался возвышению Феденьки. Во-первых, я знал, что у него доброе сердце, а, по моему мнению, в помпадуре это главное. Если помпадур настолько простодушен, что ничем другим, кроме внутренней политики, заниматься не может, и если при этом он еще зол, то очевидно, что он не сумеет дать другого употребления своему досугу, кроме угнетения обывателя. Злая праздность подозрительна и ревнива. Лишенная знания и тех ограничений, которые оно приносит с собой, она заменяет его простым нахальством, и потому всюду вмешивается, во всем сознает себя компетентною, всем мешает, везде видит посягательство, покушение, оскорбление. Она с утра до вечера хлопает глазами и все ищет, как бы кого истребить, скрутить, согнуть в бараний рог. Клянусь ничего тут хорошего нет. Напротив того, праздность невежественная, но соединенная с добродушием, не только не вредит, но даже представляет некоторые выгоды. Добрый помпадур застенчив; он никому не мешает и даже избегает лишних объяснений, потому что боится сболтнуть что-нибудь несообразное и выказать несостоятельность. Сознавая себя осужденным исключительно на внутреннюю политику, он все значение последней полагает в том, чтобы не препятствовать другим. Он посещает клуб — и всех призывает к согласию. Он ездит на пироги, обеды и ужины — и всем желает благополучия. Хороши добрые, невежественные помпадуры! При них обыватель с доверием смотрит в глаза завтрашнему дню, зная, что он встретит его в своей постели, а не на съезжей и что никто не перевернет вверх дном его существования по обвинению в недостаточной теплоте чувств[6] И вот этого именно, этой незлобивой невежественности, соединенной с доброжелательным отношением к обывателю, ждал я и от Феденьки.

Во-вторых, мне было известно, что Феденька имеет и другое драгоценное качество,— что он либерал. Это было время либерализма почти повального,[7] то время, когда вдруг всем сделалось тошно и душно. Феденька отлично выразил это чувство в особенной докладной записке, представленной им по этому случаю. «Воспрещение курить на улицах,— писал он в этой записке,— ограничения относительно покроя одежды, в особенности же истинно-диоклетиановские гонения противу лиц, носящих бороды и длинные волосы,[8]— все это, вместе взятое, не могло не оказать пагубного воздействия на общественную самодеятельность. Чувствуя себя на каждом шагу под угрозой мероприятий, большею частию направленных противу невиннейших поползновений человеческого естества, общество утратило веру в свои творческие силы и поникло под игом постыдного равнодушия к собственным интересам. Посему, и в видах поднятия народного духа, я полагал бы необходимым всенародно объявить: 1) что занятие курением табака свободно везде, за нижеследующими исключениями (следовало 81 п. исключений); 2) что выбор покроя одежды предоставляется личному усмотрению каждого, с таковым, однако ж, изъятием, что появление на улицах и в публичных местах в обнаженном виде по-прежнему остается недозволительным, и 3) что преследование за ношение бороды и длинных волос прекращается, а все начатые по сему предмету дела предаются забвению, за исключением лишь нижеследующих случаев (поименовано 33 исключения)». Как хотите, а человек, начинавший свой административный бег с такими смелыми задатками, не мог не заслуживать некоторого доверия. Притом же, излагая столь ясно свои либеральные убеждения, он ведь и рисковал. Он ставил на карту все свое административное будущее, ибо ежели смелость его могла понравиться, то она же могла и не понравиться и, следовательно, наделать ему хлопот. Мало того: он мог прослыть опасным мечтателем. К счастию, он попал в такую минуту, когда смелые начинания нравились...

Как бы то ни было, но Феденька достиг предмета своих вожделений. Напутствуемый всевозможными пожеланиями, он отправился в Навозный край, я же остался у Дюссо. С тех пор мы виделись редко, урывками, во время наездов его в Петербург. И я с сожалением должен сознаться, что мои надежды на его добросердечие и либерализм очень скоро разрушились.

Первое время административных подвигов Феденьки было лучшим его временем. Это было время либерализма безусловного, которому не только не служило помехой отсутствие мудрости, но, напротив того, сообщало какой-то ликующий характер. Феденька рвался вперед, нимало не думая о том, какие последствия будет иметь его рвение. Он писал циркуляры о необходимости заведения фабрик, о возможности, при добром желании, населить и оплодотворить пустыни, о пользе развития путей сообщения, промыслов, судоходства, торговли, и изъявлял надежду, что земледелие, споспешествуемое, с одной стороны, садоводством, а с другой, разведением улучшенных пород скота, принесет желаемые плоды и, таким образом, оправдает возлагаемые на него надежды. Он призывал к себе для совещания купцов и доказывал им неотложность учреждения кожевенных и мыловаренных заводов, причем говорил: прошу вас, господа, а в случае надобности, даже требую. Он приглашал дворян и говорил, что дворянское сословие всегда было опорою, а потому и теперь должно первое подать пример. В ожидании же результатов этой судорожной деятельности, он делал внезапные вылазки на пожарный двор, осматривал лавки, в которых продавались съестные припасы, требовал исправного содержания мостовых, пробовал похлебку, изготовляемую в тюремном замке для арестантов, прекращал чуму, холеру, оспу и сибирскую язву, собирал деньги на учреждение детского приюта, городского театра и публичной библиотеки, предупреждал и пресекал бунты и в особенности выказывал страстные порывы при взыскании недоимок?

Но увы! из всех этих либеральных затей Феденька достиг относительного успеха лишь по части пресечения бунтов и взыскания недоимок. Ко всем прочим его запросам общество отнеслось тупо, почти безучастно. Фабрики не учреждались, холера не прекращалась, судоходство не развивалось, купцы продолжали коснеть в невежестве, а земледелие, споспешествуемое сибирскою язвою, давало в результате более лебеды,[10] нежели истинного хлеба. Это тем более озадачило Феденьку, что он, как вообще все администраторы, кончившие курс наук в ресторане Дюссо, не имел надлежащей выдержки и был скорее способен являть сердечную пылкость, нежели упорство в преследовании административных целей.

Тогда наступил второй период кротиковского либерализма, либерализма меланхолического, жалующегося, укоряющего. Хотя Феденька еще не пришел к отрицанию самого либерализма, но он уже разочаровался в *либералах* и довольно громко выражал это разочарование.

— Любезный друг! — говорил он мне в один из своих приездов в Петербург,— я просил бы тебя ясно представить себе мое положение. Я приезжаю в Навозный и вижу, что торговля у меня в застое, что ремесленность упала до того, что à la lettre некому пришить пуговицу к сюртуку, что земледелие, эта опора нашего отечества, не приносит ничего, кроме лебеды... J'espère que c'est assez navrant, ça? hein! qu'en diras-tu?

— Mais oui... le tableau n'est pas des plus agréables...

— Eh bien, я вижу все это — и, разумеется, принимаю меры. Я пишу, предлагаю, настаиваю — и что ж? Хоть бы одна каналья откликнулась на мой голос! Ничего, кроме какого-то подлого сопения, которое раздается изо всех углов! Вот они! вот эти либералы, на которых мы возлагали столько надежд! Вот тот либеральный дух, который, по отзывам газет, «охватил всю Россию»! Черта с два! Охватил!!

Тем не менее Феденька не сразу уныл духом; напротив того, он сделал над собой новое либеральное усилие и по всем полициям разослал жалостный циркуляр, в котором подробно изложил свои огорчения и разочарования.

«Неоднократно замечено было мною, — писал он в этом циркуляре, — что в нашем обществе совершенно отсутствует тот дух инициативы, с помощью которого великие народы совершают великие дела. Не раз указывал я, что путей сообщения у нас, можно сказать, не существует, что судоходство наше представляет зрелище в высшей степени прискорбное для сердца всякого истинного патриота, что в торговле главным двигателем является не благородная и вполне согласная с предписаниями политико-экономической науки потребность быть посредником между потребителем и производителем, а гнусное желание наживы, что земледелие, этот главный источник благосостояния стран, именующих себя земледельческими, не радует земледельца, а землевладельцу даже приносит чувствительное огорчение. Указывая на все вышеизложенное, я питал надежду, что голос мой будет услышан и что здоровые силы страны воспрянут от многолетнего безмятежного сна, дабы воспользоваться плодами оного. Скажу более: я был уверен, что отечество наше, искони превосходя государства Западной Европы беспрекословным исполнением начальственных предписаний и непреоборимым благочестием, станет наряду с ними и с точки зрения промышленности и полезных изобретений. И тогда, думалось мне, то есть если б все сие осуществилось, не имели ли бы мы полное основание воскликнуть: с нами бог — кто же на ны?![11]

Но, к великому и душевному моему огорчению, я усматриваю, что наше общество продолжает коснеть все в том же бездействии, в каком я застал его и в первое время по приезде моем в Навозный край. А именно: путей сообщения не существует, судоходство в упадке, торговля преследует цели низкие и неблагородные, а при взгляде на земледелие единственная мысль, которая приходит в голову, есть следующая: всуе труждаются зиждущие![12] К сему, с течением времени, присоединились: процветание кабаков и необыкновенный успех сибирской язвы. Спрашивается: при всем предыдущем и при деятельном пособничестве последующего, какое имеем мы основание восклицать: кто же на ны?!

Уже умственному моему взору без труда представляется удручающая сердце картина будущего. Край пустынен; полезные и кроткие породы птиц и зверей уничтожились, а вместо оных господствуют породы хищные и неполезные; благочестие упразднилось, а вместо оного царствуют пьянство и разврат! Какое сердце патриота не содрогнется при виде столь ужасного зрелища, даже если бы оное было лишь плодом моей предусмотрительной фантазии?!

А между тем из архивных дел достоверно усматривается, что некогда наш край процветал. Он изобиловал туками (как это явствует из самого названия «Навозный»), туки же, в свою очередь, способствовали произрастанию разнородных злаков. А от сего процветало сельское хозяйство. Помещики наперерыв стремились приобретать здесь имения, не пугаясь отдаленностью края, но думая открыть и действительно открывая золотое дно. Теперь — нет ни туков, ни злаков, ни золотого дна. Какая же причина такого прискорбного оскудения?

Я знаю, что упразднение крепостного права многие надежды оставило без осуществления, а прочие и совсем прекратило; я, вместе с другими, оплакиваю сей факт, но и за всем тем спрашиваю себя: имеется ли законное основание, дабы впадать, по случаю оного, в уныние или малодушие?

Тем не менее я не вхожу в подробное рассмотрение этого вопроса, ибо рассмотрение привело бы меня к расследованию, которое, в свою очередь, повлекло бы за собою полемику, которой, в моем положении, я всячески должен избегать. Ограничиваюсь лишь следующим кратким замечанием. Помещики, под влиянием досады, возбужденной в них упразднением крепостного права, бросились вырубать принадлежащие им леса и продавать оные за бесценок. К сожалению, ощутительной выгоды от сего они не получили никакой, а стране между тем причинили несомненнейший ущерб. С истреблением лесов надолго, если не навсегда, утвердилось господство иссушающих ветров, которые, не встречая преград в своем веянии, повсюду производят пагубнейшее действие. Обмеление рек уже возымело начало, а в близком будущем предвидится и недостаток влажности в воздухе. Поля угрожают хроническим бесплодием, а человеческие легкие будут лишены возможности вдыхать животворную влажность воздуха. В каком же положении, среди всего сего, нахожусь я, на которого доверие начальства возложило заботы по обеспечению народного продовольствия, равно как и по охранению народного здравия?!

Ввиду всего вышеизложенного, я вновь и в последний раз предлагаю принять решительные меры (не прибегая, однако ж, до времени, к экзекуциям) к поднятию общественного духа и возбуждению в оном наклонности к деяниям смелым и великим. С этою целью имеете вы непрестанно увещевать купцов, разночинцев и мещан; помещикам же и прочим благородным людям кротко, но убедительно доказывать, что временные лишения должны быть переносимы безропотно, с надеждой на милость божию в будущем. Всем же вообще внушать за достоверное, что я, с своей стороны, готов везде и во всякое время оказывать деятельнейшее содействие всякому благому начинанию.

Об успехе ваших увещаний, внушений и собеседований обязываетесь вы сообщать мне через каждые две недели всенепременно и неупустительно».

Один экземпляр этого циркуляра Феденька прислал мне при письме, в котором говорил: «Ты видишь, душа моя, что я еще бодрюсь; но если и за сим наше судоходство останется в прежнем жалком положении, тогда — ma foi! — я не остановлюсь даже перед экзекуцией». На что я с первой же почтой ответил: «Мы все удивляемся экспрессии твоего циркуляра: это своего рода chef d'oeuvre. Ах! если б ты жил во времена Великой французской революции! Теория, отыскивающая в помещичьей мстительности причину происхождения ветров и обмеления рек, смела и нова. Но не слишком ли, однако ж, смела? Подумал ли ты об этом, мой друг? Смотри, чтобы не было запроса!»

Увы! это был последний пароксизм Феденькина либерализма. Вскоре после этого я на долгое время уехал за границу и совершенно потерял Феденьку из виду. Затем, по возвращении в Петербург, встретившись с одним приезжим из Навозного (то был Рудин,[13] которого Феденька взял к себе в чиновники для особых поручений, несмотря на его крайний образ мыслей), я услышал от него следующую краткую, но выразительную аттестацию о Кротикове: «порет дичь». Это вдвойне меня огорчило: во-первых, потому, что я искренно любил Феденьку и мне всегда казалось, что он может сделать свою карьеру только на либеральной почве, а во-вторых, и потому, что меня в это время уже сильно начали смущать будущие судьбы русского либерализма. Одновременно с Кротиковым, стезю свободомыслия покинули: Иван Хлестаков, Иван Тряпичкин и Кузьма Прутков![14]Все это было тем более горько, что и до этого времени наш либерализм существовал лишь благодаря благосклонному попустительству некоторых просвещенных лиц.

И вот теперь — еще одним просвещенным попустителем меньше!

Под влиянием этого горького чувства я не выдержал и написал к Кротикову письмо, исполненное укоризн. А через два месяца получил следующий сухой ответ:

«Извини, что не скоро ответил, да и теперь пишу лишь несколько строк: в моем положении, право, не до переписки с бывшими товарищами и друзьями. На вопросы твои, впрочем, считаю долгом объяснить, что, кроме либеральных идей, о которых ты так много и красноречиво написал, есть еще идеи консервативные, о которых ты вовсе умалчиваешь. Вот что ты упустил из вида и что я нелишним считаю тебе напомнить. Каким образом я пришел к убеждению, что либеральные идеи скрывают в себе пагубное заблуждение — здесь объяснять не место. Надеюсь, однако ж, что ты без труда поймешь, что в моем положении заблуждаться не только неприлично, но и непозволительно. Из всех зол, которые до сих пор известны, нет зла более ужасного, как заблуждающийся помпадур, ибо с его заблуждением неизменно связывается заблуждение целого края. Я думаю, это довольно ясно и прибавлять к этому нечего. Затем, моля подателя всех благ, дабы он просветил тебя, остаюсь не разделяющий твоих заблуждений, но все еще любящий тебя *Феодор Кротиков*».

Однако я не только не вразумился этим наставлением, но, возгорев вящею ревностью по либерализме, попытался вразумить самого Феденьку.

«Феденька! — писал я ему,— когда ты был либералом, как резюмировалась твоя политическая программа? — Она резюмировалась следующим образом: учреждение фабрик и заводов, устройство путей сообщения, развитие торговли, процветание земледелия, неустанная разработка недр земли, устность, гласность[15]и т. д. Теперь, когда ты сделался консерватором, какая возможна для тебя программа? — Очевидно, следующая: отсутствие фабрик и заводов, расстройство путей сообщения, застой в торговле, упадок земледелия, господство иссушающих ветров, обмеление рек и т. д. Ибо ты желаешь сохранить то, что есть, а есть именно то, что сейчас мною исчислено. Или, быть может, ты надеешься на кабаки и сибирскую язву? Но, в таком случае, выразись прямо Вместо прежних блестящих циркуляров издай новый, в котором категорически объяви, что впредь воспрещается какое бы то ни было развитие, кроме раз: вития сибирской язвы».

Ответа на это письмо не последовало.

После того я имел о Кротикове лишь смутные сведения. Я слышал, что первым поводом к отречению его от либерализма было появление гласных судов и земских управ[16]Это павело его на мысль, что существуют какие-то корни и нити[17] которые надобно разыскать и истребить, ибо, в противном случае, ему, Кротикову, не будет житья. Затем наступили известные события в Западной Европе: интернационалка, франко-прусская война, Парижская коммуна и т. д[18] и все это сильно заботило его, потому что он видел в этих событиях связь с новыми судами и земскими учреждениями. Он внимательно следил за газетами, предполагая, сообразно с тем или другим исходом событий, дать и своей внутренней политике более решительное направление. В ожидании же того, какие идеи восторжествуют, здравые или так называемые сюбверсивные, он волновался и угрожал.

— Если восторжествуют здравые идеи,— говорил он,— я, конечно, буду очень рад. Да-с, очень рад-с. Но, признаюсь откровенно, с политической точки зрения, я был бы не недоволен, если б восторжествовала и революция... разумеется, временно... По крайней мере, мы, без всякой опасности для себя, могли бы узнать, кто наши внутренние враги, кто эти сочувствователи, которые поднимают голову при всяком успехе превратных идей, как велика их сила и до чего может дойти их дерзость. Et alors, messieurs...

Феденька умолкал и загадочно грозился в ту сторону, где помещались земская управа, окружной суд и акцизное управление.[19]

Но здравые идеи восторжествовали; Франция подписала унизительный мир, а затем пала и Парижская коммуна. Феденька, который с минуты на минуту ждал взрыва, как-то опешил. Ни земская управа, ни окружной суд даже не шевельнулись. Это до того сконфузило его, что он бродил по улицам и придирался ко всякому встречному, испытывая, обладает ли он надлежащею теплотою чувств. Однако чувства были у всех не только в исправности, но, по-видимому, последние события даже поддали им жару...

Феденька недоумевал. Он был убежден, что тут есть какая-то интрига, но в чем она состоит — объяснить себе не умел.

Бедный! Он, видимо, следовал старой рутине и все искал каких-то фактов, которые дали бы ему повод объявить поход. Он не подозревал, что система фактов есть система устарелая, что нарождается и даже народилась совершенно иная система, которая позволяет без всякого повода, без малейшего факта бить тревогу и ходить войною вдоль и поперек, приводя в трепет оторопелых обывателей...

И вот, как бы для того, чтоб вывести его из недоразумения, в газетах появилось известие, что в версальском национальном собрании образовалась партия, которая на развалинах любезного отечества водрузила знамя «борьбы»...[20]

NOTES

От. зап. 1873, ix; *CC* viii, 164–73.

1. One of a group of 'new' young administrators who figure in Saltykov's satires (cf. also Mitya Kozelkov, etc.). They are men of no substantial character (they are always familiarly named: Feden′ka, Mitya, etc.) and they make their careers by adopting the official line of the day. Their competence is limited by their ignorance of real issues, and their only serious interest is the pursuit of pleasure.

2. Dussaut's, a fashionable restaurant in St. Petersburg.

3. Jocular for 'на Минеральных водах', meaning Isler's 'Spa' in St. Petersburg (see **1**, n. 10).

4. A French operetta-singer who performed regularly in St. Petersburg.

5. In Saltykov's writings the phrase внутренняя политика often has the special implication of internal political *control*.

6. i.e. loyal fervour.

7. i.e. the beginning of the reform period.

8. Long hair was a fashion affected by nihilists and their imitators in the 1860s. There was in fact an official proposal (in 1866) in favour of police suppression of such 'outward signs and emblems' of nihilism.

9. Overdue tax payments. In Saltykov's satires the collection of arrears of taxes is a sign of vigorous administration (see, for example, **1**, Nos. 8, 9, 12).

10. 'Goose-foot', a weed used in making a poor kind of bread. Человек, питающийся лебедой is one of Saltykov's regular terms for 'peasant'.

11. 'If God be for us, who can be against us?' (Rom. 8:31).

12. 'They labour but in vain that build [it]' (Ps. 127:1).

13. The hero of Turgenev's novel *Rudin*, a 'superfluous man' of airy liberal views, who is here ironically labelled an 'extremist'. Saltykov frequently resurrected past literary characters for satirical purposes (cf. Khlestakov, Tryapichkin, below). Rudin figures also in *Dnevnik provintsiala v Peterburge* (see **24**).

14. Khlestakov, the main character of Gogol''s *Revizor*; Tryapichkin, also from *Revizor*, is the friend to whom Khlestakov writes of his experiences in the town where he is mistaken for the government inspector (Act 5, sc. 8). Koz′ma Prutkov was the 'poet' under whose name A. M. and V. M. Zhemchuzhnikov and A. K. Tolstoy wrote satirical and parodic verse. According to Ivanov-Razumnik, the reference to Koz′ma Prutkov here was not aimed at the collective authors, but at M. N. Longinov who had taken a reference to Prutkov in a previous work of Saltykov as an attack on himself; the mention of Prutkov in the present context would be consistent with the course taken by Longinov, who, after being a contributor to the radical *Sovremennik*, had become an associate of the conservative publicist and editor M. N. Katkov. See M. E. Saltykov-Shchedrin, *Sochineniya* (M.-L., 1926–8), ii, 497.

15. Устность, гласность: oral and public court proceedings, which replaced the system of purely administrative decision of cases which operated before 1864.

16. Public courts and *zemstvo* boards, introduced in 1864.

17. An aesopism for subversive (or supposed subversive) political intrigue.

18. References to the (First) International, founded in 1864, the Franco-Prussian War of 1870–1, and the Paris Commune, 1871.

19. The *zemstvo* board, the regional court (of a *guberniya*), and the Excise Board, innovations of the reform period which Feden′ka now views with suspicion.

20. The allusion is to the appeal put forward by the Right wing of the French National Assembly in November 1872 for a *gouvernement de combat* aimed at countering the spreading power of radicalism.

14. *Господа ташкентцы:* Они же [extracts]

The chapter 'Oni zhe' in *Gospoda tashkenttsy* (for this cycle, see introductory note to **15**) describes the rampant mood of reaction following Karakozov's attempt on the life of Alexander II in April 1866. The narrator, a provincial loyalist who displays his devotion to the state by acting as a volunteer police agent, recounts his experiences while engaged in the investigation and arrest of suspected revolutionaries in St. Petersburg. The title 'Oni zhe' identifies him and his associates as further examples of the 'Tashkentian civilizers' who, in the preceding sketch of the cycle ('Tashkenttsy-tsivilizatory'), had been characterized as spreaders of a 'civilization' of which oppression and exploitation were the chief features.

The date of composition of the present sketch is uncertain. It seems likely that it had been intended for publication in the November 1869 number of *Otechestvennye zapiski*, but was excluded at the demand of the censors. It was first published in the *émigré* journal *Obshchee delo* in

1880 and a year later was included by Saltykov in the second separate edition of *Gospoda tashkenttsy*. For the purposes of the present edition the two sections of the extract chosen are printed in reverse order.

Петербург погибал![1] Петропавловская крепость уже уплыла... Последний оплот! Это было зрелище ужасное: куда ни оглянись — везде дыра... Публицисты гремели, благонамеренные.... радовались![2]

Все чувствовали, что надо вырвать «зло» с корнем, все издавали дикие вопли... В чем заключалось зло? Какое оно отношение имело к данной минуте? Об этом никто себя не спрашивал, не рассуждал, не говорил. Чувствовалось одно: что минута благоприятна, что это одна из тех минут, к которым можно приурочить какую угодно обиду, и никто в суматохе ничего не разберет и не отличит. Если *теперь* упустить минуту, то кто может поручиться, поймаешь ли ее когда-нибудь за хвост?

Нет зрелища более поразительного, как зрелище радости благонамеренных! это какой-то гул: у-у! а-а! го-го! По-видимому, тут нет даже необходимой, для вразумительности, членораздельности, а за всем тем нельзя не чувствовать, что это единственные «передовые» звуки, возможные в известные минуты.

Еще вчера благонамеренный жался к сторонке, ходил с понурою головой, с бледными щеками и потухшими взорами; еще вчера он клялся и божился, что отныне подло быть негодяем,— и вдруг какая метаморфоза! Сегодня он цветет; походка у него уверенная, авторитетная; глаза блещут молниями; уста извергают победный вопль. Вы не можете объяснить, как совершилась победа, но чувствуете, что она совершилась и что вчерашний день утонул навсегда. Vae victis! Горе тому, кто попадется в эту минуту на глаза «благонамеренному»! Он в одно мгновение будет с ног до головы обрызган ядовитою слюной ябеды и клеветы!

Сильные общественные пертурбации необходимы для «благонамеренного»: они дают ему возможность окрепнуть. Пожар поселяет в его сердце радостный трепет;[3] наводнение, голод — приводят в восхищение!

В обыкновенное время, когда течение дел не представляет угроз, когда окрест царствует тишина, когда в обществе расцветает надежда на лучшее будущее — «благонамеренный» увядает, ибо сознает себя ненужным.

Самолюбие его страдает безмерно; он мечется и ищет

исхода для своей деятельности и везде приходит не вовремя, везде видит себя лишним... Тишина тлетворным образом действует на его фонды, почти что исключает его из жизни. Притом, это явление до такой степени для него ново и необычно, что невольно возбуждает в нем подозрительность, населяет его воображение всевозможными страхами. «Тихо — стало быть, я пропал»,— говорит себе благонамеренный, и нет меры его злополучию. Чтобы пищеварение совершалось в нем беспрепятственно, нужно, чтобы целые массы изнемогали под игом нравственных и физических истязаний, или, по крайней мере, чтобы кто-нибудь да стонал.

Если этого нет, он чувствует себя неловко и, чтобы смягчить свое горе, начинает предсказывать, накликать.

И вот, как бы в ответ на его предсказания, на горизонте появляется облако, в воздухе чувствуется удушливость, вдалеке слышатся раскаты грома...

Посмотрите, как постепенно он воскресает, как загорается румянец на его бледных щеках, какой страшной пастью разверзаются немотствовавшие дотоле уста!

«Я говорил, я предсказывал, я знал вперед, что это будет так!» — хохочет он на все стороны. И льется этот зловещий, перекатистый хохот из края в край, вызывая к жизни давно уснувшие ненависти, давая плоть и форму тому, что смутно шипело и бессмысленно бормотало, не сознавая самого себя, не умея найти для себя ясного выражения...

Наступает минута какого-то адского откровения. «Либералы!» — раздается победный клич, и все, что чувствует себя бодрым,— все складывается в одну яму и немедленно отдается на поругание...

В таком положении дел очень естественно, что, как бы человек ни старался попасть в тон минуты, он всегда чувствует себя опереженным.

Так было и с нами, членами общества «Робкого усилия благонамеренности»! Как мы ни бодрились, как ни старались сослужить службу общественную — возрастающий спрос на благонамеренность с каждым часом больше и больше затоплял нас. Мы уже не удовлетворяли потребности минуты, мы оказывались слабыми и неумелыми; нас открыто называли колпаками!! В конце концов мы сделались страдательным орудием, которое направляло свои удары почти механически.

Надо было видеть, какие люди встали тогда из могил! Надо было слышать, что́ тогда припоминалось, отомщалось и вымещалось!

Если вы имели с вашим соседом процесс; если вы дали

взаймы денег и имели неосторожность напомнить об этом; если вы имели несчастие доказать дураку, что он дурак, подлецу — что он подлец, взяточнику — что он взяточник; если вы отняли у плута случай сплутовать; если вы вырвали из когтей хищника добычу — это просто-напросто означало, что вы сами вырыли себе под ногами бездну. Вы припоминали об этих ваших преступлениях и с ужасом ожидали. Не было закоулка, куда бы ни проникла «благонамеренность»...

Провинция колыхалась и извергала из себя целые легионы чудовищ ябеды и клеветы...

От Перми до Тавриды,
От хладных финских скал
До пламенной Колхиды...[5]

Отовсюду устремлялись стада «благонамеренных», чтобы выместить накипевшие в сердцах обиды...

Они рыскали по стогнам, становились на распутьях и вопили. Обвинялся всякий: от коллежского регистратора до тайного советника включительно.[6] Вся табель о рангах была заподозрена. Сводились счеты; все прошлое ликвидировалось сразу... Делалось ясным, что, как бы ни тщился человек быть «благонамеренным», не было убежища, в котором бы не настигала его «благонамеренность» еще более благонамеренная.

Самые «благонамеренные», наконец, спутались и испугались — не за общество, а за самих себя и за детей своих.

Человек старался угадать не то, в чем он когда-нибудь преступил против ходячей политической морали, а то, существовали ли какие-нибудь пункты этой морали, в которых нельзя было бы совершенно свободно обвинить кого угодно и как угодно и на котором из этих пунктов обрушится обвинение именно на него? Тот, кого в этом обвинительном омуте постигало забвение, мог считать себя счастливым. Тот, кого не обвиняли прямо, а кому только издали грозили пальцем, должен был спешить исчезнуть, чтобы не раздражать своим видом торжествующей «благонамеренности». Исчезнуть, провалиться сквозь землю, быть забытым — вот лучший удел, которого мог желать человек...

Я уже сказал, что мы действовали отрядами, par éscouades. Несмотря на позднее время, «он»[7] сидел и читал книгу; подруга его беззаконий спала. Когда мы позвонили, он сам отворил нам дверь. «Он» не казался испуганным, ни даже изумленным, но как будто старался понять... Наконец он понял.

Первым моим движением было овладеть книгой.

Содержание ее было физиологическое.

— Вот эти-то книги и доводят вас, милостивый государь, до всего! — сказал я, и уж не помню, как это случилось, но бросил книгу на пол и начал топтать ее ногами.

«Он» с любопытством и даже как бы с жалостию следил за моими непроизвольными движениями, однако не протестовал.

Из другой комнаты выглянуло испуганное лицо женщины.

— Это кто? — спросил я, указывая на нее.

— Это... моя жена.

— Около ракитового куста венчаны?[8]

— К сожалению, я не настолько знаком с отечественными былинами, чтобы отвечать на ваш вопрос.

Это была уже дерзость.

— Я заставлю вас понимать себя! — вспылил я.

— Извините, но я не могу понимать больше того, сколько понимаю. Потрудитесь выражаться яснее.

— Гражданским браком? проклятым гражданским браком? — говорил я, выходя из себя.

— Теперь понимаю... Да, гражданским браком!

— Так вот для нее... Сударыня... как вас... Извольте получить... билет![9]

«Она» наскоро оделась и вышла к нам.

По-видимому, она еще не понимала.

— Что же! возьми! — сказал «он».

Но она все еще не решалась брать и взорами спрашивала у него, у меня, у всех — разъяснения этой загадки... Вдруг черты ее лица начали искажаться, искажаться... «Она» поняла... И что ж? Оказалось, что это была дочь почтенного действительного статского советника, увлеченная хитростью в сонмище неблагонамеренных...

Маррш!

Было еще позднее, и «он» уже спал. Сделавши несколько сильных ударов звонком, мы долго ждали на площадке, прислушиваясь, как за дверью возились и ходили взад и вперед. Возне этой, казалось, не будет конца.

— Да куда же, однако, девались мои носки? — долетал до нас «его» голос.

Наконец носки были отысканы и дверь отперта. «Он» узнал нас сразу и не только не показал никакого изумления, но даже принял гостей с некоторою развязностию.

Впоследствии открылось, что «он» уже «травленный».[10]

— Ба! Гости! — сказал он довольно весело,— да уж нет

ли тут старых знакомых? нет? Ну, и с новыми познакомимся? Marie! вставай: гости пришли!

Оказалось, что «он» был веселый малый и даже отчасти жуир. На столе, в кабинете, стояли неубранные остатки довольно обильной закуски: ветчина, сыр, балык, куски холодного пирога... Несколько початых бутылок вина и наполовину выпитый графин с водкой довершали картину.

— Господа! не угодно ли? — сказал «он», указывая на закуски,— от меня, с час тому назад, ушли приятели, так вот кстати и закуска осталась. А я покамест оденусь: ведь мне придется сопровождать вас? или, лучше, вам придется сопровождать меня — так?

— Точно так-с! — отвечал я, увлеченный его добродушием, и вместе с тем не мог не подумать,— если бы все они были таковы! Гостеприимен, ласков, словоохотлив!

Это был единственный случай, когда меня угостили закуской. Я уже начинал думать, что «они» не едят и не пьют, и вдруг... встречаюсь с картиной старинного дворянского хлебосольства! И где же встречаюсь?

Что привело этого человека в бездну вольномыслия? Непостижимо!!

Мы последовали приглашению радушного хозяина и, признаюсь, даже не заметили, как прошло время в любезной беседе.

Говорили обо всем, о социализме, о коммунизме, но без раздражения, без задора, и даже с видимым удовольствием. Один только раз я принужден был выразиться довольно строго, и именно по поводу той самой Marie, которую он уже вызывал в начале нашего прихода и которая теперь с самой изысканной любезностью потчевала нас пирогом и закуской.

— Эта особа... как вам приходится? — спросил я его.

— А! это... моя жена! Вам, может быть, нужно в спальную войти? Сделайте одолжение — не стесняйтесь! Я сам вам все покажу.

— Нет-с, покуда мы еще не имеем в этом нужды... Но жена... то есть как жена? — прибавил я, шутливо подмигнув одним глазом,— вокруг ракитового куста?

— Если вы под ракитовым кустом разумеете...

Но он не успел докончить.

— Довольно, государь мой! — сказал я строго, чтобы дать ему почувствовать, что вежливое обращение еще не дает права на дерзость.

Затем, когда мы закусили и выпили, он сам нам показал все. В целой квартире не было ни одной книги, ни одного клочка бумаги, так что я даже изумился.

— Вас изумляет отсутствие книг и бумаг? — поспешил он объяснить, заметив на моем лице недовольное движение,— но поймите же, наконец, что, начиная с сорок восьмого года,[11] я периодически подвергаюсь точно таким посещениям, как в настоящую минуту. Кажется, этого достаточно, чтобы получить некоторую опытность.

Признаюсь, во всяком другом случае подобная предусмотрительность огорчила бы меня, но на этот раз она даже обрадовала: так мне приятно было за нашего доброго, радушного... и, вероятно, не по своей вине увлеченного хозяина!

Под влиянием этого чувства я совершенно раскис.

— Вы не сердитесь, пожалуйста, Павел Иванович (так «его» звали),— сказал я,— но я считаю своим долгом вам выразить, что давно не проводил так приятно время, как в вашем милом, образованном семействе.

— За что же тут сердиться?

— Да-с! Но за всем тем... моя обязанность... мой, если можно так выразиться, священный долг...

— Повелевает вам пригласить меня с собою? Что ж, ведь я с первого же раза сказал вам, что на всяком месте и во всякое время готов!

— Да-с; но могу вас уверить, что с своей стороны... все, что зависит.

— Ну, от таких курицыных детей, как вы, тут, пожалуй, ровно ничего зависеть не может... Однако довольно разговаривать: идем!

Тут только я заметил, что ему все-таки не совсем приятно было наше посещение.

Маррш!

NOTES

Written 1866–8(?); first published *Общее дело* (Geneva) 1880, Nos. 36–7; first published in Russia in *Господа ташкентцы* 1881. *СС* x, 69–72, 67–9.

1. The reference is to 1866 when, with the attempted assassination of the Tsar, St. Petersburg seemed 'on the verge of destruction'.

2. Reference to the wave of reaction which found expression in the conservative press and in the delight of loyalist enthusiasts at the prospect of a witch-hunt of revolutionary elements.

3. Saltykov very likely had in mind the recent occasion when fires had provided an opportunity to manifest loyalist zeal—the fires in St. Petersburg in the summer of 1861, which were widely and readily assumed to have been the work of revolutionary incendiaries.

4. The loyalist organization which the narrator joined on learning of the attempt by Karakozov on the Tsar's life.

5. i.e. from end to end of Russia. The lines are from Pushkin's poem 'Klevetnikam Rossii'.

6. i.e. from the lowest to the third grade in the Table of Ranks—the whole range of the provincial official hierarchy.

7. i.e. the suspect who is to be arrested.

8. An ironic expression to describe a common-law marriage. The expression has its origin in folklore—cf. in the *bylina Dobrynya i Marinka*:

Оне в чистом поле женилися,
Круг ракитова куста венчалися...

(*Drevnie rossiiskie stikhotvoreniya, sobrannye Kirsheyu Danilovym* (M.-L., 1958), 58), hence the following remark by the suspect about his ignorance of *byliny*. Ракитов куст: 'brittle willow'.

9. i.e. the yellow identity-card (*zheltyi bilet*) issued by the authorities to prostitutes.

10. 'An experienced hand', i.e. he has undergone investigation before.

11. From the time, that is, of 1848, the 'year of revolutions'. Measures taken in Russia in that year included the arrest of political suspects, notably the Petrashevsky circle. It was, of course, also the year of Saltykov's own exile to Vyatka.

15. *Господа ташкентцы:* Что такое «ташкентцы» [extract]

Gospoda tashkenttsy consists of sketches written in 1869–72, which provide a study of the mentality and background of the army of 'civilizing' officials ('просветители') whom Saltykov designates 'ташкентцы'. His choice of theme was prompted by the recent colonial expansion of Russia into Turkestan. Tashkent had been captured in 1865 and in 1867 it had become the capital of the new 'governor-generalship' of Turkestan. Saltykov's 'Tashkentian' was based on the officials who rushed to seek office in the new territory—compliant agents of official 'civilization' (i.e. subjugation and exploitation), who saw in their new positions above all the opportunity to satisfy their own rapacity (their watchword is 'жрррать'). Though basing himself on his observation of contemporary events and characters, Saltykov presents his Tashkentian as a generalized figure. As he explains in the present extract from the opening sketch of the cycle, Tashkent has no fixed location, it is *any* centre of political repression and cultural backwardness, and *tashkentstvo*, an attitude of mind that scorns every human right, is an apparently permanent feature of Russian life.

Ташкент, как термин географический, есть страна, лежащая на юго-восток от Оренбургской губернии. Это классическая страна баранов, которые замечательны тем, что к стрижке ласковы и после оголения вновь обрастают с изумительной быстротой. Кто будет их стричь — к этому вопросу они, по-видимому, равнодушны, ибо знают, что стрижка есть нечто неизбежное в их жизни. Как только они завидят, что вдали грядет человек стригущий и бреющий, то подгибают под себя ноги и ждут...[1]

Как термин отвлеченный, Ташкент есть страна, лежащая всюду, где бьют по зубам и где имеет право гражданственности предание о Макаре, телят не гоняющем? Если вы находитесь в городе, о котором в статистических таблицах сказано: жителей столько-то, приходских церквей столько-то, училищ нет, библиотек нет, богоугодных заведений нет, острог один и т. д.,— вы можете сказать без ошибки, что находитесь в самом сердце Ташкента. Наверное, вы найдете тут и просветителей и просвещаемых, услышите крики: «ай! ай!», свидетельствующие о том, что корни учения горьки, а плоды его сладки,[3] и усмотрите того классического, в поте лица снискивающего свою лебеду, человека,[4] около которого, вечно его облюбовывая, похаживает вечно несытый, но вечно жрущий ташкентец. Но училищ и библиотек все-таки не найдете.

Наш Ташкент, о котором мы ведем здесь речь, находится там, где дерутся и бьют.

Вчера я был в театре, в самом аристократическом из всех — в итальянской опере — и вдруг увидел ташкентца, и что всего удивительнее — ташкентца-француза (оказалось, что это был генерал Флёри[5]). Скулы его были развиты необычайно, нос орлиный, зубы стиснуты, глаза искали. Что-то безнадежное сказывалось в этой сухой и мускулистой фигуре, как будто там, внутри, все давно застыло и умерло. Разумеется, кроме чувства плотоядности. Я инстинктивно обратился к моему соседу и с волнением, как будто хотел его предостеречь, сказал:

— Посмотрите, какой ташкентец!

Сосед с удивлением взглянул сначала на меня, потом в ту сторону, в которую я указывал; затем начал всматриваться-всматриваться и наконец пожал мне руку, как будто в самом деле я избавил его от беды.

Из этого я заключил, что, кроме тех границ, которых невозможно определить, Ташкент существует еще и за границею (каламбур плохой, но пускай он останется, благо понятен).

Переходя от одного умозаключения к другому, я пришел

к догадке, что даже такие формы, которые, по-видимому, свидетельствуют о присутствии цивилизации, не всегда могут служить ручательством, что Ташкент изгиб. Ташкент удобно мирится с железными дорогами, с устностью, гласностью, одним словом, со всеми выгодами, которыми, по всей справедливости, гордится так называемая цивилизация. Прибавьте только к этим выгодам самое маленькое слово: фюить![7] — и вы получите такой Ташкент, лучше которого желать не надо.

Истинный Ташкент устраивает свою храмину в нравах и в сердце человека. Всякий, кто видит в семейном очаге своего ближнего не ограждённое место, а арену для веселонравных похождений, есть ташкентец; всякий, кто в физиономии своего ближнего видит не образ божий, а ток, на котором может во всякое время молотить кулаками, есть ташкентец; всякий, кто, не стесняясь, швыряет своим ближним, как неодушевленною вещью, кто видит в нем лишь материал, на котором можно удовлетворять всевозможным проказливым движениям, есть ташкентец. Человек, рассуждающий, что вселенная есть не что иное, как выморочное пространство,[8] существующее для того, чтоб на нем можно было плевать во все стороны, есть ташкентец...

Нравы создают Ташкент на всяком месте; бывают в жизни обществ минуты, когда Ташкент насильно стучится в каждую дверь и становится на неизбежную очередь для всякого существования. Это в особенности чувствуется в эпохи, которые условено называть переходными. Может быть, именно чувствуется потому, что в подобные минуты рядом с Ташкентом уже зарождается нечто похожее на гражданственность, нечто напоминающее человеку на возможность располагать своими движениями... потихоньку, милостивые государи! потихоньку![9] Может быть, это «нечто зарождающееся», «нечто намекающее» и делает особенно нестерпимою боль при виде все-таки прямо стоящего Ташкента? Действительно, все это очень возможно; но что же кому за дело до этого! Разве объяснения утешают кого-нибудь? разве они умаляют хоть на каплю переполняющую сердце горечь? Я знаю одно: что никогда, даже в самые глухие, печальные исторические эпохи нельзя себе представить такого количества людей отчаявшихся, людей, махнувших рукою, сколько их видится в эпохи переходные. И рядом с этими отчаявшимися сколько людей, все позабывших, все в себе умертвивших... все, кроме бесконечного аппетита!

Я, конечно, был бы очень рад, если б мог, начиная этот ряд характеристик, сказать: читатель! смотри, вот издыхающий

Ташкент! но, увы! я не имею в запасе даже этого утешения! Конечно, я знаю, что есть какой-то Ташкент, который умирает, но в то же время знаю, что есть и Ташкент, который нарождается вновь. Эта преемственность Ташкентов, поистине, пугает меня. Везде шаткость, везде сюрприз. Я вижу людей, работающих в пользу идей несомненно скверных и опасных и сопровождающих свою работу возгласом: «Пади! задавлю!» и вижу людей, работающих в пользу идей справедливых и полезных, но тоже сопровождающих свою работу возгласом: «пади! задавлю!» Я не вижу рамок, тех драгоценных рамок, в которых хорошее могло бы упразднять дурное без заушений, без возгласов, обещающих задавить. Мне скажут на это: всему причиной Ташкент древний, Ташкент установившийся и окрепший. Пожалуй, я и на это согласен. Что Ташкент порождает Ташкент — в этом нет ничего невероятного, но ведь это только доказывает, что и пессимисты, усматривающие в будущем достаточно длинный ряд Ташкентов, тоже не совсем неправы в своей безнадежности. Утешительного в этом объяснении немного.

Этот порочный круг не может не огорчать. Когда видишь такое общественное положение, в котором один Ташкент упраздняется только по милости возникновения другого Ташкента, то сердце невольно сжимается и делается вещуном чего-то недоброго. Говорят: новый Ташкент необходим только для того, чтобы стереть следы старого; как скоро он выполнит эту задачу, то перестанет быть Ташкентом. На это я могу ответить только: да, это рассуждение очень ободрительное; но и за всем тем я ни на йоту не усилю моего легковерия, и не надену узды на мои сомнения. Всюду, куда я ни обращаю мои взоры, я вижу: с одной стороны, упорствующую безазбучность; с другой — увеличивающийся аппетит и возрастающую затейливость требований для удовлетворения его. Ничто так не прихотливо, как Ташкент, твердо решившийся не выходить из безазбучности и в то же время уже порастлившийся тонкою примесью цивилизации. Пирог, начиненный устностью и гласностью,— помилуйте! да это такое объеденье, что век его ешь — и век сыт не будешь! Тут-то и лестно размахнуться, когда размах сопровождается какими-то пикантными видимостями, как будто препятствующими, а в сущности едва ли не споспешествующими. Ведь и из опыта известно, что нарезное ружье стреляет дальше, нежели ружье, у которого дуло имеет внутренность гладкую...

Милостивые государи! если вы не верите в существование господ ташкентцев, я попросил бы вас выйти на минуту на

117

улицу. Там вы наверное и на каждом шагу насладитесь такого рода разговорами:

— Я бы его, каналью, в бараний рог согнул! — говорит один,— да и жаловаться бы не велел!

— Этого человека четвертовать мало! — восклицает другой.

— На необитаемый остров-с! пускай там морошку сбирает-с! — вопиет третий.

Не думайте, чтоб это были приговоры какого-то жестокого, но все-таки установленного и всеми признанного судилища; нет, это приговоры простых охочих русских людей. Они ходят себе гуляючи по улице, и мимоходом ввертывают в свою безазбучную речь словцо о четвертовании. Иногда они даже не понимают и содержания своих приговоров и измышляют всевозможные казни единственно по простосердечию... Да, читатель, по простосердечию! и ежели ты сомневался, что даже в слове «четвертование» может вкрасться простосердечие, то взгляни на эти самодовольные фигуры, устремляющиеся в клуб обедать,— и убедись!

Меня нередко занимает вопрос: может ли палач обедать? может ли он быть отцом семейства? какую картину должен представлять его семейный быт? ласкает ли он жену свою? гладит ли по голове ребенка? Помнит ли он? то есть помнит ли, что он заплечный мастер?

Признаюсь, я долгое время не мог даже представить себе, чтоб палач имел надобность насыщаться; мне казалось, что он должен быть всегда сыт. Но с тех пор, как я увидел ташкентцев, которые, посулив кому-то четвертование и голодную смерть на необитаемом острове, тут же сряду устремлялись обедать,— мои сомнения сразу покончились. Да, сказал я себе,— это верно: палач может обедать, может иметь семейство, ласкать жену, гладить по голове ребенка! Что нужды, что он сегодня же утром гладил кого-то по спине? — был час и было дело; настал другой час — настало другое дело; в таком-то часу он заплечный мастер, в таком-то — отец семейства, в таком-то — полезный гражданин... Все часы распределены, и у всякого часа есть особенная клетка. Все имеет свою очередь, все идет своим порядком, и, следовательно, все обстоит благополучно...

Но оставим заплечного мастера и займемся нашими ташкентцами, из разряда простодушных.

«Согнуть в бараний рог» — ясно, что эти люди не понимают, как это больно, если они не теряют даже аппетита, выразивши своему ближнему такое странное пожелание. Ясно также, что они и о «необитаемом острове» имеют понятие только по слышанной ими в детстве истории о Робинзоне Крузоё. Может быть, им думается, что вот, дескать, Робинзон и в пустыне нашел средства приготовить себе обед и прикрыть свою наготу... Невежды! они не знают даже того, что это история вымышленная! Но в том-то и дело, что есть случаи, когда невежество не только не вредит, но помогает. Во-первых, оно освобождает человека от множества представлений, перед которыми он отступил бы в ужасе, если бы имел отчетливое понятие о их внутренней сущности; во-вторых, оно дозволяет содержать аппетит в постоянно достаточной степени возбужденности. Защищенный бронею невежества, чего может устыдиться гулящий русский человек?[10] — того ли, что в произнесенных им сейчас угрозах нельзя усмотреть ничего другого, кроме бессмысленного бреха? но почем же вы знаете, что он и сам не смотрит на все свои действия, на все свои слова, как на сплошной брех? Он ходит — брешет, ест — брешет. И знает это, и нимало ему не стыдно.

Что тут есть брех — это несомненно. Но дело в том, что вас настигает не одиночный какой-нибудь брех, а целая совокупность брехов. И вдруг вам объявляют, что эта-то совокупность именно и составляет общественное мнение. Сначала вы не верите и усиливаете ваши наблюдения; но мало-помалу сомнения слабеют. Проходит немного времени, и вы уже восклицаете: как это странно, однако ж!.. все брешут!

Все не все; но это не мешает предполагать, что если б, при употреблении некоторых выражений, мы давали место элементу сознательности, то дело от этого едва ли бы проиграло.

Возьмем для примера хоть одно такое выражение: согнуть в бараний рог. Что нужно сделать, чтобы выполнить эту угрозу? нужно перегнуть человека почти вчетверо, и притом так, чтоб головой он упирался в живот, и чтоб потом ноги через голову перекинулись бы на спину. Тогда только образуется довольно правильное кольцо, обвившееся само около себя и представляющее подобие бараньего рога. Возможно ли подобное предприятие? — по совести, это сказать нельзя. Я уверен, что человек умрет немедленно, как только начнут пригибать его голову с теми усилиями, какие необходимы для подобной операции. Когда он умрет, конечно, уже можно будет и пригибать и наматывать как угодно, но удовольствия в этом занятии не будет. Какая польза оперировать над трупом, который не может даже выразить, что он ценит делаемые по поводу его усилия? По-моему, если уж оперировать, так оперировать над живым человеком, который может и чувствовать, и слегка нагрубить, и в то же время не лишен способности произвести правильную оценку...

Но, скажут мне, как же вы не понимаете, что выражение «в бараний рог согнуть» есть выражение фигуральное? Знаю я это, милостивые государи! знаю, что это даже просто брех. Но не могу не огорчаться, что в нашу и без того не очень богатую речь постепенно вкрадывается такое ужасное множество брехов самых пошлых, самых вредных. По моему мнению, не мешало бы подумать и о том, чтобы освободиться от них.

Итак, Ташкент может существовать во всякое время и на всяком месте. Не знаю, убедился ли в этом читатель мой, но я убежден настолько, что считаю себя даже вполне компетентным, чтобы написать довольно подробную картину нравов, господствующих в этой отвлеченной стране. Таким образом, я нахожу возможным изобразить:

ташкентца, цивилизующего in partibus;

ташкентца, цивилизующего внутренности;

ташкентца, разрабатывающего собственность казенную (в просторечии — казнокрад);

ташкентца, разрабатывающего собственность частную (в просторечии — вор);

ташкентца промышленного;

ташкентца, разрабатывающего смуту внешнюю;

ташкентца, разрабатывающего смуту внутреннюю;

и так далее, почти до бесконечности.

Очень часто эти люди весьма различны по виду; но у всех имеется один соединительный крик:

Жрать!!

NOTES

От. зап. 1869, xi; *CC* x, 27–32.

1. There is an obvious implied analogy between the sheep and populations which as readily submit to the exploitation and control of tyrants.

2. A variation on the idiomatic phrase (отправить) куда Макар телят не гонял, commonly used as an aesopism for 'exile'.

3. In an earlier passage Saltykov has characterized the Tashkentian and his 'enlightenment' in the following terms: '«Ташкентец» — это просветитель,... свободный от наук.... Он создал особенный род просветительной деятельности — просвещения безазбучного, которое не обогащает просвещаемого знаниями, не дает ему более удобных общежительных форм, а только снабжает известным запахом' (*CC* x, 23).

4. i.e. the peasant, commonly referred to by Saltykov as 'человек, питающийся пебедой'. See 13, n. 10.

5. General Fleury (1815–84), a close supporter of Napoleon III and French ambassador to Russia 1869–70. Saltykov was extremely hostile to Napoleon III and his regime, which he regarded as anti-democratic, opportunistic, and frivolous. In *Za rubezhom* he scathingly refers to Napoleon III as 'постыднейший из бандитов, когда-либо удручавших мир позором своего тяготения'.

6. Oral and public court proceedings, introduced as part of the legal reforms of 1864.

7. An interjection indicating or commanding sudden disappearance or removal, regularly used by Saltykov to mean 'exile' or, generally, prompt repressive action.

8. 'Entailed area', i.e. unclaimed property of a dead person, not bestowed by will.

9. The cry of gradualists and reactionaries in the face of 'too rapid' progress of the reforms. In this and the following paragraphs Saltykov describes the situation in Russia in the post-reform period, when a new 'Tashkent' of reaction emerges to replace the old one destroyed by the reforms.

10. In Muscovite Russia *gulyashchie lyudi* were men who were unattached to any of the servitor or craft communities and so enjoyed freedom of movement and action. The term was used by Saltykov with satirical force to refer to the landowning and privileged classes who were not bound by obligation or responsibility to any particular place or occupation. Cf. his sketch 'Russkie "gulyashchie lyudi" za granitsei' (1863) in *Priznaki vremeni*.

THE REFORMS AND SOCIETY

16. *Благонамеренные речи:* В дороге [extract]

Saltykov's purpose in *Blagonamerennye rechi* (his longest cycle of sketches, written 1872–6) was to reveal the emptiness of the alleged bases of contemporary Russian society—family, property, and the state—which were the constant theme of various 'loyal speeches', but which at the same time were ignored and abused, not least by those who most loudly proclaimed them. In the course of this cycle Saltykov gave a valuable assessment of the current state of Russian society and of the new disposition of social forces which had emerged as a result of the reforms of the 1860s. The most striking change in rural society was the decline of the old gentry landowners as the dominant force and their replacement by a new dynamic breed of exploiters—merchants, *kulaks*, tavern-keepers, Germans, Jews—whose common characteristic was a ruthless drive for self-enrichment. This change is the subject of 'V doroge', the first sketch in the cycle, from which this extract is taken. Written in 1872, it contains many of Saltykov's personal impressions from his extended visits to the provinces of Tver' and Yaroslavl' in that year in connection with the affairs of his own family estates.

Я ехал недовольный, измученный, расстроенный. В М ***, где были у меня дела по имению, ничто мне не удалось. Дела оказались запущенными; мои требования встречали или прямой отпор, или такую уклончивость, которая не предвещала ничего доброго. Предвиделось судебное разбирательство, разъезды, расходы. Обладание правом представлялось чем-то сомнительным, почти тягостным.

— Очень уж вы, сударь, просты! — утешали меня мои м — ские приятели. Но и это утешение действовало плохо. В первый раз в жизни мне показалось, что едва ли было бы не лучше, если б про меня говорили: «Вот молодец! налетел, ухватил за горло — и делу конец!»

Дорога от М. до Р. идет семьдесят верст проселком. Дорога тряска и мучительна; лошади сморены, еле живы; тарантас сколочен на живую нитку; на половине дороги надо часа три кормить. Но на этот раз дорога была для меня поучительна. Сколько раз проезжал я по ней, и никогда ничто не поражало меня: дорога как дорога, и лесом идет, и перелесками, и полями, и болотами. Но вот лет десять, как я не был на родине, не был с тех пор, как помещики взяли в руки гитары и запели:

На реках вавилонских — тамо седохом и плакахом...—[1]

и до какой степени всё изменилось кругом!

С тех пор и народ «стал слаб», и все мы оказались «просты... ах, как мы просты!», и «немец нас одолел!» Да, немец. «Долит немец, да и шабаш!» — вопиют в один голос все кабатчики, все лабазники, все содержатели постоялых дворов. И вам ничего не остается делать, как согласиться с этим воплем, потому что вы видите собственными глазами и чуете сердцем, как всюду, и на земле и под землею, и на воде и под водою — всюду ползет немец. В этих коренных русских местах, где некогда попирали ногами землю русские угодники и благочестивые русские цари и царицы?— в настоящую минуту почти всевластно господствует немец. Он снимает рощи, корчует пни, разводит плантации, овладевает всеми промыслами, от которых, при менее черной сравнительно работе, можно ожидать более прибылей, и даже угрожает забрать в свои руки исконный здешний промысел «откармливания пеунов». И чем ближе вы подъезжаете к Троицкому посаду[3] и к Москве, этому средоточию русской святыни, тем более убеждаетесь, что немец совсем не перелетная птица в этих местах, что он не на шутку задумал здесь утвердиться, что он устроивается прочно и надолго и верною рукой раскидывает мрежи, в которых суждено барахтаться всевозможным Трифонычам, Сидорычам[4] и прочей неуклюжей белужине и сомовине, заспавшейся, опухшей, спившейся с круга.

— Чей это домик? — спрашиваю я, указывая на стоящий в стороне новенький, с иголочки, домик, кругом которого уже затеян молодой сад.

— Это Крестьян Иваныча! — отвечает ямщик,— он тут рощу у помещика купил. Вон он, лес-то! Ишь сколько повалил! Словно город, костров-то наставил!

Я смотрю по указываемому направлению и вижу, что вдали действительно раскинулось словно большое село. Это сложенные стопы бревен, тесу, досок, сажени всякого рода дров: швырковых, угольных, хворосту и т. д.

— Кто же этот Крестьян Иваныч?

— Немец. Он уж лет пять здесь орудует. Тощой пришел,

а теперь, смотри, какую усадьбу взбодрил!

— Хороший человек?

— Душа-человек. Как есть русский. И не скажешь, что не-мец. И вино пьет, и сморкается по-нашему; в церковь только не ходит. А на работе — дошлый-предошлый! все сам! И хо-зяйка у него — все сама!

— А дорого за рощу дал?

— Пустое дело. Почесть что задаром купил. Иван Мат-веич, помещик тут был, господин Сибиряков прозывался. Кре-стьян-то он в казну отдал? Остался у него лесок — сам-то он в него не заглядывал, а лесок ничего, хоть на какую угодно стройку гож! — да болотце десятин с сорок. Ну, он и говорит, Матвей-то Иваныч: «Где мне, говорит, с этим дерьмом воз-жаться!» Взял да и продал Крестьян Иванычу за бесценок. Владай!

— Отчего же свои крестьяне не купили, коли дешево?

— А крестьяне покудова проклажались, покудова что... Да и засилья настоящего у мужиков нет: всё в рассрочку да в годы — жди тут! А Крестьян Иваныч — настоящий человек! вероятный! Он тебе вынул бумажник, отсчитал денежки — по-езжай на все на четыре стороны! Хошь — в Москве, хошь — в Питере, хошь — на теплых водах живи! Болотце-то вот, кото-рое просто в придачу, задаром пошло, Крестьян Иваныч нынче высушил да засеял — такая ли трава расчудесная по-шла, что теперича этому болотцу и цены по нашему месту нет!

— Однако этот Крестьян Иваныч, если в засилье взойдет, он у вас скоро с лесами-то порешит!

— Это ты насчет того, что ли, что лесов-то не будет? Нет, за им без опаски насчет этого жить можно. Потому, он умный. Наш русский — купец или помещик — это так. Этому дай в руки топор, он все безо времени сделает. Или с весны рощу валить станет, или скотину по вырубке пустит, или под покос отдавать зачнет,— ну, и останутся на том месте одни пеньки. А Крестьян Иваныч — тот с умом. У него, смотри, какой лес на этом самом месте лет через сорок вырастет!

Едем еще верст пять-шесть; проезжаем мимо усадьбы. Большой каменный двухэтажный дом, с башнями по бокам и вышкой посередине; штукатурка местами обвалилась; направо и налево каменные флигеля, службы, скотные и конные дворы, оранжереи, теплицы; во все стороны тянутся проспекты, заса-женные столетними березами и липами; сзади — темный, гу-стой сад; сквозь листву дерев и кустов местами мелькает стальной блеск прудов. И дом, и сад, и проспекты, и пруды — все запущено, все заглохло; на всем печать забвения и сирот-ливости.

— Чья усадьба?

— Величкина Павла Павлыча была, а нынче Федор Карлыч купил.

— Какой Федор Карлыч?

— Немец. Сибирян (Зильберман) прозывается. Хороший барин. Умный.

— Отчего же у него так запущено? — удивляетесь вы, уже безотчетно подчиняясь какому-то странному внушению, вследствие которого выражения «немец» и «запущенность» вам самим начинают казаться несовместимыми, тогда как та же запущенность показалась бы совершенно естественною, если б рядом с нею стояло имя Павла Павловича господина Величкина.

— Только по весне купил. Он верхний-то этаж снести хочет. Ранжереи⁶ тоже нарушил. Некому, говорит, здесь этого добра есть. А в ранжереях-то кирпича одного тысяч на пять будет.

— А много денег отдал?

— Сибирян-то? Задаром взял. Десятин с тысячу места здесь будет, только все лоскутками: в одном месте клочок, в другом клочок. Ну, Павел Павлыч и видит, что возжаться тут не из чего. Взял да на круг по двадцать рублей десятину и продал. Ан одна усадьба кирпичом того стоит. Леску тоже немало, покосы!

— Да что же, наконец, за крайность была отдавать за бесценок?

— А та и крайность, что ничего не поделаешь. Павел-то Павлыч, покудова у него крепостные были, тоже с умом был, а как отошли, значит, крестьяне в казну — он и узнал себя. Остались у него от надела клочочки — сам оставил: всё получше, с леском, местечки себе выбирал — ну, и не соберет их. Помаялся, помаялся — и бросил. А Сибирян эти клочочки все к месту пристроит.

Еще десять верст — впереди речка. На речке плотина, слышен шум падающей воды, двигающихся колес; на берегу, в лощинке, ютится красивая, вновь выстроенная мельница.

— Чья мельница?

— Была мельница — теперь фабричка. Адам Абрамыч купил. Увидал, что по здешнему месту молоть нечего, и поворотил на фабричку. Бумагу делает.

Я уже не спрашиваю, кто этот Адам Абрамович и за сколько он приобрел мельницу. Я знаю. Но мною всецело овладевает вопрос: и это земля, которую некогда прославили чудеса русских угодников! Земля, которую некогда попирали стопы благочестивых царей и благоверных цариц русских, притекавших сюда, под тихую сень святых обителей, отдохнуть от царственных забот и трудов и излить воздыхания сокрушенных сердец своих! Это ужасно! Ведь он, наконец, жид, этот Адам Абрамович! Непременно он жид! Жид — и где? в каком месте?!

А вот кстати, в стороне от дороги, за сосновым бором, значительно, впрочем, поредевшим, блеснули и золоченые главы одной из тихих обителей. Вдали, из-за леса, выдвинулось на простор темное плёсо монастырского озера. Я знал и этот монастырь, и это прекрасное, глубокое рыбное озеро! Какие водились в нем лещи! и как я объедался ими в годы моей юности! Вяленые, сушеные, копченые, жареные в сметане, вареные и обсыпанные яйцами — во всех видах они были превосходны!

— Озеро-то у монастыря нынче Иван Карлыч снял! — оборачивается ко мне ямщик.

— Что ты?

— Истинно. Прежде всё русским сдавали, да, слышь, безо времени рыбу стали ловить,— ну, и выловили всё. Прежде какие лещи водились, а нынче только щурята да голавль. Ну, и отдали Иван Карлычу.

Еще удар чувствительному сердцу! Еще язва для оскорбленного национального самолюбия! Иван Парамонов! Сидор Терентьев! Антип Егоров![7] Столпы, на которых утверждалось благополучие отечества! Вы, в три дня созидавшие и в три минуты разрушавшие созданное! Где вы? Где мрежи, которыми вы уловляли вселенную? Ужели и они лежат заложенные в кабаке и ждут покупателя в лице Ивана Карлыча? Ужели и ваши таланты, и ваша «удача», и ваше «авось», и ваше «небось»[8] — все, все погибло в волнах очищенной?

— Нынче русские только кабаками занимаются,— как бы отвечает ямщик на мою тайную мысль,— а прочее все к немцам отошло.

— Но ведь не все же кабаками занимаются! Прочие-то чем же нибудь да живут?

— А прочие — кто невинно падшим объявился,[9] а кто в приказчики к немцу нанялся. Ничего — немцы нашими не гнушаются покудова. Прохора-то Петрова, чай, знаете?

— Это Голубчикова-то?

— Ну вот, его самого. Теперь он у Адама Абрамыча первый человек состоит. И у него своя фабричка была подле Адам Абрамычевой; и тоже пофордыбачил он поначалу, как Адам-то Абрамыч здесь поселился. Я-ста да мы-ста, да куда-ста кургузому против нас устоять![10] Ан через год вылетел. Однако

126

Адам Абрамыч простил. Нынче Прохор-то Петров у него всем делом заправляет — оба друг дружкой не нахвалятся.

Мы едем с версту молча. Наконец ямщик снова оборачивается ко мне.

— Я вот что́ думаю,— говорит он,— теперича я ямщик, а задумай немец свою тройку завести — ни в жизнь мне против его не устоять. Потому, сбруйка у него аккуратненькая, животы не мученые, тарантасец покойный — едет да посвистывает. Ни он лошадь не задергает, ни он лишний раз кнутом ее не хлестнет — право-ну! Намеднись я с Крестьян Иванычем в Высоково на базар ездил, так он мне: «Как это вы, русские, лошадей своих так калечите? говорит,— неужто ж, говорит, ты не понимаешь, что лошадь твоя тебе хлеб дает?» Ну, а нам как этого не понимать? Понимаем!

— Ну, и что ж?

— Известно, понимаем. Я вот тоже Крестьяну-то Иванычу и говорю: «А тебя, Крестьян Иваныч, по зубам-то, верно, не чищивали?»[11]— «Нет, говорит, не чищивали».— «Ну, а нас, говорю, чистили. Только и всего». Эй, вы, колелые!

Мы с версту мчимся во весь дух. Ямщик то и дело оглядывается назад, очевидно с желанием уловить впечатление, которое произведет на меня эта безумная скачка. Наконец лошади мало-помалу начинают сами убавлять шагу и кончают обыкновенною ленивою рысью.

— Уж так нынче народ слаб стал! так слаб! — произносит наконец ямщик, как бы вдруг открывая предо мной свою заветную мысль.

— А что?

— Это чтобы обмануть, обвесить, утащить — на все первый сорт. И не то чтоб себе на пользу — всё в кабак! У нас в М. девятнадцать кабаков числится — какие тут прибытки на ум пойдут! Он тебя утром на базаре обманул, ан к полудню, смотришь, его самого кабатчик до нитки обобрал, а там, по истечении времени, гляди, и у кабатчика либо выручку украли, либо безменом по темю — и дух вон. Так оно колесом и идет. И за дело! потому, дураков учить надо. Только вот что диво: куда деньги деваются, ни у кого их нет!

— А немцы на что?

— И то правда. Денежка свое место знает. Ползком-ползком, а доползет-таки до хозяина!

NOTES

От. зап. 1872, x; *CC* xi, 21–6.

1. i.e. since the time of the Emancipation. There is a nice incongruity in the

landowners singing the lament of the captive Israelites (Ps. 137) to the accompaniment of the guitar, which underlines their frivolity as well as the catastrophic implications for them of the Emancipation.

2. The Tver′, Yaroslavl′, and Moscow regions.

3. The town centred on the Troitse-Sergieva *lavra* (modern Zagorsk), which lies on the road from Yaroslavl′ to Moscow.

4. Names often used by Saltykov for old-style *pomeshchiki*.

5. In 'giving up his peasants to the state' the landowner had exercised his right under the Emancipation edict to take the state-funded compensation (*vykupnaya ssuda*) for land surrendered to his freed peasants without concluding an agreement with the peasants on the precise terms of the land allotment. In such case the landowner forfeited to the state his right to any redemption payment the peasants might pay over and above the basic sum fixed by the edict. The point is that the landowner in question has taken the option of quick ready capital, rather than wait for the possibly more beneficial terms he might have got by making an agreement with his peasants.

6. i.e. оранжереи.

7. i.e. home-bred rural capitalists of the *chumazyi* type (for this type, see **17–19**).

8. References to the Russian's traditional reliance on fate (удача) and chance (авось, небось).

9. 'Went bankrupt'.

10. See **10**, n. 3.

11. 'They probably never bashed your teeth in?' The coachman attributes the Russians' lack of enterprise and prudent management to the inherent brutality of Russian life.

17. *Благонамеренные речи:* Столп [extracts]

The 'new man' of rural Russia in the post-Emancipation period was the capitalist entrepreneur, usually of humble social origin, who had the skill and energy to exploit the possibilities offered by the new situation—cheap land to be bought from gentry landowners incapable of coping in post-Emancipation conditions, increasing trade as a result of the railway boom, the freeing of the liquor trade from the *otkup* system, and the vast increase in taverns. This character was the *chumazyi* (see **19**, n. 4), whom we find presented in a number of classic figures in Saltykov's works of the 1870s. One of these is Osip Derunov, the subject of 'Stolp' in *Blagonamerennye rechi,* from which these extracts are taken. In 'Stolp' Saltykov describes the rise of Derunov from small dealer to man of substantial property as a result of his commercial manipulations. As Derunov's wealth increases, so too he gains in status as one of the new pillars

(*stolpy*) of society, well regarded by the authorities as a reliable figure of
the establishment. Derunov upholds the accepted attitudes of society
on the sanctity of 'property, family, and state'—although in fact, as
Saltykov demonstrates in this and later sketches, Derunov's actions are
precisely contrary to the principles he proclaims (cf. at the end of 'Stolp':
'Дерунов — не столп! Он не столп относительно собственности,
ибо признает священною только лично ему принадлежащую
собственность. Он не столп относительно семейного союза, ибо
снохач. Наконец, он *не может* быть столпом относительно союза
государственного, ибо не знает даже географических границ русского
государства' (*CC* xi, 121–2). In a later sketch of *Blagonamerennye rechi*
('Prevrashchenie') Saltykov shows Derunov a stage further in his development—now in St. Petersburg promoting ambitious financial speculations
and with pretensions to fashionable living.

The present extracts are concerned with the early stages of Derunov's
transformation. Significantly, we see him at the end negotiating for the
purchase of the narrator's (Shchedrin's) burdensome estate and demon-
strating how much better fitted he is to run it profitably than its present
owner.

В прежние времена, когда еще «свои мужички» были, родо-
вое наше имение, Чемезово, недаром слыло золотым дном. Всего было у нас довольно: от хлеба ломились сусеки; тальками,
полотнами, бараньими шкурами, сушеными грибами и другим
деревенским продуктом полны были кладовые. Все это скупа-
лось местными т — скими прасолами, которые зимою и глухою
осенью усердно разъезжали по барским усадьбам.

Между этими скупщиками в особенности памятен мне
т—ский мещанин, Осип Иванов Дерунов. Я как сейчас вижу
его перед собою. Человек он был средних лет (лет тридцати
пяти или с небольшим) и чрезвычайно приятной наружности.
Из лица бел, румян и чист; глаза голубые; на губах улыбка;
зубы белые, ровные; волоса белокурые, слегка вьющиеся;
походка мягкая; голос — ясный и звучный тенор. В доме у нас
его решительно все как-то особенно жаловали. Папенька любил за то, что он был словоохотлив, повадлив и прекрасно читал в церкви «Апостола»; маменька — за то, что он без разговоров накидывал на четверть ржи лишний гривенник и лишнюю копейку на фунт сушеных грибов; горничные девушки —
за то, что у него для каждой был или подарочек, или ласко-
вое слово. Поэтому, когда наезжал Дерунов, то все лица про-
светлялись. Господа видели в нем, так сказать, выразителя их
годового дохода; дворовые люди радовались из инстинктив-

ного сочувствия к человеку оборотливому и чивому. Позовут, бывало, Дерунова в столовую и посадят вместе с господами чай пить. Сидит он скромно, пьет не торопко, блюдечко с чаем всей пятерней держит. Рассказывает, где был, что́ у кого купил, ка́к преосвященный[1] объезжая епархию, в К — не обедню служил, какой у протодьякона голос и в каких отношениях находится новый становой к исправнику и секретарю земского суда[2] Рассказывает, что нынче на все дороговизна пошла, и пошла оттого, что «прежние деньги на сигнации были, а теперьче на серебро счет пошел»[3]; рассказывает, что дело торговое тоже трудное, что «рынок на рынок не потрафишь: иной раз дорого думаешь продать, ан ни за что спустишь, а другой раз и совсем, кажется, делов нет, ан вдруг бог подходящего человека послал»; рассказывает, что в скором времени «объявления набору[4] ждать надо» и что хотя набор — «оно конечно»... «одначе и без набору быть нельзя». Слушает папенька все эти рассказы и тоже не вытерпит — молвит:

— Башка, брат, у тебя, Осип Иваныч! Не здесь бы, не в захолустье бы тебе сидеть! Министром бы тебе быть надо!

Так за Деруновым и утвердилась навсегда кличка «министр». И не только у нас в доме, но и по всей округе, между помещиками, которых дела он, конечно, знал лучше, нежели они сами. Везде его любили, все советовались с ним и удивлялись его уму, а многие даже вверяли ему более или менее значительные куши под оборот, в полной уверенности, что Дерунов не только полностью отдаст деньги в срок, но и с благодарностью.

В то время Дерунов только что начинал набираться силы. В Т*** у него был постоялый двор и при нем небольшой хлебный лабаз. Памятен мне и этот постоялый двор, и вся обстановка его. Длинное одноэтажное строение выходило фасадом на неоглядную базарную площадь, по которой кружились столбы пыли в сухое летнее время и на которой тонули в грязи мужицкие возы осенью и весною. Крыт был дом соломой под щетку и издали казался громадным ощетинившимся наметом; некрашеные стены от времени и непогод сильно почернели; маленькие, с незапамятных времен не мытые оконца подслеповато глядели на площадь и, вследствие осевшей на них грязи, отливали снаружи всевозможными цветами; тесовые почерневшие ворота вели в громадный темный двор, в котором непривычный глаз с трудом мог что-нибудь различать, кроме бесчисленных полос света, которые врывались сквозь дыры соломенного навеса и яркими пятнами пестрили навоз и улитый скотскою мочою деревянный помост....

Несмотря на эту незавидную обстановку, проезжий люд так и валил к Осипу Иванову. Для черного люда у него были такие щи, «что не продуешь», для помещиков — приветливое слово и умное рассуждение вроде того, что «прежде счет на сигнации был, а нынче на серебро пошел»....

Но тогда было время тугое, и, несмотря на оборотливость Дерунова, дела его развивались не особенно быстро. Он выписался из мещан в купцы[5] слыл за человека зажиточного, но долго и крепко держался постоялого двора и лабаза. Может быть, и скопился у него капиталец, да по тогдашнему времени пристроить его было некуда.

Рисковать было не в обычае; жили осторожно, прижимисто, как будто боялись, что увидят — отнимут. Конечно, и тогда встречались аферисты и пройдохи, но чтобы идти по их следам, нужно было иметь большую решимость и несомненную готовность претерпеть. Человек робкий, или, как тогда говорилось, «основательный», неохотно ввязывался в операции, которые были сопряжены с риском и хлопотами. Богатства приобретались терпением и неустанным присовокуплением гроша к грошу, для чего не требовалось ни особливой развязности ума, ни той канальской изворотливости, без которой не может ступить шагу человек, изъявляющий твердое намерение выбрать из карманов своих ближних все, что в них обретается.

С тех пор прошло около двадцати лет. В продолжение этого времени я вынес много всякого рода жизненных толчков, странствуя по морю житейскому. Исколесовал от конца в конец всю Россию, перебывал во всевозможных градах и весях:[6] и соломенных, и голодных, и холодных, но не видал ни Т***, ни родного гнезда. И вот, однако ж, судьба бросила меня и туда...

Приезжаю в Т*** и с первого же взгляда убеждаюсь, что умы развязались. Во-первых, к самым, так сказать, воротам города проведена железная дорога. Двадцать лет тому назад никто бы не догадался, что из Т*** можно что-нибудь возить; теперь не только возят, но даже прямо говорят, что и конца этой возке не будет. Двадцать лет тому назад почти весь местного производства хлеб потребляли на месте; теперь — запрос на хлеб стал так велик, что съедать его весь сделалось как бы щекотливым. Свистнет паровоз, загрохочет поезд — и увозит бунты за бунтами[7] куда-то в синюю даль. И даже не знает бессмысленная чернь, куда исчезает ее трудовой хлеб и кого он будет питать...

Во-вторых, кабаков было не больше пяти-шести на весь

город; теперь на каждый переулок не менее пяти-шести кабаков.

В-третьих, город осенью и весной утопал в грязи, а летом задыхался от пыли; теперь — соборную площадь уж вымостили, да, того гляди, вымостят и Московскую улицу.

В-четвертых, прежде был городничий,[8] который всем ведал, всех карал и миловал; теперь — до того доведено самоуправление, что даже в городские головы выбран отставной корнет.

В-пятых, прежде правосудие предоставлялось уездным судам, и я как сейчас вижу толпу голодных подьячих, которые за рубль серебра готовы были вам всякое удовлетворение сделать. Теперь настоящего суда нет, а судит и рядит какой-то совершенно безрассудный отставной поручик из местных помещиков, который, не ожидая даже рубля серебром, в силу одного лишь собственного легкомыслия, готов во всякую минуту вконец обездолить вас?[9]

В-шестых, наконец, прежде совсем не было адвокатов, а были люди, носившие название «ябедников», «приказных строк», «крапивного семени» и т. д., которые ловили клиентов по кабакам и писали неосновательные просьбы за косушку. Нынче и в Т*** завелось до десяти «аблакатов»,[10] которые и за самую неосновательную просьбу меньше красненькой[11] не возьмут.

Вместе с общим обновлением изменилось и положение Дерунова. Еще ехавши по железной дороге в Т***, я уже слышал, что имя его упоминалось, как имя главного местного воротилы. Разбогател он страшно и уже не сколачивал по копеечке, а прямо орудовал. Арендовал у помещиков винокуренные заводы, в большинстве городов губернии имел винные склады, содержал громадное количество кабаков, скупал и откармливал скот и всю местную хлебную торговлю прибрал к своим рукам. Одним словом, это был монополист, который всякую чужую копейку считал гулящею и не успокоивался до тех пор, пока не залучит всё в свой карман.

Ранним утром поезд примчал нас в Т***. Я надеялся, что найду тут своих лошадей, но за мной еще не приехали. В ожидании я кое-как приютился в довольно грязной местной гостинице и, имея сердце чувствительное, разумеется, не утерпел, чтобы не повидаться с дорогими свидетелями моего детства: с постоялым двором и его бывшим владельцем.

Старого постоялого двора уже не было и следа. На месте его возвышались двухэтажные каменные палаты с пространными флигелями и амбарами, в которых помещались контора и склады. Ужасно это меня огорчило. Вот тут, на самом этом месте, была любезнейшая сердцу грязь; вот здесь я лакомился сдобными лепешками со сливками; вот там я дразнил индюка... И вдруг — ничего этого нет! Какие-то каменные палаты, от которых не веет ничем, отзывающимся сердечною теплотою! До такой степени это поразило меня, что, взойдя на парадное крыльцо, я даже предложил себе вопрос, не дать ли тягу. Кто знает, не окаменел ли и сам Дерунов, подобно своим палатам! Вспоминает ли о прежних сереньких днях, или же он и прошлое свое, вместе с другою ненужною ветошью, сбыл куда-нибудь в такое место, где его никакими способами даже отыскать нельзя! Я несчастлив, и потому очень понятно, что для меня всякая подробность прошлого имеет цену светлого воспоминания. Напротив того, Дерунов счастлив — зачем же, спрашивается, ему прошлое, в котором все-таки было не без плутней, а следовательно, и не без потасовок за оные?

Теперь Дерунов — опора и столп. Авторитеты уважает, собственность чтит, насчет семейного союза нимало не сомневается. Он много и беспрекословно жертвует и получает за это медали; на нем почиет множество благословений Синода; у него в доме останавливается, во время ревизии, губернатор; его чуть не боготворит исправник[12] и тщетно старается подкузьмить мировой судья.[13] В довершение всего, у него дочь выдана за полковника. Какое значение могу я иметь в его глазах, кроме значения ненужного напоминания прошлого? Я не могу ничего ни продать, ни купить, ни даже предложить какие-нибудь услуги. Я — ветошь прошлого, очевидец замасленной сибирки, загаженных мухами счетов, на которых он когда-то щелкал, приговаривая: «За самовар пять копеечек, овсеца меру брали — двадцать копеечек, за тепло — сколько пожалуете» и т. д. Зачем я пришел?

Но покуда я раздумывал, в воротах дома показался сам старик Дерунов, который только что окончил свои распоряжения во дворе.

Несмотря на свои с лишком шестьдесят лет, он был совершенно бодр и свеж. Он представлял собою совершеннейший тип той породы крепких, сильных и румяных стариков, которых называют благолепными. Голубые глаза его слегка потускнели, вследствие старческой слезы, но смотрели по-прежнему благодушно, как будто говорили: зачем тебе в душу мою забираться? я и без того весь тут! Волоса побелели, но еще кудрявились, обрамливая обнаженный череп и образуя вокруг головы род облака. Та же приятная улыбка на губах, тот же мягкий, лишь слегка надтреснутый тенор. Словом сказать, передо мной стоял прежний Осип Иванов, но только посановитее и в то же время поумытее и пощеголеватее.

— Вам до меня? — обратился он ко мне с вопросом. Я назвал себя.

Старик постоял с минуту, как бы ища в своей памяти, но наконец вспомнил. И, сказать по правде, вспомнил с видимым удовольствием.

— Господи! — засуетился он около меня, — легко ли дело, сколько годов не видались! Поди, уж лет сорок прошло с тех пор, как ты у меня махонькой на постоялом лошадей кармливал!

— Сорок не сорок, а много-таки воды утекло!

— Что и говорить! Вот и у вас, сударь, головка-то беленька стала, а об стариках и говорить нечего. Впрочем, я на себя не пожалуюсь: ни единой во мне хворости до сей поры нет! Да что же мы здесь стоим! Милости просим наверх!

Пошли в дом; лестница отличная, светлая; в комнатах — благолепие. Сначала мне любопытно было взглянуть, каков-то покажется Осип Иванович среди всей этой роскоши, но я тотчас же убедился, что для моего любопытства нет ни малейшего повода: до такой степени он освоился со своею новою обстановкой.

. . . .

— Да что ж ты унылой какой сделался! — сказал он, — а ты побравее, поповоротливее взглядывай! потрафляй! На меня смотри: чем был и чем стал!

— Да, вам таки посчастливилось, кажется!

— Благословил господь! А все-таки скажу, в нашем деле как кому потрафится! Сумел потрафить — с рублем будешь; не сумел — в трубу вылетел! Одно верно: руки сложив сидеть будешь — много не наживешь! Не мало тоже я думы передумал, покуда решился колесо-то это завести. Прежде и я по зернышку клевал, ну, а потом вижу, люди горстями хватают, — подумал: «Не все же людям, и нам, может, частица перепадет!» Да об этом после! Что мы так-то сидим! Эй, чаю сюда! да закусочки! Господи! сколько лет, сколько зим! Еще от родителей ваших, сударь, ласку видел, вот оно когда знакомство-то наше началось! Недавно еще мимо Чемезова-то проезжал — вспоминал! как же! Дом-то барский, сказывают, уж обвалился; ни замков, ни заслонок, даже кирпичи из печей —

и те повытасканы. Пожалел я: стоит махина без окон, словно инвалид без глаз!

Осип Иваныч неодобрительно покачал головой. Между тем подали чай, а на другом столе приготовляли закуску.

— Туда, что ли, сударь, едете? — обратился ко мне Дерунов.

— Туда.

— Что делать предполагаете?

— Да посмотрю...

— По правде сказать, невелико вам нынче веселье, дворянам. Очень уж оплошали вы. Начнем хоть с тебя: шутка сказать, двадцать лет в своем родном гнезде не бывал! «Где был? зачем странствовал?» — спросил бы я тебя — так сам, чай, ответа не дашь! Служил семь лет, а выслужил семь реп!

— Всякому свое, Осип Иваныч. Может быть, и на нашей улице будет праздник!

— Знаю я, сударь, что начальство пристроить вас куда-нибудь желает. Да вряд ли. Не туда вы глядите, чтоб к какому ни на есть делу приспособиться!

— Уж будто и дела для нас никакого не найдется!

— Какое же дело! Вино вам предоставлено было одним курить — кажется, на что статья подходящая! — а много ли барыша нажили! Побились, побились, да к тому же Дерунову на поклон пришли — выручай! Нечего делать — выручил! Теперь все заводы в округе у меня в аренде состоят![14] Плачу аренду исправно, до ответственности не допущаю — загребай помещик денежки да живи на теплых водах!

— Воспитание, Осип Иваныч, не такое мы получили, чтоб об материальных интересах заботиться. Я вот по-латыни прежде хорошо знал, да, жаль, и ее позабыл. А кабы не позабыл, тоже утешался бы теперь!

— На пустые поля да на белоус глядючи. Так, сударь! А надолго ли, смею спросить, в Чемезово-то собрались?

— Нет, зачем надолго! Посмотреть да кой-чем распорядиться — и опять в Петербург!

— То-то. В деревне ведь тоже пить-есть надо. Земля есть, да ее не укусишь. А в Петербурге все-таки что-нибудь добудешь. А ты не обидься, что я тебя спрошу: кончать, что ли, с вотчиной-то хочешь?

— Хотелось бы. Крестьяне на выкупе,[15] земля — обрезки кое-какие остались; не к рукам мне, Осип Иваныч!

— А не к рукам, так продать нужно. Дерунова за бока![16] Что ж, я и теперь послужить готов, как в старину служивал. Даром денег не дам, а настоящую цену отчего не заплатить?

135

Заплачу!

— Да ведь настоящая-то цена... кто ее знает, какая она?!

— Настоящая цена — христианская цена. Чтоб ни мне, ни тебе — никому не обидно; вот какая это цена! У тебя какая земля! И тебе она не нужна, и мне не нужна! Вот по этому самому мачтабу[17] и прикладывай, чего она стоит!

— Однако ведь вы охотитесь же купить!

— Так, балую. У меня теперь почесть четверть уезда земли-то в руках. Скупаю по малости, ежели кто от нужды продает. Да и услужить хочется — как хорошему человеку не услужить! Все мы боговы слуги, все друг дружке тяготы нести должны. И с твоей землей у меня купленная земля по смежности есть. Твои-то клочки к прочим ежели присовокупить — ан дача[18] выйдет. А у тебя разве дача?

— Ну, кроме вас, и крестьяне, может быть, пожелают приобрести.

— Крестьяне? крестьянину, сударь, дани платить надо, а не о приобретении думать. Это не нами заведено, не нами и кончится. Всем он дань несет; не только казне-матушке, а и мне, и тебе, хоть мы и не замечаем того. Так ему свыше прописано. И по моему слабому разуму, ежели человек бедный, так чем меньше у него, тем даже лучше. Лишней обузы нет.

Суждение это было так неожиданно, что я невольно взглянул на моего собеседника, не рассердился ли он на что-нибудь. Но он по-прежнему был румян; по-прежнему невозмутимо-благодушно смотрели его глаза; по-прежнему на губах играла приятная улыбка.

— Да уж не рассердили ли вас чем-нибудь крестьяне, что вы от лишней обузы облегчить их хотите? — спросил я.

— Я-то сержусь! Я уж который год и не знаю, что за «сердце» такое на свете есть! На мужичка сердиться! И-и! да от кого же я и пользу имею, как не от мужичка! Я вот только тебе по-христианскому говорю: не вяжись ты с мужиком! не твое это дело! Предоставь мне с мужика получать! уж я своего не упущу, всё до копейки выберу!

— Послушайте, однако ж: почему же вы полагаете, что я не получу? Ведь это странно: вы получите, а я не получу!

— Ничего тут странного нет. Вы только подумайте, сударь, мое ли дело или ваше! Я вот аблаката[19] нанимаю, полторы тысячи ему плачу, так он у меня и в пир, и в мир. Ездит себе да покатывается. У меня в год-то, может, больше сотни дел во всех местах перебывает. Тут и в грош есть, и в тысячу. Так разложите эти полторы тысячи на сто дел — что выйдет!

Плевое дело? А тебе из-за каждой срубленной елки, из-за каждой гривенной потравы аблаката нанимать нужно![20]Резон ли это? Где ты столько денег найдешь, чтобы эту прорву насытить? Да и аблаката-то где еще найдешь? за ним тоже в город ехать нужно, харчиться, убытчиться! Во что это тебе вскочит? А земля-то, сударь, хоть и нет у нее души, а чувствует она, матушка, что у ней настоящего радетеля нет!

— Да я не об земле. Я знаю, что я не радетель земле. Я землю мужикам продам, а с мужиков деньги получу.

— Разом ничего вы, сударь, с них не получите, потому что у них и денег-то настоящих нет. Придется в рассрочку дело оттягивать. А рассрочка эта вот что значит: поплатят они с грехом пополам годок, другой, а потом и надоест: всё плати да плати!

— Надоест! Это разве резон! ведь не бессудная же земля!

— И земля не бессудная, и резону не платить нет, а только ведь и деньга защитника любит. Нет у нее радетеля — она промеж пальцев прошла! есть радетель — она и сама собой в кармане запутается. Ну, положим, рассрочил ты крестьянам уплату на десять лет... примерно, хоть по полторы тысячи в год...

«По полторы тысячи! стало быть, пятнадцать тысяч в десять лет! — мелькнуло у меня в голове.— Однако, брат, ты ловок! сколько же *разом-то* ты намерен был мне отсыпать!»

— Ну, продал, заключил условие, уехал. Не управляющего же тебе нанимать, чтоб за полуторами тысячами смотреть. Уехал — и вся недолга! Ну год они тебе платят, другой платят; на третий — пишут: сенов не родилось, скот выпал... Неужто ж ты из Питера сюда поскачешь, чтоб с ними судиться?!

— Не поскачу, а напишу кому следует.

— Да ведь у них и взаправду скот выпал — неужто ты их зорить будешь!

— Однако, ведь вы взыскали бы?

— Я — другое дело. Я радетель. Я и землю соблюду, и деньги взыщу. Я всякое дело порядком поведу. Ежели бы я, например, и совсем за землей не смотрел, так у меня крестьянин синь пороха не украдет. Потому, у него исстари составилось мнение, что у Дерунова ничего плохо не лежит. Опять же и насчет взысканий: не разоряю я, а исподволь взыскиваю. Вижу, коли у которого силы нет — в работу возьму. Дрова заставлю пилить, сено косить — мне всего много нужно. Ему приятно, потому что он гроша из кармана не вынул, а ровно бы на гулянках отработался, а мне и того приятнее, потому что я работой-то с него, вместо рубля, два получу!

— Ну, а вы... сколько бы вы мне за землю предложили?

— Пять тысяч — самая христианская цена. И деньги сейчас в столе — словно бы для тебя припасены. Пять тысяч на круг! тут и худая, и хорошая десятина — всё в одной цене!

— Ну, нет, это дешевенько. Лучше уж я посмотрю!

— Посмотри! что ж, и посмотреть не худое дело! Старики говаривали: «Свой глазок — смотрок!»²¹ И я вот стар-стар, а везде сам посмотрю. Большая у меня сеть раскинута, и не оглядишь всеё — а все как-то сердце не на месте, как где сам недосмотришь! Так день-деньской и маюсь. А, право, пять тысяч дал бы! и деньги припасены в столе — ровно как тебя ждал!

NOTES

От. зап. 1874, i; *CC* xi, 94–6, 98–106.

1. i.e. the local bishop.

2. The district courts (*zemskie sudy*), abolished in 1862, had police and judicial powers and were presided over by the *ispravnik*, the chief police officer of an *uezd*. The *stanovoi pristav* was in charge of a police sub-district (*stan*) of an *uezd* and was subordinate to the *ispravnik*.

3. In 1839 the silver rouble was fixed as the basic monetary unit in Russia, and the debased *assignatsii* (here сигнации for ассигнации) were replaced by *kreditnye bilety* which were initially issued at parity with the silver rouble.

4. 'Announcement of a call-up' (for the army). As a rule there was an annual conscription for military service, but the area affected and the number of conscripts required might vary from year to year.

5. The merchants constituted one of the official classes of Russia and enjoyed certain privileges. Entry to the merchant class was open to persons with sufficient capital to be enrolled in one of the three merchants' guilds (for entry to the third (lowest) guild the sum was, from 1807, 8,000 roubles), so Derunov's advancement from the *meshchanstvo* is a sign of his increasing prosperity.

6. 'Towns and villages' (Ch. Sl.).

7. Бунт here in the sense of a measured consignment of produce or goods.

8. The *gorodnichii* was the officially appointed head of a town administration until the local government reform (for towns) of 1870, which provided for an elected head of the town council—the *gorodskoi golova*.

9. The old *uezd* court was effectively an organ for the administration of the law by government officials; the law reform of 1864 created district courts with elected justices (*mirovye sud'i*).

10. i.e. адвокатов.

11. 'Ten-rouble note'.

12. See n. 2 above.

13. See n. 9 above.

14. The right to engage in distilling was restricted to members of the *dvoryanstvo* in the reign of Catherine II. Although other classes were debarred from owning distilleries, it was possible for merchants, etc. to operate distilleries on lease from their gentry owners.

15. i.e. the peasants are freed and paying redemption dues, and the narrator is consequently without a ready labour force.

16. 'Get Derunov into action'.

17. i.e. масштабу.

18. Here in the sense of a workable tract of land.

19. i.e. адвоката.

20. i.e. for petty cases of illicit wood-felling and trespass. These were particularly common occurrences after the redefinement of boundaries and peasants' rights at the time of the Emancipation.

21. 'Your own eye looks sharp(er)'.

18. *Убежище Монрепо:* Finis Монрепо [extracts]

Though one of Saltykov's shortest cycles (it consists of only five chapters), *Ubezhishche Monrepo*, written in 1878–9, is an important work both for its theme and for the effectiveness of Saltykov's treatment of it. In it he provides a summary view of the new structure of rural society after the reforms, a subject already broached in *Blagonamerennye rechi* (see **16** and **17**). He presents in Razuvaev another example of the upstart capitalist depicted already in Derunov, but Razuvaev is brasher, more uncouth and destructive than the earlier character. The significance of *Ubezhishche Monrepo*, however, lies more in the portrait given by Saltykov of the narrator, the hapless, ineffectual gentry landowner who has become a victim of history. Ruined and rendered superfluous by the new times, he seeks refuge on his estate, only to find himself the object on the one hand of Razuvaev's rapacious designs and on the other of the suspicions of the local police agent, Gratsianov (for his relations with Gratsianov, see **28**). The situation of the now *passé 'kul'turnyi chelovek'* (see n. 19) is presented in poignant terms, and in the person of the narrator he emerges as a complex figure, at once satirical and sympathetic. This subtly portrayed character must stand as one of Saltykov's most percipient studies in social psychology.

The present extract from the penultimate chapter of the cycle opens with the arrival of Razuvaev who comes to make an offer for the narrator's estate.

Разуваев предстал передо мной радостный, румяный, светлый. Он уверенно протянул мне руку, держа ее ладонью вверх.

— Ну, барин, по рукам! — воскликнул он, по-видимому, не питая ни малейшего сомнения, что именно эти самые слова ему сказать надлежит.

— По какому случаю?

— Да так уж, хлопай! в накладе не будешь! хорошее слово услышишь!

— Покуда что услышу, а до тех пор лучше было бы, кабы вы бесцеремонность-то посократили.

Разуваев взглянул на меня, слегка подбоченился и грустно покачал головой.

— Ах, барин вы, барин! Погляжу я на вас, на бар, всё-то вы артачитесь!

И затем, вынув из кармана большой и туго набитый бумажник, присовокупил:

— Вот!

Приводя эту сцену, я отнюдь не преувеличиваю. В последнее время русское общество выделило из себя нечто на манер буржуазии, то есть новый культурный слой, состоящий из кабатчиков, процентщиков, железнодорожников, банковых дельцов и прочих казнокрадов и мироедов. В короткий срок эта праздношатающаяся тля успела опутать все наши палестины; в каждом углу она сосет, точит, разоряет и вдобавок нахальничает. В больших центрах она теряется в массе прочих праздношатающихся и потому не слишком бьет в глаза, но в малых городах и в особенности в деревнях она положительно подла и невыносима. Это — ублюдки крепостного права, выбивающиеся из всех сил, чтобы восстановить оное в свою пользу, в форме менее разбойнической, но несомненно более воровской.

Помещик, еще недавний и полновластный обладатель сих мест, исчез почти совершенно. Он захудал, струсил и потому или бежал, или сидит спрятавшись, в ожидании, что вот-вот сейчас побежит. Мужик ничего от него не ждет, буржуа́-мироед смотрит так, что только не говорит: а вот я тебя сейчас слопаю; даже поп — и тот не идет к нему славить по праздникам, ни о чем не докучает, а при встречах впадает в учительный тон.

Оставшись с клочками земли, которые сам облюбовал при составлении уставных грамот и не без греха утянул от крестьянских наделов, помещик не знает, что с ними делать, как их сберечь. Видит сам, что он к делу не приготовлен, на выдумки не горазд, да притом и ленив, и что, следовательно, чтобы он ни предпринял, ничего у него не выйдет. Между тем

140

надо жить. И жить не власть имеющим, не привилегированным, а заурядным партикулярным человеком? И прежде был он негоразд и неретив, но прежде у него был под руками «верный человек», который и распоряжался, и присматривал за него, а ему только денежки на стол выкладывал: пей, ешь и веселись! Увы! скоро исполнится двадцать лет, как «верного человека» и след простыл. «Нет верных людей! пропал, изворовался верный человек!» — вопиют во всех концах рассеянные остатки старинного барства, и вопиют не напрасно, ибо каждому из них предстоит ухитить разрушающееся гнездо, да и в домашнем обиходе дворянский обычай соблюсти, то есть иметь чай, сахар, водку, табак. На все это потребен рубль, рубль и рубль, а откуда его добыть тому, кто «верного человека» лишился и не успел проникнуть ни в земство, ни в мировые учреждения?[3]

А «верный человек» притаился тут же под боком и обрастает да обрастает себе полегоньку. Помещик, Сидор Кондратьич Прогорелов,[4] некогда звал его Егоркой, потом стал звать Егором Ивановым, потом — Егором Иванычем, а теперь уже и прямо произносит полный титул: Егор Иваныч господин Груздёв.[5] Егорка прижал в свое время у Сидора Кондратьича несколько сотен рублей; Егор Иванов опутал ими деревню; Егор Иваныч съездил в город, узнал, где раки зимуют, и открыл кабак, а при оном и лавку, в качестве подспорья к кабаку; а господин Груздёв уж о том мечтает, как бы ему «банку»[6] устроить и вконец родную палестину слопать....

Однако ж и Егорка выступает на арену деятельности не бог знает с каким запасом. И он негоразд и невежествен, и он ретив только галдеть да зубы заговаривать. Но у него есть готовность кровопийствовать — и это значительно помогает ему. Готовность эту он выработал еще в то время, когда в «подлом виде»[7] состоял, но тогда он употреблял ее за счет своего патрона и за это-то именно и получил титул «верного человека». Теперь он пользуется ею уж «гля себя», и пользуется, разумеется, шире, рискованнее. Но, сверх того, у него есть и еще подспорье: он совсем не думает о том, что ожидает его впереди. Может быть, из него выйдет *господин* Груздёв, а может быть, он угодит в острог. Разумеется, лучше сделаться *господином* Груздёвым, но, с другой стороны, и в Сибири люди живут. Не выгорело — только и всего; а чтобы совестно было или больно — ни капельки! Понятно, что, заручившись двумя столь драгоценными качествами, он всякую мышь, всякую букашку, в траве ползущую,— всё видит.

И вот наконец совершилось. Миновавши чудесным образом каторгу, Егорка откуда-то добывает себе шитый мундир[8] и окончательно делается Егором Иванычем господином Груздёвым. Он пьет кровь уже въявь и в то же время сознает себя «столпом». Все кругом «подражает» ему, заискивает, льстит. Уездные власти заезжают к нему и по пути, и без пути, пьют в его доме, закусывают и, в случае административных затруднений, прибегают к его помощи. Кто купит недоимщицкий скот?[9] — Егор Иваныч. К кому обратиться с приглашением о пожертвовании? — к Егору Иванычу. А глядя на властей, и помельче сошка[10] чувствует, как раскипается у ней сердце усердием к Егору Иванычу. Батюшка обедни не начинает до приезда его в храм; волостной старшина,[11] совместно с писарем, контракты для него сочиняют, коими закрепляют в пользу его степенства всю волость; а сотские и десятские[12] все глаза проглядели, не покажется ли где Егор Иваныч, чтобы броситься вперед и разгонять на пути его чернядь....

Хотя Разуваев еще мелко плавал, но уже был, так сказать, на линии Груздёвых. По крайней мере, идея грабежа была уже вполне им усвоена. Я знал его очень давно, еще в то время, когда он состоял дворовым человеком моего соседа по прежнему имению, корнета Отлетаева. Тогда Анатошка Разуваев, молодой и красивый парень, пользовался доверием корнетши Отлетаевой; а камеристка последней, Аннушка, тоже молодая и красивая девица, пользовалась таковым же доверием со стороны самого корнета. Года два или три эти люди жили вполне безмятежно, довольные собой, как вдруг эмансипация все это счастье перевернула вверх дном. И Анатолий и Аннушка тотчас же и наотрез отказались от наперсничества, хотя корнет и корнетша доказывали, что имеют право и еще в течение двух лет пользоваться их услугами.[13] Дело не обошлось без формального разбирательства, но по тогдашнему либеральному времени кончилось тем, что возмутившимся «хамам»[14] выданы были увольнительные свидетельства.[15] Немедленно после этого молодая чета вступила в законный брак, а затем и навсегда исчезла из родных палестин. И вот, спустя пятнадцать лет, я вновь встретился с ними, и встретился как чужой, потому что Разуваев ни словом, ни движением не выдал, что когда-то знал меня.

Как бы то ни было, но в эту минуту нахальство Разуваева как-то неприятно на меня подействовало. К сожалению, ежели я способен понимать (а стало быть, и оправдывать) известные жизненные явления, то не всегда имею достаточно выдержки, чтобы относиться к ним объективно, когда они становятся ко мне лицом к лицу. Поэтому я, вместо ответа, указал Разуваеву на дверь, и он был так любезен, что сейчас же последовал моему молчаливому приглашению.

Но тут-то именно и начались для меня глупейшие испытания. Вечером того же дня явился Лукьяныч[16]и, вместо того чтобы, по обычаю, повздыхать да помолчать, вступил в собеседование.

— Разуваева-то вы давеча прогнали?

— Я его к себе не приглашал, а стало быть, и от себя не прогонял. А так как он ворвался ко мне нахалом, то, разумеется, я...

— Про то я и говорю, что прогнали.

Лукьяныч помолчал с минуту, потом крякнул, переступил с ноги на ногу и как-то особенно пошевелил плечами. Значит, будет продолжение.

— А он к вам за делом приезжал.

— Да, показывал бумажник; вот за это-то я и указал ему на дверь.

— Угоду он у вас купить охотится — оттого и бумажник показывал. Чтоб, значит, сумления вы не имели.

— А коли дело хочет делать, так должен говорить по-человечьему, а не махать бумажником у меня перед глазами.

— Так-то оно так.

Опять минута молчания, и опять переступание с ноги на ногу.

— Нехорошо в здешнем месте, нескладно....

.   .   .   .

Решительно, даже кругом меня, и в доме, и во дворе, все в заговоре.[17] Положим, это не злостный заговор, а, напротив, унылый, жалеющий, но все-таки заговор. Никто в меня не верит, никто от меня ничего солидного не ждет. Вот Разуваев — другое дело! Этот подтянет! Он свиной навоз в конский обратит! он заставит коров доить! он такого петуха предоставит, что куры только ахнут!

Все боятся Разуваева, никто не любит его, и в то же время все сознают, что Разуваева им не миновать. Вот уж полгода, как рабочие мои предчувствуют это, и в моих глазах самым заискивающим образом снимают шапки перед ним....

Я знаю, что мой личный казус ничтожен, но разве я один? Разве такие руины, как я, не считаются тысячами, десятками тысяч? руины, жалобно вымирающие по своим углам? руины, питающиеся крупицами, остающимися от трапезы мироедов? руины, ежеминутно готовые превратиться в червонных валетов?[18] Предположите, что я представляю собой тип старокультурного человека[19] среднего пошиба, не обладающего сильными матерьяльными средствами, но и не совсем обделенного. Человека, помнящего крепостное право с его привольями, человека, смолоду выработавшего себе потребность известных удобств, человека, ни к какому делу не приготовленного (ибо и дела в то время не предвиделось), и, что важнее всего, человека, совершенно неспособного к физическому труду. Сей человек ни в чем не может лично помочь себе; он не может сделать шагу в жизни без того, чтобы не потребовать чьей-нибудь услуги. Для него одного нужно несколько человек, которые постоянно заботились бы о том, чтобы он был накормлен, одет, обут, не задохся от собственных миазмов, не закоченел от холода. Чтобы связать эти посторонние существования с своим, он должен иметь наготове приманку, то есть деньги, и эти деньги, в большинстве случаев, опять-таки добыть при помощи посторонних людей. Но разве эти люди, которых он заманивает деньгою, не понимают, что они существуют не для себя? разве есть возможность устроить такой мираж, который заставлял бы их думать, что, соблюдая мою выгоду, холя и покоя меня, они не мою выгоду соблюдают, а свою, не меня покоят и холят, а себя?

Даже при крепостном праве такого миража нельзя было устроить, а теперь уже стало и совсем ясно, что только нужда может заставить постороннего человека принять участие в холении другого человека, хотя бы и «барина». А ежели нужда, то, стало быть, надлежит удовлетворять ей вот до этой черты и ни на волос больше. И вот затевается борьба, или, лучше сказать, какая-то бестолковая игра в прятки, в неохоту, в нехотение. Допустим, что подневольный человек в этой борьбе ничего не выиграет, что он все-таки и впредь останется прежним подневольным человеком, но ведь он и без того никогда ничего не выигрывает, и без того он осужден «слезы лить» — стало быть, какой же ему все-таки резон усердствовать и потрафлять? А культурный человек проигрывает положительно. Не говоря уже о матерьяльных ущербах, чего стоят нравственные страдания, причиняемые вечно-присущим страхом беспомощности?

Сапоги не чищены, комнаты не топлены, обед не готовлен — вот случайности, среди которых живет культурный обитатель Монрепо. Случайности унизительные и глупые, но для человека, не могущего ни в чем себе помочь, очень и очень чувствительные. И что всего мучительнее — это сознание, что только благодаря тому, что подневольный человек еще не вполне уяснил себе идею своего превосходства, случайности эти не повторяются ежедневно.

Затем, как человек, возлежавший на лоне крепостного права и питавшийся его благостынями, я помню, что у меня были «права́», и притом в таких безграничных размерах, в каких никогда самая свободная страна в мире не может наделить излюбленнейших детей своих. Ибо что может быть существеннее, в смысле экономическом, права распоряжаться трудом постороннего человека, распоряжаться легко, без преднамеренных подвохов, просто: пойди и сработай то-то! Или что может быть действительнее, в смысле политическом, как право распоряжаться судьбой постороннего человека, право по усмотрению воздействовать на его физическую и нравственную личность? Насколько подобные «права́» нравственны или безнравственны — это вопрос особый, который я охотно разрешаю в отрицательном смысле, но несомненно, что права́ существовали и что ими пользовались. Вопросы о нравственности или безнравственности известного жизненного строя суть вопросы высшего порядка, которые и натурам свойственны высшим. Только абсолютно чистые и высоконравственные личности могли, в пылу «пользования», волноваться такими вопросами и разрешать их радикально. Средний же культурный человек, даже в том случае, ежели чувствовал себя кругом виноватым, считал дело удовлетворительно разрешенным, если ему удавалось в свои отношения к подневольным людям ввести так называемый патриархальный элемент и за это заслужить кличку «доброго барина». Он никогда не был героем и ясно понимал только одно, что за пределами крепостного права его ожидает неумелость и беспомощность. И потому старался отвечать на запросы совести не прямыми разрешениями, а лукавыми подделками. Подделки эти отнюдь не обеляли его, а скорее обнаруживали бесхарактерность и слабость; но даже и за эту бесхарактерность он держался цепко, как за что-то оправдывающее, или, по малой мере, смягчающее. И с этою же бесхарактерностью остался и теперь, когда на практике увидел свою беспомощность, неумелость и сиротливость.

Мне скажут, что это тип вымирающий — это правда, но увы! — он еще не вымер. И еще скажут, что это тип несимпатичный — и это правда, но и это не мешает ему существовать. Притом же он дал отпрыск. Я надеюсь, что этот отпрыск будет несколько иного характера, но покуда он еще не настолько определился, чтобы заключать об его пригодности к жизни в тех хищнических формах, в каких она сложилась в последнее время. Мне кажется даже, что то характеристическое условие, которое мы привыкли связывать с представлением о культурности, то есть отсутствие возможности обойтись без посторонней услуги, существует и для отпрыска в той же силе, как и для старого, отживающего дерева.

Не знаю, как кому, а на мой взгляд, ежели, по обстоятельствам, нет другого выбора, как или быть «рохлей»[20] или быть «кровопивцем», то я все-таки роль «рохли» нахожу более приличною.

Как культурный человек среднего пошиба, я мирно доживаю свой век в деревне. Я выбрал деревню, во-первых, потому, что городская жизнь для меня несподручна, во-вторых, потому, что я имею привязанность к «своему месту», и, в-третьих, потому, что я имею наклонность к унынию и нигде так полно не могу удовлетворить этой потребности, как в деревне. Затем, как человек старокультурный, я никому не нужен и даже ни для кого не понятен. Я не имею достаточно денег, чтобы призирать сирых и неимущих, и тем менее, чтобы веселить сердца Осьмушниковых и Колупаевых,[21] забирая у них на книжку водку и колониальный товар. Я не имею достаточных знаний, чтобы поделиться ими и выказать свое превосходство и полезность. Наконец, я говорю совсем другим языком и вдобавок оказался даже недостойным принять участие в земских и мировых учреждениях.[22] Все это ставит меня в совершенную невозможность что-нибудь предпринять и в каком бы то ни было смысле играть деятельную роль. И я, действительно, не только не «действую», а просто-напросто сижу и ничего не делаю. Имею ли я право на это?

В глазах закона я это право имею. Я знаю, что было бы очень некрасиво, если б вдруг все стали ничего не делать, но так как мне достоверно известно, что существуют на свете такие неусыпающие черви, которым никак нельзя «ничего не делать», то я и позволяю себе маленькую льготу: с утра до ночи отдыхаю одетым, а с ночи до утра отдыхаю в одном нижнем белье. По-видимому, и закону все это отлично известно, потому что и он с меня за мое отдыхание никакого взыска не полагает.

Оказывается, однако ж, что и ничегонеделание представляет своего рода угрозу. «Ничего-то не делать все мы мастера,— говорит батюшка,— а надобно делать, и притом так чтобы богу было приятно». И при этом умиленным гласом вопрошает: а говеть будете? Ах, батюшка, батюшка! да как же мне быть, если я иначе жить не умею, ежели с пеленок все говорило мне о ничегонеделании, ежели это единственный груз, которым я успел запастись в жизни и с которым добрел до старости? И не сами ли вы, батюшка, при крепостном праве возглашали: рабы, господам повинуйтеся и послужите им в веселии сердца вашего? Да, наконец, с которых же пор нищие духом, ротозеи, рохли, простофили, дураки начали стоять на счету врагов отечества?

А Грацианов[23] так даже положительно подозревает, что если я «ничего не делаю», то это значит, что я фрондирую.[24] Или, в переводе на русский язык: фордыбачу, артачусь, фыркаю, хорохорюсь, петушусь, кажу кукиш в кармане[25] (вот какое богатство синонимов!). И все это, как истинно лукавый и опасный человек, делаю «промежду себя». Допустим, однако ж, что это так. Допустим, что я действительно «недоволен» и с своей личной точки зрения, и с более общей, философской. Допустим, что я, возлежа на одре, читаю Кабе, Маркса, Прудона[26] и даже — horribile dictu! — такую заразу, как «Вперед» или «Набат».[27] Но разве быть недовольным «промежду себя» воспрещено? Разве где-нибудь написано: вменяется в обязанность быть во что бы то ни стало довольным? Наконец, разве погибнут государство, общество, религия оттого, что я... кажу кукиш в кармане?

Грацианов думает, что погибнут, а вслед за ним так же думают: Осьмушников, Колупаев, Разуваев. Все они, вместе взятые, не понимают, что значат слова: государство, общество, религия, но трепетать готовы. И вот они бродят около меня, кивают на меня головами, шепчутся и только что не в глаза мне говорят: уйди!

Да, трудно себе представить, какая существует масса людей среднего пошиба, людей, ничем не прославившихся, но и ни в чем не проштрафившихся, которым жить тошно. К прирожденной беспомощности, неумелости и сиротливости в последнее время присоединились еще намеки и покивания. Можно ли представить себе существование менее защищенное? Конечно, можно, скажут мне и укажут на мужика. Но, по моему мнению, мужик уже до того незащищен, что тут самая незащищенность почти равняется защищенности. А ведь культурному человеку сызмлада говорили: ты — краса вселенной, ты — соль земли! — и вдруг является какой-нибудь уроженец ретирадного места[28] и без околичностей говорит: уйди... сочувствователь!

«Сочувствователь» — это новое модное слово, которое стремится затмить «нигилистов» и которое исключительно имеет в виду людей культуры. Вместо обвинения в факте является обвинение в сочувствии — и дешево и сердито. Обвинение в факте можно опровергнуть, но как опровергнуть обвинение в «сочувствии»? Желание понять и выяснить известное явление — сочувствие ли это? попытка обсудить явление в ряду условий, среди которых оно народилось,— сочувствие ли это? Да, выискиваются люди, которые утверждают во всеуслышание, что все это — сочувствие. Кто же эти люди? — это граждане ретирадных мест, которые, благодаря смуте, вышли из первобытного заключения и, все пропитанные вонью его, стремятся заразить ею вселенную. Это люди, которым необходимо поддерживать смуту и питать пламя человеконенавистничества, ибо они знают, что не будь смуты, умолкни ненависть — и им вновь придется сделаться гражданами ретирадных мест.

Я очень хорошо понимаю, что волна жизни должна идти мимо вымирающих людей старокультурного закала. Я знаю, что жизнь сосредоточивается теперь в окрестностях питейного дома, в области объегориванья, среди Осьмушниковых, Колупаевых и прочих столпов; я знаю, что на них покоятся все упования, что с ними дружит все, что не хочет знать иной почвы, кроме непосредственно деловой. Я знаю все это и не протестую. Я недостоин жить и умираю. Но я еще не умер — как же с этим быть?

Есть у меня одна претензия: без утеснения прожить последние дни. Конечно, я не могу в точности определить, сколько осталось этих дней счетом, но неужто ж нельзя иметь сколько-нибудь терпения? И что же! оказывается, что даже для осуществления этой скромнейшей претензии необходима «протекция». Я должен припоминать старинные связи, должен утруждать напоминанием о своем забытом существовании, должен обращаться к просвещенному содействию. Конечно, в этом содействии мне не будет отказано, и в конце концов я получу-таки право безнаказанно «артачиться» и «показывать кукиш в кармане», но, ради бога, разве нельзя от одной мысли об этой предварительной процедуре сойти с ума?

NOTES

От. зап. 1879, xi; *CC* xiii, 348–53, 360–5.

1. The details regarding land allotments (*nadely*) to the peasants and the dues they would be required to pay after the Emancipation were formulated in agreements (*ustavnye gramoty*) drawn up between the landowner and individual peasants, with the *mirovoi posrednik* acting as arbiter. It was frequently the case that better land which the peasants had worked for themselves before the Emancipation was retained by the landowner, while the peasant was allotted inferior plots.

2. 'Private citizen'.

3. The *zemstvo* and the district courts introduced in 1864, officials of which received salaries.

4. See **19**.

5. The changing style of address indicates the rising prosperity and consequent social respectability of Gruzdev.

6. Vulgarly incorrect for банк.

7. 'In lowly estate'.

8. The official uniform merchants were entitled to wear.

9. The livestock of *nedoimshchiki* (defaulters in the payment of taxes, redemption dues, etc.), sold up to pay the owner's debts.

10. 'Smaller fry'.

11. Chief official of the peasant administration in a *volost'* (*volostnoe pravlenie*). The office of *starshina* was an elective one and involved various administrative and police functions.

12. The lowest-ranking rural police officers, appointed by the peasant administration.

13. Under the terms of the Emancipation edict the peasants were to remain for two years in a state of 'temporary obligation' (*vremennaya obyazannost'*) to their masters and only then receive formal liberation.

14. i.e. serfs (< Ham, son of Noah, whose descendants were doomed to servitude).

15. 'Certificates of discharge', issued to serfs on their liberation.

16. The narrator's bailiff.

17. This section is separated from the preceding by an episode in which the local priest, acting on Razuvaev's instructions, visits the narrator to suggest the advantages of selling up his property.

18. The 'Jack of Hearts Club' (*Klub chervonnykh valetov*) was a gang of fashionable swindlers who perpetrated a series of frauds before being brought to trial in Moscow in 1877. The majority of the forty-five accused were young men of good social background who had, following the decline of their family fortunes, turned to organized crime. They were 'руины' of the same social type as the narrator.

19. The term (старо) культурный человек is used by Saltykov in sketches from the late 1870s to indicate members of the Russian leisured class, the gentry landowners, who, never having had to fend for themselves, face ruin in the post-Emancipation situation. In the first chapter of *Ubezhishche Monrepo* Saltykov describes the *kul'turnyi chelovek* in the following terms:

Культурный человек вообще есть личность, в значительной степени пользующаяся досугом, имеющая более или менее отчетливые представления о комфорте и жизненных удобствах, охотно делающая экскурсии в область эстетики и спекулятивного мышления, но очень редко обладающая прикладными знаниями.... [In the country] Не полеводство нужно культурному человеку, а только общий вид полей. Ему нужны:

прогулка, отдых, много воздуха, отсутствие волнений, беззаботность....
Не труда ищет он в сельском убежище, а безмятежного растительного
существования. (*CC* xiii, 270–1).

20. The 'simpleton', victim of the Razuvaev type of exploiter (кровопивцы).

21. Os′mushnikov and Kolupaev are prospering tavern-keepers and small
traders who have been described in earlier chapters of *Ubezhishche Monrepo*.

22. See n. 3 above.

23. The recently appointed *stanovoi pristav* (see **17**, n. 2). For Gratsianov, see
28.

24. 'I'm in a state of disaffection'. For фрондер, see **22**, n. 15.

25. See **7**, n. 6.

26. Étienne Cabet (1788–1856), French communist theorist, author of the
utopian *Voyage en Icarie*; Karl Marx, whose works began to exert an influence
in Russia in the 1860s; P. J. Proudhon (1809–65), the French socialist thinker,
author of the dictum 'la propriété, c'est le vol'.

27. *Narodnik* revolutionary periodicals published abroad—*Vpered* (by P. L.
Lavrov) in London and Zürich, *Nabat* (by P. N. Tkachev and others) in
Geneva and London.

28. 'Native of the privy'. It is assumed that this is a reference to M. N. Katkov,
editor of the reactionary *Moskovskie vedomosti*, who conducted an unrelenting
campaign against the radical camp and its sympathizers. As the passage goes
on to show, suspicion of revolutionary sympathies was liable to fall on anyone
who did not clearly manifest his political reliability (*blagonamerennost′*)—a
theme developed by Saltykov in more detail in *Sovremennaya idilliya* (see **29**).

19. *Убежище Монрепо:* Предостережение [extract]

Ubezhishche Monrepo ends with a chapter entitled 'Predosterezhenie'. It
is an appeal addressed by Progorelov, a former *pomeshchik*, to the new
exploiting class of tavern-keepers, speculators, and entrepreneurs, urging
them to love their country and to serve it by observing in practice the
principles of 'property, family, and state' which are claimed as the bases
of Russian society, but are at every hand abused. To this Progorelov adds
the warning that if his appeal is ignored, then in time the Razuvaevs (the
new exploiting class) will lose the dominant place which they now occupy
and will in their turn become, like the gentry landowners, 'пропащие
люди'. The chapter is in one sense self-contradictory, since Progorelov
suggests the possibility that the Razuvaevs are capable of acting with
an integrity and sense of responsibility which his own description of
them practically rules out. However, it is a powerful and moving address,
particularly in its statement of the deep concern for his native land felt by

Saltykov, whose voice clearly merges with that of Progorelov through much of the chapter.

The following extract, with which the chapter opens, offers an excellent brief statement of the newly established position of the *chumazyi* and a perceptive analysis of the reasons underlying his acceptance by the authorities as a pillar of society.

ПРЕДОСТЕРЕЖЕНИЕ

(Посвящается кабатчикам, менялам, подрядчикам, железнодорожникам и прочих мироедских дел мастерам!)

Я, отставной корнет Прогорелов,[2] некогда крепостных дел мастер, впоследствии оголтелый землевладелец, а ныне пропащий человек —я обращаю к вам речь мою!

Вся цивилизованная природа свидетельствует о скором пришествии вашем. Улица ликует, дома терпимости прихорашиваются, половые и гарсоны в трактирах и ресторанах в ожидании млеют, даже стерляди в трактирных бассейнах —и те резвее играют в воде, словно говорят: слава богу! кажется, скоро начнут есть и нас! По всей веселой Руси, от Мещанских до Кунавина включительно,[3] раздается один клич: идет чумазый![4] Идет, и на вопрос: что есть истина? твердо и неукоснительно ответит: распивочно и навынос![5]

Присутствуя при этих шумных предвкушениях будущего распивочного торжества, пропащие люди[6] жмутся и ждут... Они понимают, что «чумазый» придет совсем не для того, чтобы «новое слово» сказать, а для того единственно, чтоб показать, где раки зимуют. Они знают также, что именно на них-то он прежде всего и обрушится, дабы впоследствии уже без помехи производить опыты упрощенного кровопивства; но неотразимость факта до того ясна, что им даже на мысль не приходит обороняться от него. Придет «чумазый», придет с ног до головы наглый, с цепкими руками, с несытой утробой —придет и слопает! Только и всего.

И не одна бессознательная, кунавинская природа[7] приветствует ваше пришествие; нет, слухи о вас проникли даже в ту среду, которая уже привыкла формулировать свои предвидения и чаяния.[8] И эта среда, вместе с Кунавиным, спешит всем возвестить ваше пришествие, как вернейший залог грядущего обновления.

Прежде всего, вас приветствуют наши «охранители». Пропащие люди, которых они когда-то из всех сил старались пристроить, ныне до смерти надоели им. Сентиментальничают, ропщут, не то просят прощенья, не то грубят. Что-то невнятное происходит; не поймешь, где тут слава и где стыд. И в довершение всего до того обнажились, что даже на табак подчаску не из чего дать. И это люди, которые когда-то не только сами называли себя столпами, но даже и были оными! Каким чудом случилось, что, обнажаясь все больше и больше, они постепенно выродились в пропащих людей?

История этого превращения для охранителей представляет какую-то неисповедимую загадку. Но еще более загадочным кажется то, что, несмотря ни на какие умертвия, пропащий человек все-таки еще жив состоит. Жизнь с пассивным упорством держится в этом расшатанном организме, держится наряду с явным оголтением... И кто знает? может быть, именно благодаря этому упорству была одна минута, когда казалось, что вот-вот все русское общество вступит на стезю абсолютного и бесповоротного бесстолбия...[9] Да, было и такое время, было! все в русской жизни было! Такое было время, когда все смешалось, когда самые несомненные столпы, казалось, потонули в зияющей бездне, чтобы не вынырнуть из нее никогда! Хорошо, что бог пронес мимо эту дурную фантасмагорию; но охранители и доныне не могут забыть о кратком периоде этого «чуть-чуть не бесстолбия» и, разумеется, вспоминают о нем не только с тоскою, но и с омерзением... Было такое время... га!

Да, слово «столп» не пустой звук, но одна из тех живых и несомненных конкретностей, временное исчезновение которых производит заметную пустоту в кодексе благоустройства и благочиния. Столпы — это выдающиеся пункты, около которых ютится мелкота, иногда ропщущая, но в большинстве случаев безнадежно изнемогающая. Столпы дают тон этой мелкоте, держат ее в изумлении, не допускают обрасти. Одним своим присутствием они с бо́льшим успехом устраняют вредные мечтания,[10] нежели самые деятельные расследования корней и нитей.[11] Расследование налетит и исчезнет; столпы же всегда тут, безотлучно... вплоть до изгноя. Мелкота с суеверным страхом взирает на их незыблемость и инстинктивно понимает, что совместное существование незыблемости и мечтаний[12]—дело не только немыслимое, но и прямо противоестественное. Едва рожденные, вредные мечтания тут же немедленно и умирают. Или, лучше сказать, они даже не рождаются, а только от времени до времени заносятся, в виде эффектного слуха, со стороны, не поселяя в столпах ни малейшей тревоги своим эфемерным появлением...

Вот почему столпы считаются существеннейшим подспорьем, и вот почему, когда наступает момент изгноя, благоразумные охранители заранее подстерегают этот момент и делают нужные приспособления, дабы старые, подгнившие столпы были немедленно заменены новыми...

Ныне, к безмерной радости охранителей, пробел, причиненный кратковременным бесстолбием, пополнен. «Чумазый человек» — в виду у всех; человек свежий, непреклонный и расторопный, который, наверное, освободит охранителей от половины гнетущей их обузы. Нет нужды, что он еще недостаточно поскоблился, что он не тронут наукой и равнодушен к памятникам искусства, что на знамени его только одна надпись читается явственно: распивочно и навынос... Охранитель видит в этом не препятствие, но залог. Чем меньше бродит в обществе превыспренностей,[13] тем прочнее оно стоит — это истина, которая ныне бьет в глаза даже будочникам![14] Что такое «общество»? —это фикция, и больше ничего. Об этой фикции от времени до времени упоминается, потому что совсем забыть о ней как-то совестно, но в сущности... Ах, тем-то ведь и дорог «чумазый человек», что, имея его под рукой, о всех вообще фикциях навсегда можно забыть, и нисколько не будет совестно. Ему ни «общество», ни «отечество», ни «правда», ни «свобода» — ничто ему доподлинно не известно! Ему известен только грош — ну, и пускай он наделает из него пятаков!

Следом за охранителями приветствуют «чумазого человека» и публицисты![15] Никогда не было потрачено столько усилий на разъяснение принципов собственности, семейственности и государственности,[16] никогда с такою настойчивостью, с такими угрозами не было говорено о необходимости ограждения этих принципов. Знаете ли, ради чего поднялась эта суматоха? ради чего так усиленно понадобилось ограждать огражденное и разъяснять разъясненное? все ради вас, кабатчики и менялы! все ради того, чтобы для вас соответствующую обстановку устроить и ваше пришествие приличным образом объяснить.

В старое время и в обществе, и в литературе было насчет этого более нежели просто. Люди наиболее заинтересованные столь же мало думали о вопросах собственности, семейственности и государственности, как мало думает человек, которому приходится периодически совершать один и тот же путь, о домах и заборах, стоящих по обеим сторонам этого пути. Зачем мне, крепостных дел мастеру, было напоминать о существовании каких-то «принципов» собственности, семейственности и государственности, когда я сам был ходячим гимном этим принципам? Зачем мне было подстрекать самого себя на постижение каких-то усложнений, когда стоило только протянуть руку, чтоб без всякого постижения получить желаемое? Все эти «принципы» — я не имел надобности ни расчленять, ни смаковать, ни ограждать их, потому что они представляли собой стихию до такой степени мне родную, что я только весело плавал в ней, как рыба в воде. Мне и на мысль не приходило, что я могу захлебнуться или потонуть в ней (знаю, что под конец я захлебнулся-таки, но ведь зато и наплавался же!). Ничем она не угрожала мне, а только ласкала и нежила.

И вдруг все изменилось. По воле судеб настал период бесстолбия и всех напугал. Начали рыться, доискиваться причин и, наконец, пришли к такому заключению, что даже и в родной стихии нельзя бессрочно плавать, не понимая, что делаешь. Умозаключение это прямо противоречило исторической практике, победоносно доказавшей, что столпы именно до тех пор и стоят крепко, пока крепко стоит бессознательность, но так как бесстолбие одолевало, то приходилось довольствоваться хоть каким-нибудь выходом, чтобы так или иначе освободиться от ненавистного явления. Понадобилось уяснить составные части стихии, указать наилучшие способы управления ею. Вот эту-то задачу и приняла на себя публицистика. Она объяснила, что жизнь совсем не так проста, как это казалось нам, крепостных дел мастерам, что, напротив того, она представляет сплошную цепь больших и малых «принципов», которые постоянно и ревниво надлежит держать перед глазами, дабы благополучно провести свою ладью к желанной пристани.

Но коль скоро однажды объявилась необходимость «принципов», то, само собой разумеется, потребовались и знаменосцы для них. Мы, крепостных дел мастера, не могли быть таковыми, во-первых, потому, что людей, однажды уже ославленных в качестве выслуживших срок, было бы странно вновь привлекать к деятельному столпослужению, а во-вторых, и потому, что, как я уже сказал выше, над всей нашей крепостной жизнью тяготел только один решительный принцип: как только допущены будут разъяснения, расчленения и расследования, так тотчас же все мы пропали! Требовались люди более подходящие, такие, которые зубами вцепились бы в врученные им знамена и всечасно памятовали, что плошать в деле держания знамен — отнюдь не допускается. Такими людьми оказались — вы, кабатчики, железнодорожники, менялы и прочие мироедских дел мастера. Публицисты отлично угадали, что цепче вас в настоящее время людей не найти, и в восторге от этой находки воскликнули: долой бесстолбие! вот они, новоявленные наши столпы!

И точно: бесстолбие как-то вдруг кануло, и ежели о нем изредка вспоминают и теперь, то для того лишь, чтобы с пылающими от стыда щеками воскликнуть: «ужели когда-нибудь был этот позор?» Отныне на вас, кабатчики и менялы, покоятся все упования. Вы совершите то, что не сумели свершить даже мы, ваши достославные предшественники; вы с неумолимою логикою проведете принцип умиротворения посредством обездоления.[17] Мы, крепостных дел мастера, как-то задумывались перед громадностью этой задачи. Не скажу, чтобы нас останавливали на этом пути какие-нибудь соображения высшего порядка, но мы все-таки понимали, что если начать обездоливать вплотную, то из этого, чего доброго, в конце концов произойдет обездоление нашей собственной утробы. Вы и в этом отношении поставлены гораздо выгоднее, нежели мы. Арена вашего обездоления так бесконечна и так загадочна, что даже при самой неисповедимой наглости всегда будет казаться, что еще не все вычерпано, что затерялся еще где-то уголок, в котором процесс обездоления не совершил всего своего круга.

Ввиду столь несомненных свидетельств, и я, Прогорелов, не имею возможности сомневаться: да, вы грядете — это не тайна и для меня. Но, признаюсь откровенно, уверенность эта **не наполняет** моего сердца сладкой надеждой, но, напротив, заставляет меня с некоторым трепетом приподнимать завесу будущего и отыскивать там совсем не те ликующие тоны, которые обещают наши охранители и наши публицисты.

Не думайте, однако ж, кабатчики и менялы, что я сгораю к вам завистью и что именно это дурное чувство препятствует мне приветствовать вас. Нет, тут совсем не то. Вот уж двадцать лет сряду,[18] как я состою в звании пропащего человека, и мне кажется, что этого периода времени вполне достаточно, чтобы пролить бальзам забвения на какие угодно сердечные ропоты. На первых порах я действительно волновался и представлял из себя не то невинно падшего,[19] который успел-таки припрятать в укромном месте кой-какие уцелевшие крохи, не то человека, приведенного в восторженное состояние от беспрерывной молотьбы по голове. Под влиянием свеженанесенной обиды[20] я или ехидствовал, или извергал целые потоки ропотов, причем так бестолково кричал, что не только не вникал в смысл собственных речей, но, в большинстве случаев, за гвалтом не умел даже хорошенько расслышать их. Но вдруг промелькнула светлая минута. Я вслушался, вник и... покраснел. Я понял, что мой ропот был чем-то нелепым по существу и бесконечно неуклюжим по форме; что по существу я обнаруживал только голую алчность, а по форме — только беззаветнейшую невежественность. С тех пор я смирился и замолчал. Изредка, правда, и теперь кое-что сболтну в одном из тех тихих приютов, которые известны под именем земских учреждений,[21] но сболтну неуверенно и как-то невнятно, с пропусками. Точь-в-точь как органчик, которого вал от времени и жестокого обращения утратил три четверти своих колышков.

И знаете ли что еще? С тех пор как я покраснел и сознал, что титул пропащего человека прикреплен за мной бесповоротно, я полюбил это скромное звание. Иногда мне даже сдается, что оно близко граничит с званием человека вообще, что в этом качестве ему предстоит хорошая и прочная будущность и что ежели, для увековечения родов пропащих людей, не будет заведено бархатных и иных книг,[22] то не потому, чтобы люди сии не были того достойны, а потому, что, раз испытав тщету увековечений, они и сами едва ли пожелают их возобновления. Повторяю: я до того примирился с мыслию, что я пропащий человек, что воспоминания минувшей славы уже не пробуждают во мне ни бесплодной горечи, ни несбыточных надежд. Я знаю, что история назад не возвращается, что даже гнусное не повторяется в ней в одних и тех же формах, но или развивается в формы гнуснейшие, или навсегда прекращается и что, стало быть, Прогореловым — как бы они ни вопияли — повториться в прежних формах (а новых они сами не выдержат) не суждено. Одно меня заботит в моем новом положении: сумею ли я настолько совладать с собою и с своим прошлым, чтобы сделаться воистину порядочным пропащим человеком, то есть человеком долга, добра, чести и труда?

Итак, не по чувству зависти я воздерживаюсь от поздравления вас с приездом, а просто потому, что меня берет оторопь. И не за себя я боюсь — чего уж! из меня все, даже страх вынули! — но за отечество.

NOTES

От. зап. 1879, xi; *СС* xiii, 380–6.

1. 'Specialists in exploitation' (мироедский < мироед: '*kulak*', 'exploiter'). Cf. the term used below for *pomeshchik*: крепостных дел мастер.

2. The typical conservative landowner, who had retired to his estate after a brief

army career (cornet was the lowest officer's rank in the cavalry). The name Progorelov (from прогореть 'to go bust') implies the ruinous state of his affairs.

3. 'From the Meshchansky (streets) to Kunavino': the Meshchansky streets in Moscow, a centre of the merchant and trading classes, and the Kunavino district of Nizhny Novgorod (modern Gor'ky), which was the site of the celebrated annual trade fair.

4. Literally 'grubby', as a noun it denoted an upstart from the lower classes. Saltykov uses it with reference to the *kulaks*, small merchants, and others who emerged after the Emancipation as the new exploiters of the peasantry. He sounds a similar refrain in *Melochi zhizni*: 'Идет чумазый, идет!... идет, и даже уже пришел! Идет с фальшивою мерою, с фальшивым аршином и с неутолимою алчностью глотать, глотать, глотать' (*CC* xvi (2), 13).

5. The 'truth' for the *chumazyi* is summed up in the words of the sign displayed at taverns '[liquor for sale] for consumption on or off the premises'.

6. 'Lost men', here the ruined gentry.

7. i.e. 'instinctive commercial interest'. For Kunavino, see n. 3 above.

8. i.e. the 'establishment' represented by the government authorities (охранители) and the organs of the conservative press (публицисты) mentioned below.

9. Commentators are generally agreed that Saltykov is here referring to the so-called 'revolutionary situation' of the early 1860s, when peasant discontent and political agitation might have resulted in a revolutionary eruption. The role ascribed by Saltykov to the gentry in this situation is not altogether clear. He says that the moment arose *as a result* of the gentry's 'stubbornness' ('благодаря ... упорству'): this could be positive, suggesting that the gentry's initiative for social and constitutional reform (exemplified, for instance, in the liberal programmes of the Tver' gentry) helped to undermine the established order; or it could be negative, referring conversely to the resistance to reform on the part of the conservative gentry, which might also be construed as having contributed to the creation of a revolutionary situation.

10. i.e. non-conformist or revolutionary ideas.

11. i.e. direct action against political dissidents. See **13**, n. 17.

12. i.e. вредные мечтания, already mentioned.

13. 'Airy talk'.

14. 'Watchmen', the lowest grade of police functionary, whose duty was the maintenance of public order in the streets.

15. i.e. the conservative press. See n. 8.

16. The proclaimed principles of the age, the hollowness of which was one of the chief themes of Saltykov's satires in the 1870s (see, for instance, **17**).

17. 'Pacification by means of rendering destitute'—that is, the subjugation of the peasant through total exploitation. The massive exploitation practised by the Razuvaevs is contrasted in the following lines with the more prudent exploitation carried on by the old land owners. In an earlier passage Saltykov has remarked with reference to Razuvaev's reckless exploitation of the peasant

that he has shattered the myth of the goose that laid the golden eggs: Razuvaev continues to extract golden eggs from his goose even after the goose is cooked and eaten. Cf. also the remark quoted in **20**, n. 7.

18. i.e. since the time of the Emancipation and the period leading up to it. The sketch was written in 1879.

19. 'Bankrupt'.

20. i.e. the Emancipation, regarded as an 'offence' to the *pomeshchiki*.

21. The *zemstvo* organs did in fact provide a 'haven' (and a source of income) for many dispossessed landowners. The practical ineffectuality of the *zemstva* was constantly criticized by Saltykov, see **26**.

22. Бархатные книги: books recording the genealogy of the Russian nobility.

20. *Сказки:* Коняга

In the midst of the social changes which came about as a direct consequence of the Emancipation one major section of Russian society remained unchanged—the peasants, the intended beneficiaries of the great reform. The economic plight of the peasant after the Emancipation was in many respects worse than before, and there was as ever no release from the psychological bondage of his situation. Saltykov recognized the overriding importance of the peasant problem and devoted many of his works to it. In these works he concerned himself with the two fundamental aspects of the problem as he saw it: first, the irony of the peasant's position as the provider—through a life of toil—of wealth which others then enjoy, and, secondly, the peasant's resigned acceptance of his situation (the theme central to 'Povest' o tom, kak odin muzhik dvukh generalov prokormil' (**8**)). In his later works it is particularly on the poverty and hardship of the peasant's life that Saltykov concentrates, and these are nowhere more powerfully described than in the *skazka* 'Konyaga'. The *skazka* is not limited to a description of peasant hardships, however, but deals with the broad problem of the peasant in Russian society and the relationship of the peasant to the privileged classes. The theme of the *skazka* appears to be based on the popular saying 'Рабочий конь на соломе, пустопляс — на овсе'. The peasant is doubly represented—by the work-horse (коняга) and by its peasant master, who together share a life of perpetual, unrewarded toil. Contrasted to these Saltykov presents the blood-brothers of the work-horse, the пустоплясы (*pop.* for 'saddle-horse'), who represent the privileged classes of Russian society. They do no work, but live in plenty, with leisure to indulge in fanciful theorizing about their less favoured brother.

'Konyaga' is a remarkable example of the way in which Saltykov was able to present in a small compass a comprehensive statement of a whole social problem. The opening pages can also be cited as a good specimen of the powerful descriptive writing of which Saltykov was capable.

Коняга лежит при дороге и тяжко дремлет. Мужичок только что выпряг его и пустил покормиться. Но Коняге не до корма. Полоса выбралась трудная, с камешком: в великую силу они с мужичком ее одолели.

Коняга — обыкновенный мужичий живот; замученный, побитый, узкогрудый, с выпяченными ребрами и обожженными плечами, с разбитыми ногами. Голову Коняга держит понуро; грива на шее у него свалялась; из глаз и ноздрей сочится слизь; верхняя губа отвисла, как блин. Немного на такой животине наработаешь, а работать надо. День-деньской Коняга из хомута не выходит. Летом с утра до вечера землю работает; зимой, вплоть до ростепели, «произведения»[2] возит.

А силы Коняге набраться неоткуда: такой ему корм, что от него только зубы нахлопаешь. Летом, покуда в ночную гоняют, хоть травкой мяконькой поживится, а зимой перевозит на базар «произведения» и ест дома резку из прелой соломы. Весной, как в поле скотину выгонять, его жердями на ноги поднимают; а в поле ни травинки нет; кой-где только торчит махрами сопрелая ветошь, которую прошлой осенью скотский зуб ненароком обошел.

Худое Конягино житье. Хорошо еще, что мужик попался добрый и даром его не калечит. Выедут оба с сохой в поле: «Ну, милый, упирайся!» — услышит Коняга знакомый окрик и понимает. Всем своим жалким остовом вытянется, передними ногами упирается, задними — забирает, морду к груди пригнет. «Ну, каторжный, вывози!» А за сохой сам мужичок грудью напирает, руками, словно клещами, в соху впился, ногами в комьях земли грузнет, глазами следит, как бы соха не слукавила, огреха бы не дала. Пройдут борозду из конца в конец — и оба дрожат: вот она, смерть, пришла! Обоим смерть — и Коняге и мужику; каждый день смерть.

Пыльный мужицкий проселок узкой лентой от деревни до деревни бежит; юркнет в поселок, вынырнет и опять неведомо куда побежит. И на всем протяжении, по обе стороны, его поля сторожат. Нет конца полям; всю ширь и даль они заполонили; даже там, где земля с небом слилась, и там все поля. Золотящиеся, зеленеющие, обнаженные — они железным кольцом охватили деревню, и нет у нее никуда выхода, кроме как в эту зияющую бездну полей. Вон он, человек, вдали идет;

может, ноги у него от спешной ходьбы подсекаются, а издали кажется, что он все на одном месте топчется, словно освободиться не может от одолевающего пространства полей. Не вглубь уходит эта малая, едва заметная точка, а только чуть тускнеет. Тускнеет, тускнеет и вдруг неожиданно пропадет, точно пространство само собой ее засосет.

Из века в век цепенеет грозная, неподвижная громада полей, словно силу сказочную в плену у себя сторожит. Кто освободит эту силу из плена? кто вызовет ее на свет? Двум существам выпала на долю эта задача: мужику да Коняге. И оба от рождения до могилы над этой задачей бьются, пот проливают кровавый, а поле и поднесь своей сказочной силы не выдало,— той силы, которая разрешила бы узы мужику, а Коняге исцелила бы наболевшие плечи.

Лежит Коняга на самом солнечном припеке; кругом ни деревца, а воздух до того накалился, что дыханье в гортани захватывает. Изредка пробежит по проселку вихрами пыль, а ветер, который поднимает ее, приносит не освежение, а новые и новые ливни зноя. Оводы и мухи, как бешеные, мечутся над Конягой, забиваются к нему в уши и в ноздри, впиваются в побитые места, а он — только ушами автоматически вздрагивает от уколов. Дремлет ли Коняга, или помирает — нельзя угадать. Он и пожаловаться не может, что все нутро у него от зноя да от кровавой натуги сожгло. И в этой утехе бог бессловесной животине отказал.

Дремлет Коняга, а над мучительной агонией, которая заменяет ему отдых, не сновидения носятся, а бессвязная подавляющая хмара. Хмара, в которой не только образов, но даже чудищ нет, а есть громадные пятна, то черные, то огненные, которые и стоят, и движутся вместе с измученным Конягой, и тянут его за собой все дальше и дальше в бездонную глубь.

Нет конца полю, не уйдешь от него никуда! Исходил его Коняга с сохой вдоль и поперек, и все-таки ему конца-краю нет. И обнаженное, и цветущее, и цепенеющее под белым саваном — оно властно раскинулось вглубь и вширь, и не на борьбу с собою вызывает, а прямо берет в кабалу. Ни разгадать его, ни покорить, ни истощить нельзя: сейчас оно помертвело, сейчас — опять народилось. Не поймешь, что́ тут смерть и что́ жизнь. Но и в смерти, и в жизни первый и неизменный свидетель — Коняга. Для всех поле раздолье, поэзия, простор; для Коняги оно — кабала. Поле давит его, отнимает у него последние силы и все-таки не признает себя сытым. Ходит Коняга от зари до зари, а впереди его идет колышущееся черное пятно и тянет, и тянет за собой. Вот теперь оно колышется перед ним, и теперь ему, сквозь дремоту, слышится окрик: «Ну, милый! ну, каторжный! ну!»

Никогда не потухнет этот огненный шар, который от зари до зари льет на Конягу потоки горячих лучей; никогда не прекратятся дожди, грозы, вьюги, мороз... Для всех природа — мать, для него одного она — бич и истязание. Всякое проявление ее жизни отражается на нем мучительством, всякое цветение — отравою. Нет для него ни благоухания, ни гармонии звуков, ни сочетания цветов; никаких ощущений он не знает, кроме ощущения боли, усталости и злосчастия. Пускай солнце напоит природу теплом и светом, пускай лучи его вызывают к жизни и ликованию — бедный Коняга знает о нем только одно: что оно прибавляет новую отраву к тем бесчисленным отравам, из которых соткана его жизнь.

Нет конца работе! Работой исчерпывается весь смысл его существования; для нее он зачат и рожден, и вне ее он не только никому не нужен, но, как говорят расчетливые хозяева, представляет ущерб. Вся обстановка, в которой он живет, направлена единственно к тому, чтобы не дать замереть в нем той мускульной силе, которая источает из себя возможность физического труда. И корма, и отдыха отмеривается ему именно столько, чтобы он был способен выполнить свой урок.[3] А затем пускай поле и стихии калечат его — никому нет дела до того, сколько новых ран прибавилось у него на ногах, на плечах и на спине. Не благополучие его нужно, а жизнь, способная выносить иго работы. Сколько веков он несет это иго — он не знает; сколько веков предстоит нести его впереди — не рассчитывает. Он живет, точно в темную бездну погружается, и из всех ощущений, доступных живому организму, знает только ноющую боль, которую дает работа.

Самая жизнь Коняги запечатлена клеймом бесконечности. Он не живет, но и не умирает. Поле, как головоног, присосалось к нему бесчисленными щупальцами и не спускает его с урочной полосы. Какими бы наружными отличками ни наделил его случай, он всегда один и тот же: побитый, замученный, еле живой. Подобно этому полю, которое он орошает своею кровью, он не считает ни дней, ни лет, ни веков, а знает только вечность. По всему полю он разбрелся, и там, и тут одинаково вытягивается всем своим жалким остовом, и везде все он, все один и тот же, безымянный Коняга. Целая масса живет в нем, неумирающая, нерасчленимая и неистребимая. Нет конца жизни — только одно это для этой массы и ясно. Но что такое сама эта жизнь? зачем она опутала Конягу узами бессмертия? откуда она пришла и куда идет? — вероятно, когда-нибудь на эти вопросы ответит будущее... Но, может быть, и оно останется столь же немо и безучастно, как и та темная бездна прошлого, которая населила мир привидениями и отдала им в жертву живых.

Дремлет Коняга, а мимо него пустоплясы проходят. Никто, с первого взгляда, не скажет, что Коняга и Пустопляс — одного отца дети. Однако предание об этом родстве еще не совсем заглохло.

Жил, во времена оны, старый конь, и было у него два сына: Коняга и Пустопляс. Пустопляс был сын вежливый и чувствительный, а Коняга — неотесанный и бесчувственный. Долго терпел старик Конягину неотесанность, долго обоих сыновей вел ровно, как подобает чадолюбивому отцу, но наконец рассердился и сказал: «Вот вам на веки вечные моя воля: Коняге — солома, а Пустоплясу — овес». Так с тех пор и пошло. Пустопляса в теплое стойло поставили, соломки мяконькой постелили, медовой сытой напоили и пшена ему в ясли засыпали; а Конягу привели в хлев и бросили охапку прелой соломы: «Хлопай зубами, Коняга! А пить — вон из той лужи».

Совсем было позабыл Пустопляс, что у него братец на свете живет, да вдруг с чего-то загрустил и вспомнил. «Надоело, говорит, мне стойло теплое, прискучила сыта медовая, не лезет в горло пшено ярое; пойду, проведаю, каково-то мой братец живет!»

Смотрит — ан братец-то у него бессмертный! Бьют его чем ни попадя, а он живет; кормят его соломою, а он живет! И в какую сторону поля ни взгляни, везде все братец орудует; сейчас ты его здесь видел, а мигнул глазом — он уж вон где ногами вывертывает. Стало быть, добродетель какая-нибудь в нем есть, что палка сама об него сокрушается, а его сокрушить не может!

И вот начали пустоплясы кругом Коняги похаживать.

Один скажет:[4]

— Это оттого его ничем донять нельзя, что в нем от постоянной работы здравого смысла много накопилось. Понял он, что уши выше лба не растут, что плетью обуха не перешибешь,[5] и живет себе смирнехонько, весь опутанный пословицами, словно у Христа за пазушкой. Будь здоров, Коняга! Делай свое дело, бди!

Другой возразит:

— Ах, совсем не от здравого смысла так прочно сложилась его жизнь! Что́ такое здравый смысл? Здравый смысл, это — нечто обыденное, до пошлости ясное, напоминающее математическую формулу или приказ по полиции. Не это поддерживает в Коняге несокрушимость, а то, что он в себе жизнь духа и дух жизни носит![6] И покуда он будет вмещать эти два сокровища, никакая палка его не сокрушит!

Третий молвит:

— Какую вы, однако, галиматью городите! Жизнь духа, дух жизни — что это такое, как не пустая перестановка бессодержательных слов? Совсем не потому Коняга неуязвим, а потому, что он «настоящий труд» для себя нашел. Этот труд дает ему душевное равновесие, примиряет его и со своей личною совестью, и с совестью масс, и наделяет его тою устойчивостью, которую даже века рабства не могли победить! Трудись, Коняга! упирайся! загребай! и почерпай в труде ту душевную ясность, которую мы, пустоплясы, утратили навсегда.

А четвертый (должно быть, прямо с конюшни от кабатчика) присовокупляет:

— Ах, господа, господа! все-то вы пальцем в небо попадаете! Совсем не оттого нельзя Конягу донять, чтобы в нем особенная причина засела, а оттого, что он спокон веку к своей юдоли привычен. Теперича хоть целое дерево об него обломай, а он все жив. Вон он лежит — кажется, и духу-то в нем нисколько не осталось,— а взбодри его хорошенько кнутом, он и опять ногами вывертывать пошел. Кто к какому делу приставлен, тот то́ дело и делает. Сосчитайте-ка, сколько их, калек этаких, по полю разбрелось — и все как один. Калечьте их теперича сколько угодно — их вот ни на эстолько не убавится. Сейчас — его нет, а сейчас — он опять из-под земли выскочил![7]

И так как все эти разговоры не от настоящего дела завелись, а от грусти, то поговорят-поговорят пустоплясы, а потом и перекоряться начнут. Но, на счастье, как раз в самую пору проснется мужик и разрешит все споры словами:

— Н-но, каторжный, шевелись!

Тут уж у всех пустоплясов заодно дух от восторга займется.

— Смотрите-ка, смотрите-ка! — закричат они вкупе и влюбе,— смотрите, как он вытягивается, как он передними ногами упирается, а задними загребает! Вот уж именно дело мастера боится! Упирайся, Коняга! Вот у кого учиться надо! вот кому надо подражать! Н-но, каторжный, н-но!

NOTES

Русские ведомости 1885, No. 70; *CC* xvi (1), 171–6.

1. Here in the sense of 'animal'.

2. i.e. 'produce' (произведения природы).

3. Here 'set task'.

4. The four explanations for the vitality of the work-horse put forward in the following passage by the *pustoplyasy* can be seen as representing the viewpoints of, respectively, (i) the liberal gentry, who see the peasant as reasonably performing the task to which he is fitted in life, (ii) the Slavophiles, who suppose the Russian people possess some peculiar gift of the spirit which enables them to suffer and rise above all things, (iii) *narodnik* theorists, who considered working on the land as the natural fulfilment of the peasant's life (alternatively, one might see reflected in the view of the third *pustoplyas* the Tolstoyan ideal of physical labour to which Levin in *Anna Karenina* subscribes), and (iv) the rural capitalist (the '*chumazyi*'), who regards the peasant as an inexhaustible source for exploitation.

5. Two proverbs emphasizing the limitations of life, the impossibility of change, and the need to resign oneself to things as they are.

6. Possibly suggested by references to 'жизнь духа' and 'дух жизни' in the nationalistic poem 'Kiev' (1839) of the Slavophile poet and philosopher A. S. Khomyakov.

7. Cf. Razuvaev's belief in the inexhaustibility of the peasant in *Ubezhishche Monrepo*: in answer to the narrator's doubts about the capacity of the peasant to go on fulfilling the demands made on him Razuvaev replies simply 'Йён[он] доста-а-нит' (*CC* xiii, 372).

21. *За рубежом:* Chapter I [extract]; Chapter VII [extract]

Saltykov's celebrated fantasy 'Mal'chik v shtanakh i mal'chik bez shtanov' is part of the first chapter of *Za rubezhom*, a cycle of sketches based on his journey to Germany and France in June–September 1880 (his second visit to Western Europe, the first had been in 1875–6). Though written on a foreign subject, the sketches are essentially concerned with Russia. By his observations on the social and political scene in Western Europe Saltykov was able to present in sharper focus the problems of his own country. In general he writes critically of the institutions and public life of the countries of Western Europe, which he finds dominated by the entrenched bourgeoisie.

In the dialogue between the boy in trousers and the boy without trousers Saltykov offers a comparative study of the economic and social systems of Germany and Russia. Outwardly Germany has the advantage: the country is prosperous, law and order reign, and life is based on a recognition of the dignity of man ('Что человеку свойственно человеческое'). However, as the dialogue develops it is shown that not all the advantage lies on the German side. German legality is all very well, but by it the German peasant has contracted himself to work for Hecht, the capitalist, and has thus institutionalized his own economic bondage. The Russian situation is different. The Russian peasant is exploited by the capitalist Kolupaev, but he owes him no contractual obligation. He has *given* his soul to Kolupaev for nothing and one day he may take it back—the implication of this being that the economic development of Russia may still avoid the way of 'bourgeois capitalism'. However, the belief of the *narodniki* that because of the traditional institutions of the Russian peasantry this would necessarily be the case is not accepted by Saltykov. Earlier in this first chapter of *Za rubezhom* he has dismissed the *narodnik* claim that the development of a proletariat in Russia was impossible, and in the dialogue of the boys he is definite only in his criticism of the German situation: the question as far as Russia is concerned remains unresolved. In the final chapter of *Za rubezhom*, written in June 1881, Saltykov gives an unoptimistic answer to this question when he presents the untrousered boy of the dream now as a railway worker clad in trousers provided by the capitalist Razuvaev. The most significant event between the writing of Chapter I in September 1880 and Chapter VII in June 1881 was the assassination of Alexander II (March 1881); it seems possible to assume that in the political situation following the assassination Saltykov foresaw an increase in the economic and social power of the capitalist and the diminished likelihood of an independent economic development in Russia.

The 'dream' sketch is a device used a number of times by Saltykov to present a statement of the essence of a problem or situation. He uses the dream again in *Za rubezhom* in 'Torzhestvuyushchaya svin'ya' (see **31**).

From Chapter I

Между Бромбергом и Берлином я заснул и видел чрезвычайно странный сон. Снилось мне, что я очутился в самой простой немецкой деревне и встретил семи-восьмилетнего крестьянского мальчика... в штанах! Никогда этого со мной не бывало. Много езжал я по нашим деревням, много видал в них крестьянских мальчиков — и всегда без штанов. Бежит кудластый мальчонка по деревенской улице, а ветер так и раздувает подол его замазанной рубашонки. Или шлепает мальчонка босыми ногами по грязи, или, заворотив подол, сидит в луже и играется камешками... ах, бедный! А тут, в немецкой деревне, ни грязи, ни традиционной лужи — ничего такого не видать, да вдобавок еще штаны! Это до такой степени меня заинтересовало, что я поманил мальчика и вступил с ним в разговор.

— Скажи, немецкий мальчик,— спросил я,— ты постоянно ходишь в штанах?

— Когда я в первый раз без посторонней помощи прошел по комнате нашего дома, то моя добрая мать, обращаясь к моему почтенному отцу, сказала следующее: «Не правда ли, мой добрый Карл, что наш Фриц с нынешнего дня достоин носить штаны?» И с тех пор я расстаюсь с этой одеждой только на ночь.

Мальчик высказал это солидно, без похвальбы и без всякого глумления над странностью моего вопроса. По-видимому, он понимал, что перед ним стоит иностранец (кстати: ужасно странно звучит это слово в применении к русскому путешественнику; по крайней мере, мне большого труда стоило свыкнуться с мыслью, что я где-нибудь могу быть... иностранцем!!), которому простительно не знать немецких обычаев.

— Изумительно! — воскликнул я,— и ты не боишься запачкать штаны в грязи? ты решаешься садиться в них в лужу?

— Вопрос ваш до крайности удивляет меня, господин! — скромно ответил мальчик,— зачем я буду пачкаться в грязи или садиться в лужу, когда могу иметь для моих прогулок и игр сухие и удобные места? А главное, зачем я буду поступать таким образом, зная, что это огорчит моих добрых родителей?

— Великолепно! Но знаешь ли ты, немецкий мальчик, что существует страна, в которой не только мальчики, но даже вполне совершеннолетний камаринский мужик[1]— и тот с голой ...[2] по улице бежит?

— Я еще не учился географии и потому не смею отрицать, что подобная страна возможна. Но... было бы очень жестоко с вашей стороны так шутить, господин!

— Я нимало не шучу, и ежели хочешь, то могу теперь же познакомить тебя с одним из таких мальчиков.

— Господин! вы в высшей степени возбудили во мне любопытство! Конечно, мне следовало не иначе принять ваше предложение, как с позволения моих добрых родителей; но так как в эту минуту они находятся в поле, и сверх того мне известно, что они тоже очень жалостливы к бедным, то надеюсь, что они не найдут ничего дурного в том, что я познакомлюсь с мальчиком без штанов. Поэтому если вы можете пригласить сюда моего бедного товарища, то я весь к его услугам.

Тогда, по манию волшебства (не надо забывать, что дело происходит в сновидении, где всякие волшебства дозволяются), в немецкую деревню врывается кудластый русский мальчик, в длинной рубахе, подол которой замочен, а ворот замазан мякинным хлебом.³ И между двумя сверстниками начинается драматическое представление под названием:

МАЛЬЧИК В ШТАНАХ И МАЛЬЧИК БЕЗ ШТАНОВ

РАЗГОВОР В ОДНОМ ЯВЛЕНИИ

(Эта пьеса рекомендуется для детских спектаклей)

Театр представляет шоссированную улицу немецкой деревни. М а л ь-ч и к в ш т а н а х стоит под деревом и размышляет о том, как ему прожить на свете, не огорчая своих родителей. Внезапно в средину улицы вдвигается обыкновенная русская лужа, из которой выпрыгивает м а л ь ч и к б е з ш т а н о в.

М а л ь ч и к в ш т а н а х (*конфузясь и краснея в сторону*). Увы! Иностранный господин сказал правду: он без штанов! (*Громко.*) Здравствуйте, мальчик без штанов! (*Подает ему руку.*)

М а л ь ч и к б е з ш т а н о в (*не обращая внимания на протянутую руку*). Однако, брат, у вас здесь чисто!

М а л ь ч и к в ш т а н а х (*настойчиво*). Здравствуйте, мальчик без штанов!

М а л ь ч и к б е з ш т а н о в. Пристал как банный лист... Ну, здравствуй! Дай оглядеться сперва. Ишь ведь как чисто — плюнуть некуда! Ты здешний, что ли?

М а л ь ч и к в ш т а н а х. Да, я мальчик из этой деревни. А вы — русский мальчик?

М а л ь ч и к б е з ш т а н о в. Мальчишко я. Постреленок.

М а л ь ч и к в ш т а н а х. Постреленок? что это за слово такое?

М а л ь ч и к б е з ш т а н о в. А это, когда мамка ругается, так говорит: ах, пострели те горой! Оттого и постреленок!⁴

М а л ь ч и к в ш т а н а х (*старается понять и не понимает*).

М а л ь ч и к б е з ш т а н о в. Не понимаешь, колбаса?⁵ еще не дошел?

М а л ь ч и к в ш т а н а х. Вообще многое, с первого же взгляда, кажется мне непонятным в вас, русский мальчик. Правда, я начал ходить в школу очень недавно, и, вероятно, не все результаты современной науки открыты для меня, но, во всяком случае, не могу не сознаться, что ваш внешний вид, ваше появление сюда среди лужи и ваш способ выражаться сразу повергли меня в величайшее недоумение. Ни мои добрые родители, ни почтеннейшие наставники никогда не предупреждали меня ни о чем подобном... И, во-первых, с позволения вашего, объясните мне, отчего вы, русский мальчик, ходите без штанов?

Мальчик без штанов. Изволь, немец, скажу. Но прежде ты мне скажи, отчего ты так скучно говоришь?

Мальчик в штанах. Скучно?

Мальчик без штанов. Да, скучно. Мямлишь, канитель разводишь, слюнями давишься. Инда голову разломило.

Мальчик в штанах. Я говорю так же, как говорят мои добрые родители, а когда они говорят, то мне бывает весело. И когда я говорю, то им тоже бывает весело. Еще на днях моя почтенная матушка сказала мне: когда я слышу, Фриц, как ты складно говоришь, то у меня сердце радуется!

Мальчик без штанов. А у нас за такой разговор камень на шею, да в воду. У нас по всей земле такой приказ: разговор чтоб веселый был!

Мальчик в штанах (*испуганно*). Позвольте, однако ж, русский мальчик! Допустим, что я говорю скучно, но неужели это такое преступление, чтоб за него справедливо было лишить человека жизни?

Мальчик без штанов. «Справедливо»! Эк куда хватил! Нужно, тебе говорят; нужно, потому что такое правило есть.

Мальчик в штанах (*хочет понять и не понимает*).

Мальчик без штанов. У нас, брат, без правила ни на шаг. Скучно тебе — правило; весело — опять правило. Сел — правило, встал — правило. Задуматься, слово молвить — нельзя без правила. У нас, брат, даже прыщик и тот должен почесаться прежде, нежели вскочит. И в конце всякого правила или поронцы, или в холодную.[6] Вот и я без штанов, *по правилу,* хожу. А тебе в штанах небось лучше?

Мальчик в штанах. Мне в штанах очень хорошо. И если б моим добрым родителям угодно было лишить меня этого одеяния, то я не иначе понял бы эту меру, как в виде справедливого возмездия за мое неодобрительное поведение. И, разумеется, употребил бы все меры, чтоб вновь возвратить их милостивое ко мне расположение!

Мальчик без штанов. Сопляк ты — вот что!

Мальчик в штанах. И этого я не понимаю.

Мальчик без штанов. Дались тебе эти родители! «Добрая матушка», «почтеннейший батюшка»— к чему ты эту канитель завел! У нас, брат, дядя Кузьма намеднись отца на кобеля променял![7] Вот так раз!

Мальчик в штанах (*в ужасе*). Ах, нет! это невозможно!

Мальчик без штанов (*поняв, что он слишком далеко зашел в деле отрицания*). Ну, полно! это я так... пошутил! Пословица у нас такая есть, так я вспомнил.

М а л ь ч и к   в   ш т а н а х. Однако, ежели даже пословица... ах, как это жаль! И как бесчеловечно, что такие пословицы вслух повторяют при мальчиках! (*Плачет.*)

М а л ь ч и к   б е з   ш т а н о в. Завыл, немчура! Ты лучше скажи, отчего у вас такие хлеба́ родятся? Ехал я давеча в луже по дороге — смотрю, везде песок да торфик, а все-таки на полях страсть какие суслоны наворочены!

М а л ь ч и к   в   ш т а н а х. Я думаю, это оттого, что нам никто не препятствует быть трудолюбивыми. Никто не пугает нас, никто не заставляет производить такие действия, которые ни для чего не нужны. Было время, когда и в нашем прекрасном отечестве все жители состояли как бы под следствием и судом, когда воздух был насыщен сквернословием и когда всюду, где бы ни показался обыватель, навстречу ему несся один неумолимый окрик: куда лезешь? не твое дело! В эту мрачную эпоху головы немцев были до того заколочены, что они сделались не способными ни на какое дело. Земля обрабатывалась небрежно и давала скудную жатву, обыватели жили, как дикие, в тесных и смрадных логовищах, а немецкие мальчики ходили без штанов. К счастию, эти варварские времена давно прошли, и с тех пор, как никто не мешает нам употреблять наши способности на личное и общественное благо, с тех пор, как из нас не выбивают податей и не ставят к нам экзекуций, мы стали усердно прилагать к земле наш труд и нашу опытность, и земля возвращает нам за это сторицею. О, русский мальчик! может быть, я *скучно* говорю, но лучше пусть буду я говорить скучно, нежели вести веселый разговор и в то же время чувствовать, что нахожусь под следствием и судом!

М а л ь ч и к   б е з   ш т а н о в (*тронутый*). Это, брат, правда твоя, что мало хорошего всю жизнь из-под суда не выходить. Ну, да что́ уж! Лучше давай насчет хлебов. Вот у вас хлеба́ хорошие, а у нас весь хлеб нынче саранча сожрала![8]

М а л ь ч и к   в   ш т а н а х. Слышал и я об этом и очень об вас жалел. Когда наш добрый школьный учитель объявил нам, что дружественное нам государство страдает от недостатка питания, то он тоже об вас жалел. Слушайте, дети! — сказал он нам,— вы должны жалеть Россию не за то только, что половина ее чиновников и все без исключения аптекаря — немцы, но и за то, что она с твердостью выполняет свою историческую миссию. Как древле, выстрадав иго монголов, она избавила от них Европу, так и ныне, вынося иго саранчи, она той же Европе оказывает неоцененнейшую из услуг!

М а л ь ч и к б е з ш т а н о в. Нескладно что-то ты говоришь, немчура. Лучше, чем похабничать-то, ты мне вот что скажи: правда ли, что у вашего царя такие губернии есть, в которых яблоки и вишенье по дорогам растут и прохожие не рвут их?

М а л ь ч и к в ш т а н а х. Здесь, под Бромбергом, этого нет, но матушка моя, которая родом из-под Вюрцбурга, сказывала, что в тамошней стороне все дороги обсажены плодовыми деревьями. И когда наш старый добрый император получил эти земли в награду за свою мудрость и храбрость, то его немецкое сердце очень радовалось, что отныне баденские, баварские и другие каштаны будут съедаемы его дорогой и лояльной Пруссией.

М а л ь ч и к б е з ш т а н о в. Да неужто деревья по дороге растут и так-таки никто даже яблочка не сорвет?

М а л ь ч и к в ш т а н а х (*изумленно*). Но кто же имеет право сорвать вещь, которая не принадлежит ему в собственность?!

М а л ь ч и к б е з ш т а н о в. Ну, у нас, брат, не так. У нас бы не только яблоки съели, а и ветки-то бы все обломали! У нас, намеднись, дядя Софрон мимо кружки с керосином шел — и тот весь выпил!

М а л ь ч и к в ш т а н а х. Но, конечно, он это по ошибке сделал?

М а л ь ч и к б е з ш т а н о в. Опохмелиться захотелось, а грошика не было — вот он и опохмелился керосином!

М а л ь ч и к в ш т а н а х. Но ведь он, наверное, болен сделался?

М а л ь ч и к б е з ш т а н о в. Разумеется, будешь болен, как на другой день при сходе[10] спину взбондируют!

М а л ь ч и к в ш т а н а х (*пугаясь*). Ах, неужели у вас...

М а л ь ч и к б е з ш т а н о в. А ты думал, гладят?

М а л ь ч и к в ш т а н а х (*окончательно пугается и хочет бежать домой, но мальчик без штанов удерживает его*).

М а л ь ч и к б е з ш т а н о в. Стой! чего испугался! Это нам, которые из простого звания, под рубашку смотрят,[11] а ведь ты... иностранец?! (*Помолчав.*) У тебя звание-то есть ли?

М а л ь ч и к в ш т а н а х. Я — бауер.

М а л ь ч и к б е з ш т а н о в. Это мужик, что ли?

М а л ь ч и к в ш т а н а х. Не мужик, но земледелец!

М а л ь ч и к б е з ш т а н о в. Ну да, известно... мужик!

М а л ь ч и к в ш т а н а х. Нет, земледелец. Мужик — это русский, а у нас — земледелец.

М а л ь ч и к б е з ш т а н о в. На-тко, выкуси![12]

М а л ь ч и к   в   ш т а н а х. Ах, русский мальчик, какие вы странные слова употребляете и как, должно быть, недостаточно воспитание, которое вам дают! Я уверен, например, что вы не знаете, что̀ такое бог?

М а л ь ч и к   б е з   ш т а н о в. А бог его знает, что такое бог! У нас, брат, в селе Успленью-матушке престольный праздник показан — вот мы в спожинки его и справляем![13]

М а л ь ч и к   в   ш т а н а х (*хочет понять и не может*).

М а л ь ч и к   б е з   ш т а н о в. Не дошел? Ну, нечего толковать: я и сам, признаться, в этом не тверд. Знаю, что праздник у нас на селе, потому что и нам, мальчишкам, в этот день портки надевают, а от бога или от начальства эти праздники приказаны — не любопытствовал. А ты мне вот еще что̀ скажи: слыхал я, что начальство здешнее вас, мужиков, никогда скверными словами не ругает — неужто это правда?

М а л ь ч и к   в   ш т а н а х. Отец мой сказывал, что он от своего дедушки слышал, будто в его время здешнее начальство ужасно скверно ругалось. И все тогдашние немцы до того от этого загрубели, что и между собой стали скверными словами ругаться. Но это было уж так давно, что и старики теперь ничего подобного не запомнят.

М а л ь ч и к   б е з   ш т а н о в. А нас, брат, так и сейчас по̀ходя ругают. Кому не лень, только тот не ругает, и всё самыми скверными словами. Даже нам надоело слушать. Исправник ругается, становой ругается, посредник ругается, старшина ругается, староста ругается, а нынче еще урядников ругаться наняли![14]

М а л ь ч и к   в   ш т а н а х (*испуганно*). Но, может быть, это дурная болезнь какая-нибудь?

М а л ь ч и к   б е з   ш т а н о в. То-то что ты не дошел! Правило такое, а ты — болезнь! Намеднись приехал в нашу деревню старшина, увидел дядю Онисима, да как вцепится ему в бороду — так и повис!

М а л ь ч и к   в   ш т а н а х. Ах, боже мой!

М а л ь ч и к   б е з   ш т а н о в. Говорю тебе, надоело и нам. С души прет, когда-нибудь перестать надо. Только как с этим быть? Коли ему сдачи дать, так тебя же засудят, а ему, ругателю, ничего. Вот один парень у нас и выдумал: в вечерни его отпороли, а он в ночь — удавился!

М а л ь ч и к   в   ш т а н а х. Ах, как мне вас жаль! как мне вас жаль!

М а л ь ч и к   б е з   ш т а н о в. Чего нас жалеть! Сами себя не жалеем — стало быть, так нам и надо!

М а л ь ч и к   в   ш т а н а х (*с участием*). Не говорите этого, друг мой! Иногда мы и очень хорошо понимаем, что с нами поступают низко и бесчеловечно, но бываем вынуждены безмолвно склонять голову под ударами судьбы. Наш школьный учитель говорит, что это — наследие прошлого. По моему мнению, тут один выход: чтоб начальники сами сделались настолько развитыми, чтоб устыдиться и сказать друг другу: отныне пусть постигнет кара закона того из нас, кто опозорит себя употреблением скверных слов! И тогда, конечно, будет лучше.

М а л ь ч и к б е з ш т а н о в. Держи карман! Это, брат, у нас «революцией сверху» называется!

М а л ь ч и к в ш т а н а х. А мы, немцы, называем это просто справедливостью. Но откуда вы такое выражение знаете?

М а л ь ч и к б е з ш т а н о в. А это у нас бывший наш барин так говорит. Как ежели кого на сходе сечь приговорят, сейчас он выйдет на балкон, прислушивается и приговаривает: вот она, «революция сверху», в ход пошла![15]

М а л ь ч и к в ш т а н а х. Ах, нет, я совсем не в том смысле...

М а л ь ч и к б е з ш т а н о в. А он у нас во всех смыслах... Выкупные он давно проел,[16] доходов с земли — грош; вот он похаживает у себя по хоромам, да и шутит... во всех смыслах!

М а л ь ч и к в ш т а н а х. Но каким же образом он живет без доходов? Работает?

М а л ь ч и к б е з ш т а н о в. У нас дворянам работать не полагается. У нас, коли ты дворянин, так живи, не тужи. Хошь на солнышке грейся, хошь по ляжке себя хлопай — живи. А чуть к работе пристроился, значит, пустое дело затеял! Превратное, значит, толкование![17]

М а л ь ч и к в ш т а н а х. Какой, однако ж, странный народ у вас живет! Находят, что полезнее по ляжке себя хлопать, нежели работать... изумительно!

М а л ь ч и к б е з ш т а н о в. Да, брат немец! про тебя говорят, будто ты обезьяну выдумал, а коли поглядеть да посмотреть, так куда мы против вас на выдумки тороваты!

М а л ь ч и к в ш т а н а х. Ну, это еще...

М а л ь ч и к б е з ш т а н о в. Верно говорю, и даже пример сейчас приведу. Слыхал я, правда ли, нет ли, что ты такую сигнацию[18] выдумал, что куда хошь ее неси — сейчас тебе за нее настоящие деньги дадут... так, что ли?

М а л ь ч и к в ш т а н а х. Конечно, дадут настоящие золотые или серебряные деньги — как же иначе!

М а л ь ч и к   б е з   ш т а н о в. А я такую сигнацию выдумал: предъявителю выдается из разменной кассы... плюха![19] Вот ты меня и понимай!

М а л ь ч и к   в   ш т а н а х *(хочет понять, но не может).*

М а л ь ч и к   б е з   ш т а н о в. И не старайся, не поймешь! *(Оба мальчика задумываются и некоторое время стоят молча.)*

М а л ь ч и к   в   ш т а н а х. Знаете ли, русский мальчик, чтò я думаю? Остались бы вы у нас совсем! Господин Гехт[20] охотно бы вас в кнехты[21] принял. Вы подумайте только: вы кàк у себя спите? чтò кушаете? А тут вам сейчас войлок хороший для спанья дадут, а пища — даже в будни горох с свиным салом!

М а л ь ч и к   б е з   ш т а н о в. Пища хорошая... А правда ли, немец, что ты за грош черту душу продал?

М а л ь ч и к   в   ш т а н а х. Вы, вероятно, про господина Гехта говорите?.. Так ведь родители мои получают от него определенное жалованье...

М а л ь ч и к   б е з   ш т а н о в. Ну да, это самое я и говорю: за грош черту душу продал!

М а л ь ч и к   в   ш т а н а х. Позвольте, однако ж! Про вас хуже говорят: будто вы совсем задаром душу отдали?

М а л ь ч и к   б е з   ш т а н о в. Ты про Колупаева,[22] что ли, говоришь? Ну, это, брат... об этом мы еще поговорим... Надоел он нам, го-спо-дин Ко-лу-па-ев!

М а л ь ч и к   в   ш т а н а х *(резонно).* Надоел или не надоел — это ваше дело; но заметьте, что всегда так бывает, когда в взаимных отношениях людей не существует самой строгой определенности. Между родителями моими и г. Гехтом никогда не случалось недоразумений — а почему? Потому что в контракте, ими заключенном, сказано ясно: господин Гехт дает грош, а родители мои — душу. Вот и все. Тогда как вы, русские, всё на какую-то «на водку» надеетесь. И потом, когда вместо «на водки» вас награждают ударами, вы ворчите, что вам... надоело! Сквернословие — надоело, господин Колупаев — надоел... Ну, надоело — что же из этого?

М а л ь ч и к   б е з   ш т а н о в. Погоди, немец, будет и на нашей улице праздник!

М а л ь ч и к   в   ш т а н а х. Никогда у вас ни улицы, ни праздника не будет. Убеждаю вас, останьтесь у нас! Право, через месяц вы сами будете удивляться, кàк вы могли так жить, как до сих пор жили!

М а л ь ч и к   б е з   ш т а н о в *(с некоторым раздражением).* Врешь ты! Ишь ведь с гороховицей на свином сале подъехал... диковинка! У нас, брат, шаро́м покати,[23] да зато занятно... Верное слово тебе говорю!

М а л ь ч и к в ш т а н а х. Что́ же тут занятного... «шаро́м покати»!

М а л ь ч и к б е з ш т а н о в. Это-то и занятно. Ты ждешь, что хлеб будет — ан вместо того лебеда́.[24] Сегодня лебеда, завтра лебеда, а послезавтра — саранча, а потом — выкупные подавай![25] Сказывай, немец, как бы ты тут выпутался?

М а л ь ч и к в ш т а н а х (*хочет что-нибудь выдумать, но долгое время не может; наконец выдумывает*). Я полагаю, что вам без немцев не обойтись!

М а л ь ч и к б е з ш т а н о в. На-тко, выкуси!

М а л ь ч и к в ш т а н а х. Опять это слово! Русский мальчик! я подаю вам благой совет, а вы затвердили какую-то глупость и думаете, что это ответ. Поймите меня. Мы, немцы, имеем старинную культуру, у нас есть солидная нау́ка, блестящая литература, свободные учреждения, а вы делаете вид, как будто все это вам не в диковину*. У вас ничего подобного нет, даже хлеба у вас нет,— а когда я, от имени немцев, предлагаю вам свои услуги, вы отвечаете мне: выкуси! Берегитесь, русский мальчик! это с вашей стороны высокоумие, которое положительно ничем не оправдывается!

М а л ь ч и к б е з ш т а н о в. Нет, это не от высокоумия, а надоели вы нам, немцы,— вот что́! Взяли в полон да и держите!

М а л ь ч и к в ш т а н а х. Но плен, в котором держит вас господин Колупаев, по мнению моему, гораздо...

М а л ь ч и к б е з ш т а н о в. Что́ Колупаев! С Колупаевым мы сочтемся... это верно! Давай-ка лучше об немцах говорить. Правду ты сказал: есть у вас и культура, и наука, и искусство, и свободные учреждения [1], да вот что́ худо: к нам-то вы приходите совсем не с этим, а только чтоб пакостничать. Кто самый бессердечный притеснитель русского рабочего человека? — немец! кто самый безжалостный педагог? — немец! кто самый тупой администратор? — немец! кто вдохновляет произвол, кто служит для него самым неумолимым и всегда готовым орудием? — немец! И заметь, что

---

* Прошу читателя помнить, что все это происходит в сновидении, и не удивляться, что немецкий мальчик выражается не вполне свойственным его возрасту языком.

[1] Со стороны русского мальчика этот способ выражаться еще неестественнее, но, опять повторяю, в сновидении нет ничего невозможного.

сравнительно ваша наука все-таки второго сорта, ваше искусство — тоже, а ваши учреждения — и подавно. Только зависть и жадность у вас первого сорта, и так как вы эту жадность произвольно смешали с правом, то и думаете, что вам предстоит слопать мир. Вот почему вас везде ненавидят, не только у нас, но именно везде. Вы подъезжаете с наукой, а всякому думается, что вы затем пришли, чтоб науку прекратить; вы указываете на ваши свободные учреждения, а всякий убежден, что при одном вашем появлении должна умереть всякая мысль о свободе. Все вас боятся, никто от вас ничего не ждет, кроме подвоха. Вон вы, сказывают, Берлин на славу отстроили, а никому на него глядеть не хочется. Даже свои «объединенные» немцы[26] — и тех тошнит от вас, «объединителей». Есть же какая-нибудь этому причина!

Мальчик в штанах. Разумеется, от необразованности. Необразованный человек — все равно что низший организм, так чего же ждать от низших организмов!

Мальчик без штанов. Вот видишь, колбаса! тебя еще от земли не видать, а как уж ты поговариваешь!

Мальчик в штанах. «Колбаса»! «выкуси»! — какие несносные выражения! А вы, русские, еще хвалитесь богатством вашего языка! Целый час я говорю с вами, русский мальчик, и ничего не слышу, кроме загадочных слов, которых ни на один язык нельзя перевести. Между тем дело совершенно ясное. Вот уже двадцать лет, как вы хвастаетесь, что идете исполинскими шагами вперед, а некоторые из вас даже и о каком-то «новом слове»[27] поговаривают — и что же оказывается? — что вы беднее, нежели когда-нибудь, что сквернословие более, нежели когда-либо, регулирует ваши отношения к правящим классам, что Колупаевы держат в плену ваши души, что никто не доверяет вашей солидности, никто не рассчитывает ни на вашу дружбу, ни на вашу неприязнь... ах!

Мальчик без штанов. Ахай, немец! а я тебе говорю, что это-то именно и есть... занятное!

Мальчик в штанах. Решительно ничего не понимаю!

Мальчик без штанов. Где тебе понять! Сказывал уж я тебе, что ты за грош черту душу продал, — вот он теперь тебе и застит свет![28]

Мальчик в штанах. «Сказывал»! Но ведь и я вам говорил, что вы тому же черту задаром душу отдали... кажется, что и эта афера не особенно лестная...

Мальчик без штанов. Так то задаром, а не за грош. Задаром-то я отдал — стало быть, и опять могу назад взять...

Ах, колбаса, колбаса!

From Chapter VII

Наконец, мы и в Вержболове.[29] Все, о чем в течение праздного скитания по заграничным палестинам томилось и тосковало сердце,— все теперь тут, налицо. Осмотр вещам совершился; «отметка о возвращении» оторвана. Тихо, смирно, благородно. Кто-то в толпе крикнул: «теперь, брат, ау!» Крикнул и собственного голоса не узнал. В станционном ресторане подают сосиски с капустой и предупреждают: «Это у немцев, в Эйдткунене,[30] с трихинами, а у нас и заведения этого нет». Все крестятся, все довольны: слава богу! приехали!...

При входе в спальный вагон меня принял молодой малый в ловко сшитом казакине и в барашковой шапке с бляхой во лбу, на которой было вырезано: *Артельщик.* В суматохе я не успел вглядеться в его лицо, однако ж оно с первого же взгляда показалось мне ужасно знакомым. Наконец, когда все понемногу угомонилось, всматриваюсь вновь и кого же узнаю? — того самого «мальчика без штанов», которого я, четыре месяца тому назад, видел во сне, едучи в Берлин!

— Слушайте-ка,— сказал я, улучив минуту, когда он проходил мимо меня,— помните, между Бромбергом и Берлином, в какой-то немецкой деревне, я вас без штанов видел?

Однако он прошел, сделав вид, что не расслышал моего вопроса. Мне даже показалось, что какая-то тень пробежала по его лицу. Минуту перед тем он мелькал по коридору, и на лице его, казалось, было написано: уж ежели ты *мне* на водку не дашь, так уж после этого я и не знаю... Теперь же, благодаря моему напоминанию, он вдруг словно остепенился.

Разумеется, я не настаивал; но явление это не могло, однако ж, не заинтересовать меня. Что собственно не понравилось ему в моем напоминании? То ли, что я когда-то знал его в угнетенном виде, которого он теперь, одевшись в штаны, стыдится, или то, что я был однажды свидетелем, как он хвастался перед «мальчиком в штанах», что он, хоть и без штанов, да зато Разуваеву[31] души не продал, «а ты, немец, контрактом господину Гехту обязался, душу ему заложил»... И вот теперь, после такого решительного бахвальства, я же встречаю его не только в штанах, но и в суконной поддевке, в барашковой шапке, форма и качество которых несомненно свидетельствуют о прикосновенности к этой метаморфозе господина Разуваева.

Подобные неясности в жизни встречаются довольно нередко. Я лично знаю довольно много тайных советников (в Петербурге они меня игнорируют, но за границей, по временам, еще узнают), которые в свое время были губернскими секретарями[32]и в этом чине не отрицали, что подлинный источник света — солнце, а не стеариновая свечка. И представьте себе, ужасно они не любят, когда им про это губернское секретарство напоминают. И тоже трудно разобрать, почему.

В надежде уяснить себе этот вопрос, я несколько раз, даже по пустякам, зазывал «мальчика без штанов» в свой купе́, но какие вопросы я ни предлагал, он на все отвечал однословно и угрюмо. Наконец я решился дать ему двугривенный. Принял.

— Это на первый раз,— поощрительно присовокупил я, не вступая, впрочем, в дальнейший допрос.

Поклонился, но промолчал.

Миновали Ковно.[33]Пришла ночь, а с нею пора делать постели. Я и еще двугривенный дал. Опять принял и даже как будто повеселел.

— От Разуваева штаны получили? — спросил я как бы мимоходом.

— От него.

— А помните ли вы...

Притворился, что какие-то пассажиры его требуют, и ушел, не давши мне договорить.

Ночь я провел совершенно спокойно и видел веселые сны. Я будто бы пишу, а меня будто бы хвалят, находят, что я трезвенные слова говорю. Вообще я давно заметил: воротишься домой, ляжешь в постельку, и начнет тебя укачивать и напевать: «Спи, ангел мой, спи, бог с тобой!»

Утром проснулся, еще семи часов не было. Выхожу в коридор — «мальчик» сидит и папироску курит. Вынимаю третий двугривенный.

— По контракту? — спрашиваю.

— Не ина́че, что так.

— Крепче?

— Для господина Разуваева крепче, а для нас и по контракту все о́дно, что без контракта.

— Значит, даже надежнее, нежели у «мальчика в штанах»?

— Пожалуй, что так.

— А как же теперь насчет Разуваева? помните, хвастались?

Заторопился, стал к чему-то прислушиваться, сделал вид, что нечто услышал, и скрылся.

Вплоть до самой Луги[33] я не мог его уловить. Несколько раз он пробегал мимо, хотя я держал наготове четвертый двугривенный,— и даже с таким расчетом держал, чтоб он непременно заметил его,— но он, очевидно, решился преодолеть себя и навстречу ласке моей не пошел.

Разумеется, это меня возмутило. Вот, думалось мне, как Разуваев «обязал» тебя контрактом, так ты и заочно ему служишь, все равно как бы он всеминутно у тебя перед глазами стоял, а я тебе уж три двугривенных сряду без контракта отдал, и ты хоть бы ухом повел! Нет, надобно это дело так устроить, чтоб на каждый двугривенный — контракт. Коротенький, но точный, и душа чтоб тут же значилась. И непременно в разуваевском вкусе. Чтоб для тебя, «мальчика без штанов», это был контракт, а для меня чтоб все одно, что есть контракт, что его нет.

Наконец, в Луге, все пассажиры разошлись обедать, и я поймал-таки его.

— Вот вам рубль,— говорю.

Принял.

— Слышал я за границей, что покуда я ездил, а на вас мода пошла? — продолжал я.

Усмехнулся и хотел было увильнуть; но потом вспомнил, что я за свой рубль имел хоть на ответ-то право,— и посовестился.

— На нас, сударь, завсегда мода. Потому, господину Разуваеву без нас невозможно.

Проговорив это, он скорым шагом удалился к выходу и через минуту уже сновал взад и вперед по платформе, отрывая зубами куски булки, которая заменяла ему обед.

Через два часа мы были дома.

NOTES

От. зап. 1880, ix; 1881, vi; *CC* xiv, 32–42, 241–3.

1. The камаринский мужик is famed for his exploits of wild dissipation recorded in the roisterous unprintable song, the 'Kamarinskaya'.

2. *Sc.* задницей. The omission dates from the journal text.

3. Poor-quality bread made with chaff (мякина).

4. A play on words relating пострел(енок) 'scamp' to пострелить in the phrase пострели те горой, 'damn and blast you'.

5. Колбаса: used pejoratively for 'German'.

6. 'It's either a thrashing or the lock-up'.

7. Dal' records a saying concerning the inhabitants of Rzhev, who were renowned as dog-fanciers: 'Ржовцы кобелятники: родного отца на борзого кобеля променяли' (Dal', *Tolkovyi slovar'*, izd. 3-e (1903–9), ii, 317).

8. The year 1880, when this sketch was composed, was in fact a year of particularly serious damage to crops by locusts in southern Russia.

9. The southern German states of Baden, Württemburg, and Bavaria had become part of the German Empire in 1871.

10. 'The village assembly' (*sel'skii skhod*), which after 1861 was responsible for the internal affairs of the village commune.

11. 'Beat', 'flog'.

12. A vulgar expression of mockery or defiance (accompanied by a gesture of proffering a thumb thrust between the index and middle fingers). A rough English equivalent would be 'sucks to you'.

13. The Feast of the Assumption (*Uspenie*) in August coincided with the traditional peasant harvest celebrations (*spozhinki*). The point of the Russian boy's remark is that for the peasant Christianity is still confused with pagan tradition.

14. The hierarchy of police and judicial officials in rural districts: for исправник and становой (пристав), see **17**, n.2; (мировой) посредник: 'peace mediator', an arbitrator originally appointed to supervise the Emancipation procedures, possessing also some magisterial powers; for старшина, see **18**, n. 11; староста: the elected head of the *sel'skii skhod* (see n. 10); for урядник, see **32**, n. 14.

15. The phrase 'revolution from above' stems from Alexander II's declaration to the Moscow nobility in 1856 that it would be better to free the serfs 'from above' than await their liberation 'from below' (i.e. by revolution). To the landowner it is an ironic result of the Emancipation and the reforms that the peasants are still beaten, now by their own fellows.

16. 'He got through his redemption money'. Compensation to landowners for the surrender of their rights to the peasants and the lands allotted to the peasants was paid in the form of government redemption bonds (*vykupnye svidetel'stva*). Such was the improvidence of the landowners that by 1870 they had collectively worked through their redemption payments and incurred new debts amounting to 250 million roubles (figures quoted in W. E. Mosse, *Alexander II and the Modernization of Russia* (1958), 78).

17. i.e. any departure from normality (such as working!) by a member of the gentry is regarded as seditious non-conformity.

18. For ассигнацию 'bank-note'.

19. 'Slap in the face', cf. оплеуха. Ivanov-Razumnik links this remark of the Russian boy with a *bon mot* of Saltykov on the devaluation of the rouble abroad. His response to the news that the exchange rate for the rouble was only half its face value was: 'Погодите, скоро за него будут только по морде давать' (M. E. Saltykov-Shchedrin, *Sochineniya* (M.-L., 1926–8), iv,646).

20. The German capitalist Herr Hecht ('pike'—cf. the traditional role of the pike as predator, for example in 'Premudryi piskar'' (**30**)).

21. 'As a labourer': German *Knecht* 'farm-labourer', 'workman'.

22. The *chumazyi* merchant and tavern-keeper who figures in *Ubezhishche Monrepo* (see **18**).

23. Translate 'the cupboard's bare'.

24. 'Goose-foot', see **13**, n. 10.

25. 'Pay up your redemption dues' (the dues the peasants were obliged to pay by instalments for the land they received at the Emancipation).

26. i.e. the Germans of the states united into the German Empire by the Prussians (объединители).

27. A catchphrase of the *pochvenniki*, who propounded a kind of elemental nationalism (they included Dostoevsky, Apollon Grigor'ev, N. A. Strakhov, and others). The *pochvenniki* particularly emphasized the contrast between declining Europe and awakening Russia, which they expected one day to utter a 'new word' of truth. In Dostoevsky's *Besy* their standpoint is represented by Shatov, cf. his reference to the 'completely new word, the final, only word of renewal and resurrection' by which the Russian people might revivify Europe.

28. 'Keeps you in the dark'. Застить (reg.) 'to shade', 'to keep the light off' (someone).

29. The Russian frontier station (modern Virbalis, in Lithuania) on the Königsberg–St. Petersburg railway. The narrator is now returning from his European travels.

30. Eydtkuhnen (modern Chernyshevskoe) in East Prussia, then the German frontier station.

31. The *chumazyi* capitalist who figures in *Ubezhishche Monrepo* and other cycles. Saltykov has evidently overlooked the fact that his earlier reference had been to Kolupaev, not Razuvaev.

32. *Tainyi sovetnik* and *gubernskii sekretar'* were respectively officials of the third and thirteenth grades in the Table of Ranks.

33. Kovno (Kaunas) and Luga: towns on the railway line to St. Petersburg.

THE LIBERALS

22. *Благонамеренные речи:* По части женского вопроса [extract]

A major object of Saltykov's satire in the post-reform period, and one against which he directed his most punishing irony, was Russian liberalism, which he condemned for its hollow pretensions, political pusillanimity, and total ineffectuality. This extract from *Blagonamerennye rechi* provides a concise statement of the character and outlook of the Russian liberal as Saltykov saw them. In the person of the narrator we are presented with a middle-aged liberal, a 'man of the forties' with a salon reputation for extreme political views, but who, from timidity and lack of real conviction, has never done anything more than talk, and then only in the most circumspect terms, about political questions. The idea of political *action* is completely abhorrent to him (cf. Saltykov's statement in *Satiry v proze*: 'между либеральным враньем и либеральным делом лежит целая пропасть' (*CC* iii, 271)). This self-characterization is followed by the narrator's description of his acquaintance, the official Teben'kov, whose 'liberalism' is even more petty and spurious than his own, and who is summed up in the classic phrase: 'Он даже не либерал, а фрондер, или, выражаясь иначе: почтительно, но с независимым видом лающий русский человек.' In both characterizations we see Russian liberalism exposed as an insignificant force, lacking in conviction, purpose, and integrity.

Я либерал, а между «своими» слыву даже «красным». «Наши дамы», разумеется в шутку, но тем не менее так мило называют меня Гамбеттой, что я никак не могу сердиться на это. Скажу по секрету, название это мне даже льстит. Что ж, думаю, Гамбетта так Гамбетта — не повесят же в самом деле за то, что я Гамбетта, переложенный на русские нравы! Не знаю, по какому поводу пришло ко мне это прозвище, но предполагаю, что я обязан ему не столько революционерным моим наклонностям, сколько тому, что сызмалолетства сочувствую «благим начинаниям».[2] В сороковых годах я с увлечением аплодировал Грановскому и зачитывался статьями Белинского.[3] В средине пятидесятых годов[4] я помню одну ночь, которую я всю напролет прошагал по Невскому и чувствовал, как все мое существо словно уносит куда-то высоко, навстречу какой-то заре, которую совершенно явственно видел мой умственный взор. В конце пятидесятых и в начале шестидесятых годов я просто-напросто ощущал, что подо мною горит земля. Я не жил в то время, а реял и трепетал при звуках: «гласность», «устность», «свобода слова», «вольный труд», «независимость суда»[5] и т. д., которыми был полон тогдашний воздух. В довершение всего, я был мировым посредником.[6] Даже и ныне, когда все уже совершилось и желать больше нечего, я все-таки не прочь посочувствовать тем людям, которые продолжают нечто желать. По старой привычке, мне все еще кажется, что во всяких желаниях найдется хоть крупица чего-то подлежащего удовлетворению (особливо если тщательно рассортировывать желания настоящие, разумные от излишних и неразумных, как это делаю я) и что если я люблю на досуге послушать, какие бывают на свете вольные мысли, то ведь это ни в каком случае никому и ничему повредить не может. Ведь я не выхожу с оружием в руках! Ведь я люблю вольные мысли лишь постольку, поскольку они представляют matière à discussion! Будемте спорить, господа! raisonnons, messieurs, raisonnons! Но чтобы, с божьею помощью, выйти с вольными мыслями куда-нибудь на площадь... Нет, это уж позвольте, господа! — Это запрещено-с!

А так как «наши дамы» знают мои мирные наклонности и так как они очень добры, то прозвище «Гамбетта» звучит в их устах скорее ласково, чем сердито. К тому же, быть может, и домашние Руэры[7] несколько понадоели им, так что в Гамбетте они подозревают что-нибудь более пикантное. Как бы то ни было, но наши дамы всегда спешат взять меня под свое покровительство, как только услышат, что на меня начинают нападать. Так что, когда однажды князь Лев Кирилыч, выслушав одну из моих «благоначинательных» диатриб, воскликнул:

— Вы, мой любезнейший друг,— человек очень добрый, но никогда никакой карьер не достигнете! — Потому что вы есть «красный»!

То княгиня Наталья Борисовна очень мило заступилась за меня, сказав:

— Ce pauvre Gambetta! Il est dit qu'il restera toujours méconnu et calomnié! Et il ne deviendra ni sénateur, ni membre du Conseil de l'Empire!

Одним словом, я представляю собой то, что в нашем кружке называют un libéral très prononcé, или, говоря другими словами, я человек, которого никто никогда не слушает и которому, если б он сунулся к кому-нибудь с советом, бесцеремонно ответили бы: mon cher! vous divaguez! И я сознаю это; я понимаю, что я не способен и что в мнении моем действительно никому существенной надобности не предстоит. Так что однажды, когда два дурака, из породы умеренных либералов (то есть два такие дурака, о которых даже пословица говорит: «Два дурака съедутся — инно лошади одуреют»), при мне вели между собой одушевленный обмен мыслей о том, следует ли или не следует принять за благоприятный признак для судебной реформы то обстоятельство, что тайный советник Проказников не получил к празднику никакой награды, то один из них, видя, что и я горю нетерпением посодействовать разрешению этого вопроса, просто-напросто сказал мне: «Mon cher! ты можешь только запутать, помешать, но не разрешить!» И я не только не обиделся этим, но простодушно ответил: «Да, я могу только запутать, а не разрешить!» — и скромно удалился, оставив дураков переливать из пустого в порожнее на всей их воле...

Но как ни велико мое сочувствие благим начинаниям, я не могу выносить шума, я страдаю, когда в ушах моих раздается крик. Я рос и воспитывался в такой среде, где так называемые «резкости» считаются первым признаком неблаговоспитанности. Поэтому, когда передо мной начинают «шуметь», мне делается не по себе, и я способен даже потерять из вида предмет, по поводу которого производится «шум». Случалось, что я отворачивался от многих «благих начинаний», к которым я несомненно отнесся бы благосклонно, если б не примешались тут «шум» и «резкости». «Помилуйте! — говорю я,— разве можно иметь дело с людьми, у которых губы дрожат, глаза выпучены и руки вертятся, как крылья у мельницы? С людьми, которые не демонстрируют, а кричат? Сядемте, господа! будемте разговаривать спокойно! сперва пусть один скажет, потом другой пусть выскажется, после него третий и т. д. Тогда я, конечно, готов и выслушать, и взвесить, и сообразить, а ежели окажется возможным и своевременным... отчего же и не посочувствовать! Но вы хотите кричать на меня! вы хотите палить в меня, как из пушки,— ну, нет-с, на это я не согласен!»

А так как только что проведенный вечер[8] был от начала до конца явным опровержением той теории поочередных высказов, которую я, как либерал и притом «красный», считаю необходимым условием истинного прогресса, то очевидно, что впечатление, произведенное на меня всем слышанным и виденным, не могло быть особенно благоприятным.

Но еще более неблагоприятно подействовал вечер на друга моего Тебенькова? Он, который обыкновенно бывал словоохотлив до болтливости, в настоящую минуту угрюмо запахивался в шубу и лишь изредка, из-под воротника, разрешался афоризмами, вроде: «Quel taudis! Tudieu, quel exécrable taudis» или: «Ah, pour l'amour du ciel! où me suis-je donc fourré!» и т. д.

Тебеньков — тоже либерал, хотя, разумеется, не такой красный, как я. Я — Гамбетта, то есть человек отпетый и не признающий ничего святого (не понимаю, как только земля меня носит!). «Наши» давно махнули на меня рукой, да и я сам, признаться, начинаю подозревать, что двери сената и Государственного совета заперты для меня навсегда. Я мог бы еще поправить свою репутацию (да и то едва ли!), написав, например, вторую «Парашу Сибирячку»[10] или что-нибудь вроде «С белыми Борей власами»,[11] но, во-первых, все это уж написано, а во-вторых, к моему несчастию, в последнее время меня до того одолела оффенбаховская музыка, что как только я размахнусь, чтоб изобразить монолог «Неизвестного»[12] (воображаемый монолог этот начинается так: «И я мог усумниться! О, судебная реформа! о, земские учреждения! И я мог недоумевать!»), или, что одно и то же, как только приступлю к написанию передовой статьи для «Старейшей Российской Пенкоснимательницы»[12] (статья эта начинается так: «Есть люди, которые не прочь усумниться даже перед такими бесспорными фактами, как, например, судебная реформа и наши всё еще молодые, всё еще неокрепшие, но тем не менее чреватые благими начинаниями земские учреждения» и т. д.), так сейчас, словно буря, в мою голову вторгаются совсем неподходящие стихи:

Je suis gai!
Soyez gais!
Il le faut!
Je le veux! [13]

И далее я уже продолжать не могу, а прямо бегу к фортепьяно и извлекаю из клавиш целое море веселых звуков, которое сразу поглощает все горькие напоминания о необходимости монологов и передовых статей...

Совсем другое дело — Тебеньков. Во-первых, он, как говорится, toujours à cheval sur les principes; во-вторых, не прочь от «святого»[14] и выражается о нем так: «convenez cependant, mon cher, qu'il y a quelque chose que notre pauvre raison refuse d'approfondir», и, в-третьих, пишет и монологи и передовые статьи столь неослабно, что никакой Оффенбах не в силах заставить его положить оружие, покуда существует хоть один несраженный враг. Поэтому, хотя он в настоящую минуту и не у дел, но считает карьеру свою далеко не оконченною, и когда проезжает мимо сената, то всегда хоть одним глазком да посмотрит на него. В сущности, он даже не либерал, а фрондер[15] или, выражаясь иначе: почтительно, но с независимым видом лающий русский человек.

Происхождение его либерализма самое обыкновенное. Кто-то когда-то сделал что-то не совсем так, как он имел честь почтительнейше полагать. По-настоящему, ему тогда же следовало, не конфузясь, объяснить недоразумение и возразить: «Да я именно, ваше превосходительство, так и имел честь почтительнейше полагать!» — но, к несчастию, обстоятельства как-то так сложились, что он не успел ни назад отступить, ни броситься в сторону, да так и остался с почтительнейшим докладом на устах. Вот с этих пор он и держит себя особняком и не без дерзости доказывает, что если б вот тут на вершок убавить, а там на вершок прибавить (именно как он в то время имел наглость почтительнейше полагать), то все было бы хорошо и ничего бы этого не было. Но в то же время он малый зоркий и очень хорошо понимает, что будущее еще не ускользнуло от него.

— Я теперь в загоне, mon cher,— откровенничает он иногда со мной,— я в загоне, потому что ветер дует не с той стороны. Теперь — честь и место князю Ивану Семенычу:[16] c'est lui qui fait la pluie et le beau temps. Tant qu'il reste là, je m'éclipse — et tout est dit. Но это не может продолжаться. Cette bagarre gouvernementale ne saurait durer. Придет минута, когда вопрос о князе Льве Кирилыче сам собою, так сказать, силою вещей, выдвинется вперед. И тогда...

Дойдя до этого «тогда», он скромно умолкает, но я очень хорошо понимаю, что «тогда»-то именно и должно наступить царство того серьезного либерализма, который понемножку да помаленьку, с божьею помощью, выдаст сто один том «Трудов»[17] с таковым притом заключением, чтобы всем участвовавшим в «Трудах», в вознаграждение за рвение и примерную твердость спинного хребта, дать в вечное и потомственное владение хоть по одной половине уезда в плодороднейшей полосе Российской империи, и затем уже всякий либерализм навсегда прекратить.

За всем тем, он человек добрый или, лучше сказать, мягкий, и те вершки, которые он предлагает здесь убавить, а там прибавить, всегда свидетельствуют скорее о благосклонном отношении к жизни, нежели об ожесточении. Выражения: согнуть в бараний рог, стереть с лица земли, вырвать вон с корнем, зашвырнуть туда, куда Макар телят не гонял,[18]— никогда не принимались им серьезно. По нужде он, конечно, терпел их, но никак не мог допустить, чтоб они могли служить выражением какой бы то ни было административной системы. Он был убежден, что даже в простом разговоре нелишнее их избегать, чтобы как-нибудь по ошибке, вследствие несчастного lapsus linguae, в самом деле кого-нибудь не согнуть в бараний рог. Первая размолвка его с князем Иваном Семенычем (сначала они некоторое время служили вместе) произошла именно по поводу этого выражения. Князь утверждал, что «этих людей, mon cher, непременно надобно гнуть в бараний рог», Тебеньков же имел смелость почтительнейше полагать, что самое выражение «гнуть в бараний рог» — est une expression de nationalgarde,[19]à peu près vide de sens.

— Смею думать, ваше сиятельство,— доложил он,— что и заблуждающийся человек может от времени до времени что-нибудь полезное сделать, потому что заблуждения не такая же специальность, чтобы человек только и делал всю жизнь, что заблуждался. Франклин, например, имел очень многие и очень вредные заблуждения, но по прочему по всему и он был человек небесполезный.[20]Стало быть, если б его в то время взять и согнуть в бараний рог, то хотя бы он и прекратил по этому случаю свои заблуждения, но, с другой стороны, и полезного ничего бы не совершил!

Выслушав это, князь обрубил разом. Он встал и поклонился с таким видом, что Тебенькову тоже ничего другого не оставалось, как, в свою очередь, встать, почтительно расшаркаться и выйти из кабинета. Но оба вынесли из этого случая надлежащее для себя поучение. Князь написал на бумажке: «Франклин — иметь в виду, как одного из главных зачинщиков и возмутителей»; Тебеньков же, воротясь домой, тоже записал: «Франклин — иметь в виду, дабы на будущее время избегать разговоров о нем».

Таким образом, Тебеньков очутился за пределами жизненного пира[21] и начал фрондировать. С этих пор репутация его, как либерала, дотоле мало заметная, утвердилась на незыблемом основании. Идет ли речь о женском образовании — Тебеньков тут как тут; напишет ли кто статью о преимуществах реального образования перед классическим[22]— прежде всего спешит прочесть ее Тебенькову; задумается ли кто-нибудь о средствах к устранению чумы рогатого скота — идет и перед Тебеньковым изливает душу свою. Народные чтения, читальни, издание дешевых книг, распространение в народе здравых понятий о том, что ученье свет, а неученье тьма[23]— везде сумел приютиться Тебеньков и во всем дает чувствовать о своем присутствии. Здесь скажет несколько прочувствованных слов, там — подарит десятирублевую бумажку. И вместе с тем добр, ну так добр, что я сам однажды видел, как одна нигилисточка трепала его за бакенбарды, и он ни одним движением не дал почувствовать, что это его беспокоит. Словом сказать, человек хоть куда, и я даже очень многих знаю, которые обращают к нему свои взоры с гораздо большею надеждою, нежели ко мне...

NOTES

От. зап. 1873, i; *CC* xi, 253–9.

1. Léon Gambetta (1838–82), the French statesman, a leading figure of the republican opposition during the last years of Napoleon III's reign. There is perhaps some irony in his being regarded here as a symbol of political extremism—after the establishment of the Third Republic he followed a much more moderate political line and Saltykov took a generally negative view of him.

2. A phrase current in politically well-intentioned writing of the time indicating progressive, reformist policies.

3. Two of the main idols of the progressive younger generation in the 1840s—T. N. Granovsky (1813–55), the westernizer and historian, who as professor of history at Moscow University enjoyed great popularity both for his liberal progressive ideas and for his skill as a lecturer, and V. G. Belinsky (1811–48), the critic, whose essays in *Sovremennik* and *Otechestvennye zapiski* dealt with broad philosophical, political, and social questions as well as literature.

4. i.e. after the accession of Alexander II, when reform became a real possibility.

5. Some of the chief reforms expected in the new reign—public judicial proceedings, oral conduct of court business, relaxation of censorship, emancipation of the serfs, and independence of the judiciary.

6. See **21**, n. 14. The *mirovoi posrednik* was, typically, a well-intentioned, liberal-minded abolitionist member of the gentry.

7. 'Home-grown Rouhers', i.e. conservatives. Eugène Rouher (1814–84) was a right-wing politician and statesman who played a leading part in the government of Napoleon III.

8. The chapter from which this extract is taken opens with the narrator describing an evening gathering at which an impassioned dispute on the 'woman question' had taken place.

9. The narrator's companion at the evening gathering.

10. A patriotic play by N. A. Polevoy (1796–1846).

11. The opening line of Derzhavin's poem 'Na rozhdenie v severe porfirorodnogo otroka' (1779) celebrating the birth of Alexander I.

12. References to the liberal journalist A. S. Suvorin and the official newspaper *Sankt-Peterburgskie vedomosti* to which he contributed articles over the

signature 'Незнакомец'. For *Stareishaya Rossiiskaya Penkosnimatel'nitsa*, see introductory note to **23**.

13. Lines from Offenbach's *La Belle Hélène*. A passion for Offenbach is commonly a sign of political and moral turpitude in Saltykov's characters.

14. i.e. religion.

15. Besides meaning *frondeur* in the historical sense, фрондер in Russian has also the general meaning of 'a disaffected person'. In Saltykov's use of the word the chief implication is of *passive* dissatisfaction which will never express itself in active opposition, an implication clearly stated in the definition of фрондер which he gives here. Cf. also the reflections of the narrator in the introduction to *Blagonamerennye rechi*: '...на какой-такой «образ действия» я, как русский фрондер, могу претендовать? Агитировать — запрещено; революции затевать — тем паче' (*CC* xi, 8).

16. Teben'kov's present chief, whose replacement (by Prince Lev Kirilych mentioned below) he expects in time.

17. i.e. produce a mass of reports, documents, etc. but take no positive action.

18. Aesopisms for repressive governmental policies, the latter (... туда, куда Макар телят не гонял) a commonplace for 'exile'.

19. The French Garde Nationale was a militia force, particularly concerned with the maintenance of internal peace and order. The connotation here is of an agency of repression.

20. Benjamin Franklin (1706–90), the American statesman and scientist. Among his 'aberrations' would be the active part he played in the American War of Independence.

21. i.e. found his prospects of advancement in his career and in society limited as a result of his 'extreme' views.

22. The relative merits of 'classical' and 'real' education were hotly disputed in the 1860s and 1870s. The question was a political as well as an educational one: 'safe' classical studies were generally favoured by conservatives, while progressive opinion supported the study of 'real' subjects, especially the natural sciences. The study of science was viewed with suspicion by the authorities as encouraging the spread of materialism and a revolutionary outlook among the young—hence the *risqué* nature of Teben'kov's interest in 'real' education. In the period of reaction after 1866, when Dmitry Tolstoy was Minister of Education, the status of 'real' studies was considerably reduced. By the educational reforms of 1871–2 the existing *real'nye gimnazii* were downgraded to *real'nye uchilishcha* and the curriculum of the classical *gimnazii* was revised to give even greater emphasis to the study of Latin and Greek. Only those who had studied in *gimnazii* could qualify for admission to the universities.

23. In the 1860s there was a movement to spread literacy among the peasant masses. The *zemstva* and charitable organizations, as well as individuals (sometimes politically motivated), shared in the work, which was viewed with suspicion by the authorities as spreading potentially dangerous ideas. Village libraries and reading-rooms, cheap texts and public readings were among the means employed to raise the educational level of the peasants.

23. *Дневник провинциала в Петербурге:* Chapter V [extract]

In *Dnevnik provintsiala v Peterburge* Saltykov made a major assault on the position of the liberal intelligentsia. The 'diary' recorded the observations on St. Petersburg life of a provincial landowner, who flees to the capital to escape the depressing circumstances of his life in the country in the post-Emancipation period. In the course of his peregrinations through St. Petersburg society he encounters members of different political factions—conservatives anxious to turn back the clock and undo the reforms, and liberals who despite their posturing prefer inactivity to acitivity and the *status quo* to any kind of progress. Representatives of this 'liberalism', in particular—as described in the *Dnevnik*—those in the fields of literature, journalism, and scholarship, Saltykov labelled 'пенкосниматели' ('cream-skimmers'), a name which indicates their superficiality and avoidance of fundamental questions, and which also implies, as Kyra Sanine suggests (in *Saltykov-Chtchédrine*, 186), 'taking the best', i.e. enjoying the comforts of a privileged existence, which is also characteristic of Saltykov's *penkosnimatel'*. Though dedicated to an avoidance of real issues and exclusively concerned with trivialities, the *penkosnimateli* were not, in Saltykov's view, a neutral element in Russian life. In the final chapter of the *Dnevnik* (*Ot. zap.* 1872, xii) he bitterly condemned them as the associates and supporters of the *khishchniki,* the crude exploiters of the new age, from whose actions they benefited and for which they provided a judicious gloss of principle and expedience.

The present extract provides a summary of the aims—or rather non-aims—of the *penkosnimateli*. It is a mock document (a satirical form particularly favoured by Saltykov) containing the constitution of a learned literary society, the *Vol'nyi soyuz penkosnimatelei*. In the 'explanations' to the paragraphs of the constitution the document parodies the airy effusive manner of the liberal press. Though the liberal press as a whole was here under attack, a particular target of Saltykov's satire seems to have been the newspaper *Sankt-Peterburgskie vedomosti*, presented here under the title of *Stareishaya Vserossiiskaya Penkosnimatel'-nitsa*, the editor of which in the *Dnevnik*, Menandr Prelestnov, has been claimed as a satirical portrayal of V. F. Korsh, the editor of *Sankt-Peterburgskie vedomosti*. Following the publication of the episodes relating to the *penkosnimateli* a bitter polemic developed between the newspaper and *Otechestvennye zapiski*.

Устав Вольного Союза Пенкоснимателей

«Устав» разделён на семь параграфов, в свою очередь подразделённых на статьи. Каждая статья снабжена объяснением, в котором подробно указываются мотивы, послужившие для статьи основанием.

«Устав» гласил следующее:

§ 1. *Цель учреждения Союза и его организация*

Ст. 1. За отсутствием настоящего дела и в видах безобидного препровождения времени, учреждается учено-литературное общество под названием «Вольного Союза Пенкоснимателей».

Объяснение. В журнале «Вестник Пенкоснимания», в статье «Вольный Союз Пенкоснимателей перед судом общественной совести», сказано: «В сих печальных обстоятельствах¹ какой исход предстоял для русской литературы? — По нашему посильному убеждению, таких исходов было два: во-первых, принять добровольную смерть, и во-вторых, развиться в «Вольный Союз Пенкоснимателей». Она предпочла последнее решение, и, смеем думать, поступила в этом случае не только разумно, но и вполне согласно с чувством собственного достоинства. Зачем умирать, когда в виду еще имеется обширное и плодотворное поприще пенкоснимания?»

Ст. 2. Никакой организации Союз не имеет. Нет в нем ни президентов, ни секретарей, ни даже совокупного обсуждения общих всем пенкоснимателям интересов, по той простой причине, что из столь невинного занятия, каково пенкоснимание, никаких интересов проистечь не может.

Союз сей — вольный по преимуществу. Каждому предоставляется снимать пенки с чего угодно и как угодно, и эта уступка делается тем охотнее, что в подобном занятии никаких твердых правил установить невозможно.

Объяснение. В той же статье далее говорится: «Что же такое этот «Вольный Союз Пенкоснимателей», который, едва явившись на свет, уже задал такую работу близнецам «Московских ведомостей»?² Имеет ли он в виду проведение каких-либо разрушительных начал? Или же представляет собой, как уверяют некоторые доброжелатели нашей прессы, хотя и невинное, но все-таки недозволенное законом тайное общество? Мы смело можем ответить на эти вопросы: ни того, ни другого предположить нельзя. Пенкоснимательство составляет в настоящее время единственный живой общественный элемент; а ежели оно господствует в обществе, то весьма естественно его господство и в литературе. Пенкосниматели всюду играют видную роль, и литература *обязана была* раскрыть им свои двери сколь возможно шире. И она сделала это тем бестрепетнее, что пенкосниматели суть вполне вольные люди, приходящие в литературный вертоград с одним чистым сердцем и вполне свободные от какой бы то ни было мысли. Поэтому говорить о какой-то организации, о каких-то тайных намерениях — просто смешно. Этим чистым людям самая мысль об организации должна быть противна».

§ 2. *О членах Союза*

Ст. 1-я. В члены Союза Пенкоснимателей имеет право вступить всякий, кто может безобидным образом излагать смутность испытываемых им ощущений. Ни познаний, ни тем менее так называемых идей не требуется. Но ежели бы кто, видя, как извозчик истязует лошадь, почел бы за нужное, рядом фактов, взятых из древности или из истории развития современных государств, доказать вред такого обычая, то сие не токмо не возбраняется, но именно и составляет тот высший вид пенкоснимательства, который в современной литературе известен под именем «науки».

Объяснение. Там же: «Чувство, одушевляющее пенкоснимателя, есть чувство наивной непосредственности. А так как чувство это доступно всякому, то можно себе представить, как громадно должно быть число пенкоснимателей! Но само собою разумеется, что в тех случаях, когда это чувство является во всеоружии знания и ищет применений в науке, оно приобретает еще бо́льшую цену. Хорош пенкосниматель-простец, но ученый пенкосниматель — еще того лучше. Появление сих последних на арене нашей литературы есть признак утешительный и, смеем думать, даже здоровый. Пора наконец убедиться, что наше время — не время широких задач[3] и что тот, кто, подобно автору почтенного рассуждения: «Русский романс: Чижик! чижик! где ты был? — перед судом здравой критики»[4] сумел прийти к разрешению своей скромной задачи — тот сделал гораздо более, нежели все совокупно взятые утописты-мечтатели, которые постановкой «широких» задач самонадеянно волнуют мир, не удовлетворяя оного».

Ст. 2-я. Отметчики и газетные репортеры, то есть все те, кои наблюдают, дабы полуда на посуде в трактирных заведениях всегда находилась в исправности, могут вступать в Союз даже в том случае, если не имеют вполне твердых познаний в грамматике.

Объяснение. В передовой статье, напечатанной об этом предмете в газете «Старейшая Всероссийская Пенкоснимательница», сказано: «Газетный репортер есть, так сказать, первообраз истинного литературного пенкоснимателя, от которого все прочие (ученые, публицисты, беллетристы и проч.) заимствуют свои главные типические особенности. Вся разница (оговариваемся, впрочем: разница очень значительная) заключается лишь в большем или меньшем объеме произведений тех и других. Какою бы эрудицией ни изумлял, например, автор «Исследования о Чурилке»[5] но ежели читатель возьмет на себя труд проникнуть в самые глубины собранного им драгоценного матерьяла, то на дне оных он, несомненно, увидит отметчика-пенкоснимателя. Поэтому нам кажется, что ограничить, относительно отметчиков, возможность вступать в Союз Пенкоснимателей было бы несправедливо даже в том случае, если бы люди сии и не вполне безукоризненно расставляли знаки препинания....

§ 3. *О приличнейшей для пенкоснимательства арене*

Ст. 1. Рассеянные по лицу земли, лишенные организации, не связанные ни идеалами, ни ясными взглядами на современность — да послужат российские пенкосниматели на славном поприще российской литературы, которая издревле всем без пороху палящим приют давала!

Объяснение. Об этом предмете газета «Зеркало Пенкоснимателя» выразилась так: «Где самое сподручное поприще для пенкоснимателя? — очевидно, в литературе. Всякая отрасль человеческой деятельности требует и специальной подготовки, и специальных приемов. Сапожник обязуется шить *непременно* сапоги, а не подобие сапогов, и, чтобы достигнуть этого, *непременно* должен знать, как взять в руки шило и дратву. Напротив того, публицист очень свободно может написать не передовую статью, а лишь подобие оной, и нимало не потерять своей репутации. Отсюда ясно, что одна литература может считать себя свободною от обязательства изготовлять работы вполне определенные и логически последовательные. Составленная из элементов самых разнообразных и никаким правилам не подчиненных, она представляет для пенкоснимательства арену тем более приличную, что на оную, в большинстве случаев, являются люди, неискушенные в науках, но одушевляемые единственно жаждой как можно более собрать пенок и продать их по 1 к. за строчку».

§ 4. *Об обязанностях членов Союза*

Ст. 1. Обязанности сии суть:

Первое. Не пропуская ни одного современного вопроса, обо всем рассуждать с таким расчетом, чтобы никогда ничего из сего не выходило. ...

Второе. По наружности иметь вид откровенный и даже смелый, внутренно же трепетать. ...

Третье. Усиливать откровенность и смелость по мере того, как предмет, о котором заведена речь, представляет меньшую опасность для вольного обсуждения. Так, например, по вопросу о неношении некоторыми городовыми на виду блях надлежит действовать с такою настоятельностью, как бы имелось в виду получить за сие третье предостережение. ...[7]

Четвертое. Рассуждая о современных вопросах, стараться, по возможности, сокращать их размеры. ...

Пятое. Ежеминутно обращать внимание читателя на пройденный им славный путь. Но так как при сем легко впасть в ошибку, то есть выдать славное за неславное и наоборот, то наблюдать скромность и осмотрительность. ...

Шестое. Обнадеживать, что в будущем ожидает читателей еще того лучше. ...

Седьмое. Проводить русскую мысль, русскую науку, и высказывать надежду, что «новое слово» когда-нибудь будет сказано. ...[8]

Осьмое. Всемерно опасаться, как бы все сие внезапно не уничтожилось. ...

Девятое. Опасаться вообще. ...

§ 5. *О правах членов Союза*

Ст. 1. Права членов «Вольного Союза Пенкоснимателей» прямо вытекают из обязанностей их. Посему и распространяться об них нет надобности.

Объяснение. В газете «Истинный Российский Пенкосниматель» читаем: «Нам говорят о правах; но разве может быть какое-нибудь сомнение относительно права, коль скоро обязанность несомненна? Очевидно, тут есть недоразумение, и люди, возбуждающие вопрос о правах, не понимают или не хотят понять, что, принимая на себя бремя обязанностей, мы с тем вместе принимаем и бремя истекающих из них прав. Это подразумевается само собой, и напоминать о сем — значит лишь подливать масла в огонь. Не будем же придираться к словам, но постараемся добропорядочным поведением доказать, что мы одинаково созрели и для обязанностей, и для прав».

§ 6. *Что сие означает?*

Ст. 1. Вопрос этот ближе всего разрешается «Старейшею Всероссийскою Пенкоснимательницею», которая, задавшись вопросом: «во всех ли случаях необходимо приходить к каким-либо заключениям?» — отвечает так: «Нет, не во всех. Жизнь не мертвый силлогизм, который во что бы ни стало требует логического вывода. Заключения, даваемые жизнью, не зависят ни от посылок, ни от общих положений, но являются ex abrupto и почти всегда неожиданно. Поэтому, ежели мы нередко ведем с читателем беседу на шести столбцах и не приходим при этом ни к каким заключениям, то никто не вправе поставить нам это в укор. Укорителям нашим мы совершенно резонно ответим: каких вы требуете от нас заключений, коль скоро мы с тем и начали нашу речь, чтобы ни к каким заключениям не приходить?»

§ 7. *Цель учреждения Союза и его организация**

Ст. 1. За отсутствием настоящего дела и в видах безобидного препровождения времени, учреждается учено-литературное общество под названием «Вольный Союз Пенкоснимателей».

NOTES

От. зап. 1872, v; *CC* x, 389–98.

1. i.e. in the conditions of stringent censorship following Karakozov's attempt on the life of the Tsar in 1866.

---

* Этот параграф составляет дословную перепечатку § 1-го и существует только в первом издании «Устава», где он, очевидно, напечатан по недосмотру корректора. Во втором издании он исключен; но помещаю его как потому, что у меня в руках было первое издание, так и потому, что напоминание о цели учреждения Союза в конце «Устава» как нельзя более уместно.

2. *Moskovskie vedomosti*, the right-wing newspaper edited by M. N. Katkov and P. M. Leont′ev (referred to here as the 'twins' of the paper), was hostile to any manifestation of liberalism, even of the most moderate kind, and so would view with suspicion an organization such as the *Soyuz penkosnimatelei*.

3. A familiar slogan of the liberals in the 1870s and 1880s, accepting the deferment of any fundamental political change in Russia to some future date.

4. This, as the reference to the 'Исследование о Чурилке' below, makes mock of liberal scholarship which, Saltykov alleges, is occupied with trivial studies of popular song and folklore rather than with 'actual' questions. A similar concern for trivialities is satirized in the reference in the following clause to those who look out for deficiencies in the enamel-ware used in taverns.

5. Churilo Plenkovich, a hero of the *byliny*. At the time Saltykov was writing academic interest in the *byliny* and their origin was particularly lively.

6. Each of the duties listed is followed in the original text by 'explanations' similar to those appended to other paragraphs. These are here omitted.

7. A recommendation to write outspokenly on matters of complete insignificance (constables' badges not on show). The 'third warning' refers to the system introduced in 1865 by which the Ministry of the Interior issued warnings to journals which published exceptionable material; a third warning meant automatic suspension of the journal.

8. For новое слово, see **21**, n. 27.

24. *Дневник провинциала в Петербурге:* Chapter VIII [extract]

One of Saltykov's favourite satirical devices was the presentation of characters from the works of other authors in new and illuminating contexts. He used this device particularly in his attacks on the liberals: in a number of sketches he presented liberal-minded heroes from earlier works of literature in the circumstances of his own period, showing how in the course of time they have compromised their ideals and lapsed into a state of comfortable conformity, perhaps still paying lip-service to their former convictions, but in practice always ready to concede their principles to the demands of expedience. Figures from Turgenev's works were particularly appropriate for this purpose, but heroes of other authors also figure in this kind of context—Chatsky, Onegin, Goncharov's Volokhov, and others. This extract from *Dnevnik provintsiala v Peterburge* (see **23**) describes the narrator's visit to a supposed session of the VIIIth International Statistical Congress, where he meets among the delegates characters of this type who have become 'establishment' figures, anxious to forget their embarrassing past. The Congress did in fact take place—it was held in St. Petersburg in August 1872 and was promptly used by Saltykov as material for this sketch, published two months later.

И вдруг я получаю через Прокопа¹ печатное приглашение лично участвовать на VIII международном статистическом конгрессе, в качестве делегата от рязанско-тамбовско-саратовского клуба!² Разумеется, что при одном виде этого приглашения у меня «в зобу дыханье сперло»; сомнения исчезли, и осталось лишь сладкое сознание, что, стало быть, и я не лыком шит, коль скоро иностранные гости вспомнили обо мне!

Ослепление мое было так велико, что я не обратил внимания ни на странность помещения конгресса, ни на несообразность его состава, ни на загадочные поступки некоторых конгрессистов, напоминавшие скорее ярмарочных героев, нежели жрецов науки.³ Я ничего не видел, ничего не помнил. Я помнил только одно: что я не лыком шит и, следовательно, не плоше всякого другого вольнопрактикующего статистика могу иметь суждение о вреде, производимом вольною продажей вина и проистекающем отсюда накоплении недоимок.

Конгресс помещался в саду гостиницы Шухардина⁴ — это была первая странность. В самом деле, мы, которые так славимся гостеприимством, ужели мы не могли найти более приличного помещения, хотя бы, например, в залах у Марцинкевича⁴, которые, кстати, летом совершенно пусты?

Вторая странность заключалась в том, что, кроме Кеттлѐ, Левассёра, Фарра, Энгеля и Корренти,⁵ которым меня тотчас же представил Прокоп, все остальные члены конгресса были в фуражках с красными околышами.⁶ То были делегаты от Лаишева, Чухломы, Кадникова и проч. Судите, какой же мог быть международный конгресс, в котором главная масса деятелей явно тяготела к Ливнам, Карачеву, Обояни и т. д.?⁷

Третья странность: Кеттлѐ кстати и некстати восклицал: fichtre sapristi! и ventre de biche! Фарр выказывал явную наклонность к очищенной; Энгель не переставал тянуть пиво, а Левассёр, едва явился на конгресс, как тотчас же взял в руки кий и сделал клапштосом желтого в среднюю лузу!..

Четвертая странность: шухардинские половые не только не обнаруживали никакого благоговения, но даже шепнули мне на ухо, не пожелают ли иностранные гости послушать арфисток...⁸

Но, повторяю, ничто в то время не поразило меня: до такой степени я был весь проникнут мыслью, что я не лыком шит.

Я пришел на конгресс первый, но едва успел углубиться в чтение «Полицейских ведомостей»,⁹ как услышал прямо у своего уха жужжание мухи. Отмахнулся рукой один раз, отмахнулся в другой; наконец, поднял голову... о, чудо! передо мной стоял Веретьев! Веретьев, с которым я провел столько

приятных минут в «Затишье»![10]
— Веретьев! боже! какими судьбами! — воскликнул я, простирая руки.
— Делегат от Амченского уезда, рекомендуюсь! — отвечал он, бросая искоса взгляд на накрытый в стороне стол, обремененный всевозможными сортами закусок и водок.
— Как? статистик? Браво!
Вместо ответа Веретьев зажужжал по-комариному, но так живо, так натурально, что передо мной разом воскресло все наше прошлое.
— А Маша?[11] помнишь? — спросил я в неописанном волнении.
— Теперь, брат, она уж не Маша, а целая Марьища...
— Позволь, но ведь Маша утопилась!
— Это все Тургенев выдумал. Топилась, да вытащили. После вышла замуж за Чертопханова,[12] вывела восемь человек детей, овдовела и теперь так сильно штрафует крестьян за потраву, что даже Фет — и тот от нее бегать стал! *[14]
— Скажите пожалуйста! Но что же мы стоим! Человек! рюмку водки! большую!
Веретьев потупился.
— Не надо! — произнес он угрюмо,— зарок дал!
— Как! ты! не может быть!
Не успел я докончить своего восклицания, как в сад вошли... молодой Кирсанов и Берсенев.[15] Кирсанов был одет в чистенький вицмундир; из-под жилета виднелась ослепительной белизны рубашка; галстух на шее был аккуратно повязан; под мышкой он крепко стискивал щегольской портфёль. За ним, своей мечтательной, милой походкой с перевальцем, плелся Берсенев, и тоже держал под мышкой довольно поношенный портфёль, который, вдобавок, постоянно у него выползал. Как ни неожиданна была для меня эта встреча, но, взглянувши на Кирсанова поближе, я без труда понял, что, при скромности и аккуратности этого молодого человека, ему самое место — в статистике. Несколько более смутило меня появление Берсенева. Это человек мечтательный и рыхлый, думалось мне,— у которого только одно в мысли: идти по стопам Грановского. Но идти не самому, а чтоб извозчик вез. Вот и теперь на нем и рубашка криво сидит, и портфёль из-под мышки ползет... ну, где ему усидеть в статистике!

---

* По последним известиям, факт этот оказался неверным. По крайней мере, И. С. Тургенев совершенно иначе рассказал конец Чертопханова в «Вестнике Европы» за ноябрь 1872 г.[13]

— Делегат от Ефремовского уезда,— рекомендовался между тем Кирсанов, подавая мне руку, как старому знакомому.

— Очень рад! очень рад! Уже статистик! Давно ли?

— Месяца два тому назад. Я должен, впрочем, сознаться, что в нашем уезде статистика еще не совсем в порядке, но надеюсь, что, при содействии начальника губернии, успею, в непродолжительном времени, двинуть это дело значительно вперед.

— Ваш батюшка? Дяденька?[16]

— Благодарю вас. Батюшка, слава богу, здоров и по-прежнему играет на виолончели свои любимые романсы. Дядя скончался, и мы с папашей ходим в хорошую погоду на его могилу. Феничку[17] мы пристроили: она теперь замужем за одним чиновником в Ефремове, имеет свой дом, хозяйство и, по-видимому, очень счастлива.

— Да... но скажите же что-нибудь о себе!

— Благодарю вас, я совершенно счастлив. Полтора года тому назад женился на Кате Одинцовой и уже имею сына. Поэтому получение места было для меня как нельзя более кстати. Знаете: хотя у нас и довольно обеспеченное состояние, но когда имеешь сына, то лишних тысяча рублей весьма не вредит.

— Базаров[18].. помните?

Кирсанова передернуло при этом вопросе, и он довольно сухо ответил мне:

— Мы с папашей и Катей каждый день молимся, чтобы бог простил его заблуждения!

— Ну... а вы, Берсенев! — обратился я к Берсеневу, заметив, что оборот, который принял наш разговор, не нравится Кирсанову.

— Я... вот с ним...— лениво пробормотал он, как бы не отдавая даже себе отчета, от кого или от чего он является делегатом.

«Ну, брат, не усидеть тебе в статистике!» — мысленно повторил я и вскинул глазами вперед. О, ужас! передо мной стоял Рудин,[19] а за ним, в некотором отдалении, улыбался своею мягкою, несколько грустной улыбкою Лаврецкий![20]

— Рудин! да вы с ума сошли! ведь вы в Дрездене на баррикадах убиты![21] — воскликнул я вне себя.

— Толкуйте! Это все Тургенев сказки рассказывает! Он, батюшка, четыре эпизода обо мне написал, а эпизод у меня самый простой: имею честь рекомендоваться — путивльский делегат. Да-с, батюшка, орудуем! Возбуждаем народ-с! пропагандируем «права человека-с»![22] воюем с губернатором-с!

— И очень дурно делаете-с,— заметил наставительно Кирсанов,— потому что, строго говоря, и ваши цели, и цели губернатора — одни и те же.

— Толкуй по праздникам! Ведь ты, брат, либерал! Я знаю, ты над передовыми статьями «Санкт-Петербургских ведомостей»[23] слезы проливаешь! А по-моему, такими либералами только заборы подпирать можно!

— Лаврецкого... не забыли? — прозвучал около меня задумчивый, как бы вуалированный голос.

Но, не знаю почему, от Лаврецкого, этого истого представителя «Дворянского гнезда», у меня осталось только одно воспоминание: что он женат.

— Лаврецкий! вы?! как здоровье супруги вашей?

— Благодарю вас. Она здорова и здесь со мною в Петербурге. Знаете, здесь и Изомбар и Андриè... ну, а в нашем Малоархангельске... Милости просим к нам; мы в «Hôtel d'Angleterre»; жена будет очень рада вас видеть.

— Ах, боже мой! Лаврецкий... вы! Лиза[24]. помните?

— Лизавета Михайловна скончалась. Признаюсь вам, это была большая ошибка с моей стороны. Увлечь молодую девицу, не будучи вполне уверенным в своей свободе,— как хотите, а это нехорошо! Теперь, однако ж, эти увлечения прошли, и в занятиях статистикой...

Но этому дню суждено было сделаться для меня днем сюрпризов. Не успел я выслушать исповедь Лаврецкого, как завидел входящего Марка Волохова.[25] Он был непричесан, и ногти его были не чищены.

— Волохов!! и вы здесь!

— А вы как об нас полагали?

— Да... но вы... делегат!..

— Ну да, делегат от Балашовского уезда... что ж дальше! А вы, небось, думали, что я испугаюсь! Я, батюшка, ничего не испугаюсь! Мне, батюшка, черт с ними — вот что!

Сказав это, он отвернулся от меня и, заметив Рудина, процедил сквозь зубы:

— Балалайка бесструнная!

NOTES

От. зап. 1872, x; *CC* x, 453–7.

1. Prokop is a landowner and the companion of the narrator in St. Petersburg, where he hopes to obtain a concession for railway building.

2. The 'Ryazan'–Tambov–Saratov Club' is an ironic designation used by Saltykov for the provincial gentry, particularly those engaged in *zemstvo* work.

3. It subsequently turns out that the statistical congress attended by the narrator is not the real congress, but an elaborate hoax.

4. The establishments of Shukhardin and Martsinkevich in St. Petersburg were respectively a public house with a garden for entertainments and a ballroom.

5. Statisticians and economists present at the Congress in St. Petersburg— L. A. J. Quetelet (Belgium), P. E. Levasseur (France), William Farr (Britain), Ernst Engel (Germany), and Cesare Correnti (Italy).

6. i.e. members of the Russian gentry, part of whose official uniform was a cap with a red band.

7. All the Russian towns mentioned here are provincial backwaters. Saltykov has earlier made reference to the hordes of official and unofficial statisticians in the provinces who flood periodicals with every kind of statistics about provincial life.

8. Roughly equivalent here to an offer to 'bring on the dancing girls'.

9. The 'St. Petersburg Police Gazette' (*Vedomosti Sankt-Peterburgskoi gorodskoi politsii*), which among other things published items of local news.

10. The main character of Turgenev's story 'Zatish'e' (1854) is Petr Alekseevich Veret'ev, a nobly inclined drifter through life whose only evident talent was for singing and doing imitations (cf. the 'buzzing fly' which introduces him here).

11. Mar'ya Ipatova in 'Zatish'e'. In love with Veret'ev, she urges him to lead an active life; because of her unhappy love she drowns herself.

12. A character in Turgenev's story 'Chertopkhanov i Nedoplyuskin' in *Zapiski okhotnika*, who had a mistress called Masha. Saltykov evidently commits a deliberate confusion in relating this Masha to Mar'ya Ipatova in 'Zatish'e'.

13. A reference to Turgenev's 'Konets Chertopkhanova' which was published only after the original appearance of Saltykov's sketch. In this sequel Turgenev relates that Masha in fact left Chertopkhanov.

14. Afanasy Fet, the poet, was a conservative in politics and in 1863 had written articles in *Russkii vestnik* describing his practice of restraining peasants from trespassing on his land by imposing fines on them.

15. Arkady Kirsanov, a major character in Turgenev's *Ottsy i deti*, and Andrey Bersenev, a character in Turgenev's *Nakanune*. Kirsanov, after showing some interest in nihilism during his friendship with Bazarov, married and returned to the hereditary attitudes of his class. Bersenev, a noble-minded, but undynamic character ('добросовестно умеренный энтузиаст'), eventually settled to a life of scholarship (hence the reference below to 'following Granovsky' (see **22**, n. 3)).

16. Arkady Kirsanov's father, Nikolay Petrovich, and uncle, Pavel Petrovich,

the 'fathers' of Tugenev's novel, representative of the liberal idealistic outlook of the 'men of the forties'.

17. Nikolay Kirsanov's mistress, the daughter of a former housekeeper.

18. The nihilist hero of Turgenev's *Ottsy i deti*. The novel ends with his death.

19. The hero of Turgenev's *Rudin*, a shiftless liberal idealist and a failure in practical life.

20. The hero of Turgenev's *Dvoryanskoe gnezdo*, a liberal Slavophile of the forties and another example of Turgenev's 'superfluous men'.

21. In *Rudin* the hero dies on the barricades in Paris during the 1848 revolution. Saltykov's substitution of Dresden for Paris here may well have been prompted by the connection of Rudin with his generally acknowledged prototype, M. A. Bakunin, who participated in the Dresden uprising of 1849.

22. The subservient '-c' is an ominous indicator of the now compromising nature of Rudin's attitude towards the human rights he proclaims.

23. Under the editorship of V. F. Korsh (from 1863 to 1874) *Sankt-Peterburgskie vedomosti* pursued a liberal line in support of the reform movement. See introductory note to **23**.

24. Lizaveta Kalitina, the heroine of *Dvoryanskoe gnezdo*. Her love-affair with Lavretsky collapsed when his supposedly dead wife reappeared.

25. The nihilist anti-hero of Goncharov's *Obryv*. Saltykov had sharply criticized Goncharov's tendentious negative depiction of the 'new man' in Volokhov (see his article 'Ulichnaya filosofiya', published in *Otechestvennye zapiski* 1869, vi). His introduction of Volokhov here underlines his view of the falseness of Goncharov's portrayal of him.

25. *Сказки:* Либерал

In this *skazka* Saltykov gives a summary of his view on the compromising nature of Russian liberalism. It is one of the most excoriatingly contemptuous pieces that he ever wrote.

В некоторой стране жил-был либерал, и притом такой откровенный, что никто слова не молвит, а он уж во все горло гаркает: «Ах, господа, господа! что вы делаете! ведь вы сами себя губите!» И никто на него за это не сердился, а, напротив, все говорили: «Пускай предупреждает — нам же лучше!»

— Три фактора,— говорил он,— должны лежать в основании всякой общественности: свобода, обеспеченность и самодеятельность. Ежели общество лишено свободы, то это значит, что оно живет без идеалов, без горения мысли, не имея ни основы для творчества, ни веры в предстоящие ему судьбы.

Ежели общество сознает себя необеспеченным, то это налагает на него печать подавленности и делает равнодушным к собственной участи. Ежели общество лишено самодеятельности, то оно становится неспособным к устройству своих дел и даже мало-помалу утрачивает представление об отечестве.

Вот как мыслил либерал, и, надо правду сказать, мыслил правильно. Он видел, что кругом него люди, словно отравленные мухи, бродят, и говорил себе: «Это оттого, что они не сознают себя строителями своих судеб. Это колодники, к которым и счастие, и злосчастие приходит без всякого с их стороны предвидения, которые не отдаются беззаветно своим ощущениям, потому что не могут определить, действительно ли это ощущения, или какая-нибудь фантасмагория». Одним словом, либерал был твердо убежден, что лишь упомянутые три фактора могут дать обществу прочные устои и привести за собою все остальные блага, необходимые для развития общественности.

Но этого мало: либерал не только благородно мыслил, но и рвался благое дело делать. Заветнейшее его желание состояло в том, чтобы луч света, согревавший его мысль, прорезал окрестную тьму, осенил ее и все живущее напоил благоволением. Всех людей он признавал братьями, всех одинаково призывал насладиться под сению излюбленных им идеалов.

Хотя это стремление перевести идеалы из области эмпиреев на практическую почву припахивало не совсем благонадежно, но либерал так искренно пламенел, и притом был так мил и ко всем ласков, что ему даже неблагонадежность охотно прощали. Умел он и истину с улыбкой высказать, и простачком, где нужно, прикинуться, и бескорыстием щегольнуть. А главное, никогда и ничего он не требовал наступя на горло, а всегда только *по возможности.*

Конечно, выражение «по возможности» не представляло для его ретивости ничего особенно лестного, но либерал примирялся с ним, во-первых, ради общей пользы, которая у него всегда на первом плане стояла, и, во-вторых, ради ограждения своих идеалов от напрасной и преждевременной гибели. Сверх того, он знал, что идеалы, его одушевляющие, имеют слишком отвлеченный характер, чтобы воздействовать на жизнь непосредственным образом. Что такое свобода? обеспеченность? самодеятельность? Все это отвлеченные термины, которые следует наполнить несомненно осязательным содержанием, чтобы в результате вышло общественное цветение. Термины эти, в своей общности, могут воспитывать общество, могут возвышать уровень его верований и надежд, но блага

осязаемого, разливающего непосредственное ощущение до-
вольства, принести не могут. Чтобы достичь этого блага, чтобы
сделать идеал общедоступным, необходимо разменять его на
мелочи и уже в этом виде применять к исцелению недугов,
удручающих человечество. Вот тут-то, при размене на мелочи, и
вырабатывается само собой это выражение: «по возможности»,
которое, из двух приходящих в соприкосновение сторон, одну
заставляет *в известной степени* отказаться от замкнутости, а
другую — *в значительной степени* сократить свои требования.

Все это отлично понял наш либерал и, заручившись этими
соображениями, препоясался на брань с действительностью.
И прежде всего, разумеется, обратился к сведущим людям?

— Свобода — ведь, кажется, тут ничего предосудительного
нет? — спросил он их.

— Не только не предосудительно, но и весьма похвально,—
ответили сведущие люди,— ведь это только клевещут на нас,
будто бы мы не желаем свободы; в действительности мы только об ней и печалимся... Но, разумеется, в пределах...

— Гм... «в пределах»... понимаю! А что вы скажете насчет
обеспеченности?

— И это милости просим... Но, разумеется, тоже в пределах.

— А как вы находите мой идеал общественной самодеятельности?

— Его только и недоставало. Но, разумеется, опять-таки
в пределах.

Что ж! в пределах, так в пределах! Сам либерал хорошо
понимал, что иначе нельзя. Пусти-ка савраса без узды — он
в один момент того накуролесит, что годами потом не попра-
вишь! А с уздою — святое дело! Идет саврас и оглядывается:
а ну-тко я тебя, саврас, кнутом шарахну... вот так!

И начал либерал «в пределах» орудовать: там урвет, тут
урежет; а в третьем месте и совсем спрячется. А сведущие
люди глядят на него и не нарадуются. Одно время даже так
работой его увлеклись, что можно было подумать, что и они
либералами сделались.

— Действуй! — поощряли они его,— тут обойди, здесь сту-
шуй, а там и вовсе не касайся. И будет все хорошо. Мы бы,
любезный друг, и с радостью готовы тебя, козла, в огород
пустить, да сам видишь, каким тыном у нас огород обнесен!

— Вижу-то, вижу,— соглашался либерал,— но только как
мне стыдно свои идеалы ломать! так стыдно! ах, как стыдно!

— Ну, и постыдись маленько: стыд глаза не выест! зато,
по возможности, все-таки затею свою выполнишь!

Однако, по мере того, как либеральная затея *по возможности* осуществлялась, сведущие люди догадывались, что даже и в этом виде идеалы либерала не розами пахнут. С одной стороны, чересчур широко задумано; с другой стороны — недостаточно созрело, к восприятию не готово.

— Невмоготу нам твои идеалы! — говорили либералу сведущие люди,— не готовы мы, не выдержим!

И так подробно и отчетливо все свои несостоятельности и подлости высчитывали, что либерал, как ни горько ему было, должен был согласиться, что, действительно, в предприятии его существует какой-то фаталистический огрех: не лезет в штаны, да и баста.

— Ах, как это печально! — роптал он на судьбу.

— Чудак! — утешали его сведущие люди,— есть отчего плакать! Тебе чтó нужно? — будущее за твоими идеалами обеспечить? — так ведь мы тебе в этом не препятствуем. Только не торопись ты, ради Христа! Ежели нельзя «по возможности», так удовольствуйся тем, что отвоюешь «хоть что-нибудь»! Ведь и «хоть что-нибудь» свою цену имеет. Помаленьку да полегоньку, не торопясь да богу помолясь — смотришь, ан одной ногой ты уж и в капище![3] В капище-то, с самой постройки его, никто не заглядывал; а ты взял да и заглянул... И за то бога благодари.

Делать нечего, пришлось и на этом помириться. Ежели нельзя «по возможности», так «хоть что-нибудь» старайся урвать, и на том спасибо скажи. Так либерал и поступил, и вскоре так свыкся с своим новым положением, что сам дивился, как он был так глуп, полагая, что возможны какие-нибудь иные пределы. И уподобления всякие на подмогу к нему явились. И пшеничное, мол, зерно не сразу плод дает, а также поцеремонится. Сперва надо его в землю посадить, потом ожидать, покуда в нем произойдет процесс разложения, потом оно даст росток, который прозябнет, в трубку пойдет, восколосится и т. д. Вот через сколько волшебств должно перейти зерно прежде, нежели даст плод сторицею! Так же и тут, в погоне за идеалами. Посадил в землю «хоть что-нибудь» — сиди и жди.

И точно: посадил либерал в землю «хоть что-нибудь» — сидит и ждет. Только ждет-пождет, а не прозябает «хоть что-нибудь» и вся недолга. На камень оно, что ли, попало или в навозе сопрело — поди, разбирай!

— Что за причина такая? — бормотал либерал в великом смущении.

— Та самая причина и есть, что загребаешь ты чересчур

широко,— отвечали сведущие люди.— А народ у нас между тем слабый, расподлеющий. Ты к нему с добром, а он норовит тебя же в ложке утопить. Большую надо сноровку иметь, чтобы с этим народом в чистоте себя сохранить!

— Помилуйте! что уж теперь о чистоте говорить! С каким я запасом-то в путь вышел, а кончил тем, что весь его по дороге растерял. Сперва «по возможности» действовал, потом на «хоть что-нибудь» съехал — неужто можно и еще дальше под гору идти?

— Разумеется, можно. Не хочешь ли, например, «применительно к подлости»?

— Как так?

— Очень просто. Ты говоришь, что принес нам идеалы, а мы говорим: «Прекрасно; только ежели ты хочешь, чтобы мы восчувствовали, то действуй применительно».

— Ну?

— Значит, идеалами-то не превозносись, а по нашему масштабу их сократи, да применительно и действуй. А потом, может быть, и мы, коли пользу увидим... Мы, брат, тоже травленые волки, прожектеров-то видели! Намеднись генерал Крокодилов вот этак же к нам отъявился: «Господа, говорит, мой идеал — кутузка! пожалуйте!» Мы сдуру-то поверили, а теперь и сидим у него под ключом.

Крепко задумался либерал, услышав эти слова. И без того от первоначальных его идеалов только одни ярлыки остались, а тут еще подлость прямую для них прописывают! Ведь этак, пожалуй, не успеешь оглянуться, как и сам в подлецах очутишься. Господи! вразуми!

А сведущие люди, видя его задумчивость, с своей стороны, стали его понуждать. «Коли ты, либерал, заварил кашу, так уж не мудри, вари до конца! Ты нас взбудоражил, ты же нас и ублаготвори... действуй!»

И стал он действовать. И все применительно к подлости. Попробует иногда, грешным делом, в сторону улизнуть; а сведущий человек сейчас его за рукав: «Куда, либерал, глаза скосил? гляди прямо!»

Таким образом шли дни за днями, а за ними шло вперед и дело преуспеяния «применительно к подлости». Идеалов и в помине уж не было — одна мразь осталась — а либерал все-таки не унывал. «Что ж такое, что я свои идеалы по уши в подлости завязил? Зато я сам, яко столп, невредим стою! Сегодня я в грязи валяюсь, а завтра выглянет солнышко, обсушит грязь — я и опять молодец-молодцом!» А сведущие люди слушали эти его похвальбы и поддакивали: «Именно так!»

И вот, шел он однажды по улице с своим приятелем, по обыкновению, об идеалах калякал и свою мудрость на чем свет превозносил. Как вдруг он почувствовал, словно бы на щеку ему несколько брызгов пало. Откуда? с чего? Взглянул либерал наверх: не до́ждик ли, мол? Однако видит, что в небе ни облака, и солнышко, как угорелое, на зените играет. Ветерок хоть и подувает, но так как помои из окон выливать не указано, то и на эту операцию подозрение положить нельзя.

— Что́ за чудо! — говорит приятелю либерал,— дождя нет, помоев нет, а у меня на щеку брызги летят!

— А видишь, вон за углом некоторый человек притаился,— ответил приятель,— это его дело! Плюнуть ему на тебя за твои либеральные дела захотелось, а в глаза сделать это смелости не хватает. Вот он, «применительно к подлости», из-за угла и плюнул; а на тебя ветром брызги нанесло.

NOTES

Русские ведомости 1885, No. 170; *CC* xvi (1), 162–6.

1. An adaptation of a line from Derzhavin's poem 'Pamyatnik': '(дерзнул…) И истину царям с улыбкой говорить'.

2. 'The official experts'. Сведущие люди was the term applied to various individuals with specialist knowledge or experience who were from time to time invited by the government to advise official bodies on particular questions. See also **32**, n. 17.

3. 'Temple', symbolizing here the achievement of the liberal's ideals.

THE *ZEMSTVO*

26. *Мелочи жизни:* Земский деятель [extract]

One of the major reforms of the 1860s was the institution of the *zemstva* (1864). These were councils set up at district (*uezd*) and provincial (*guberniya*) level with responsibility for certain aspects of local government. The members of the councils were elected by the different classes (gentry, *meshchane*, peasants) of a locality. The functions of the *zemstva* related only to such local concerns as schools, highways, and public health, and in fact their independence of action was severely limited, since the effective executive power remained with the bureaucracy of the central government. Already in 1866–7 laws were passed curtailing the rights of the *zemstva* and reinforcing the authority of provincial governors over *zemstvo* activities, and hopes that the *zemstva* would provide a base for the further development of representative government in Russia were shown to be illusory. Saltykov's view of the *zemstva* was never enthusiastic and he constantly emphasized the pettiness of their activities—for example, the provision of hygienic utensils in hospitals, cf. his refrain in *Pis'ma k teten'ke* (Letter 5): 'земцы были призваны для лужения рукомойников'. This extract from *Melochi zhizni* presents the case history of Krasnov, a *zemstvo* official, who is disillusioned in his hopes for the institution (and, incidentally, for his own advancement through it), since the *zemstvo* of which he is chairman is reduced to impotence by the constant interventions of the regular administration. This brief account of one official's experiences is a good example of Saltykov's ability to compress a whole episode of social history into a single typical sketch.

Когда, спустя лет пять после крестьянской реформы, обнародованы были земские учреждения, сам Живоглотов[1] согласился, что для этого дела не сыщется в губернии более подходящего руководителя, как Краснов.[1] В первом же губернском земском собрании Николая Николаича выбрали громадным большинством в председатели губернской управы,[2] с ежегодным жалованьем в четыре тысячи рублей. Разумеется, он начал с того, что отказывался от жалованья, говоря, что готов послужить земле безвозмездно, что честь, которую ему делают... понятие о долге... наконец, обязанность... Но ему так настоятельно гаркнули в ответ: «Просим! просим!» — что он вынужден был согласиться. В тот же день у Живоглотова был обед в честь вновь избранных деятелей земства.

— Теперь уж не я хозяин в губернии, а наш почтеннейший Николай Николаич,— скромно произнес хозяин и, подняв бокал, крикнул: «Уррра!»

— Нет, не я хозяин, а вы, многоуважаемый Полиевкт Семеныч! — еще скромнее возразил Краснов,— вы всегда были излюбленным человеком нашей губернии, вы остаетесь им и теперь. Вы, так сказать, прирожденный председатель земского собрания; от вашей просвещенной опытности будет зависеть направление его решений; я же — ничего больше, как скромный исполнитель указаний собрания и ваших.

После обеда гости были настолько навеселе, что потребовали у Краснова спича. И он, как vir bonus, dicendi peritus, не заставил себя долго просить.

— Россия,— сказал он,— была издревле страною по преимуществу земскою! Искони в ней собирались, у подножия престола, земские чины и рассуждали о нуждах страны. «Земские чины приговорили, а царь приказал» — такова была установившаяся формула. Земство и царь составляли одно нераздельное целое, на единодушии которого созидалось благополучие всей русской земли. К сожалению, назад тому более полутора веков, земство без всякого повода исчезло с арены деятельности. Не стало ни целовальников, ни ярыжек (в среде присутствующих — сдержанный смех: «ярыжек!»)[5] Их место заняла сухая, беспочвенная бюрократия (смех усиливается). И что же вышло?! Благодаря земству нам некогда был открыт широкий путь в Константинополь; великий князь Олег прибил свой щит к вратам древней Византии;[6] Россия вела обширный торг медом, воском, пушным товаром. Это не я говорю, а летописец. Благодаря бюрократии — мы до своих усадеб осенью едва добраться можем («браво! браво!»). Мосты в разрушении, перевозов не существует, дороги представляют собой канавы, в грязи которых тонут наши некогда породистые, а ныне выродившиеся лошади. Наша земля кипела медом и млеком; наши казначейства были переполнены золотом и серебром — куда все это девалось? Остались ассигнации, надпись на которых тщетно свидетельствует о надежде получить равное количество металлических рублей. Такова неутешительная картина недавнего прошлого. Но всякой безурядице бывает предел, и просвещенное правительство убедилось, что дальнейшее владычество бюрократии может привести только к общему расстройству. Теперь перед нами занялась заря лучшего будущего? Я допускаю, что это только заря, но в то же время верю, что она предвещает близкий восход солнца. Но не будем самонадеянны, милостивые государи. Мы так отучились ходить на собственных ногах, что должны посвятить немало времени, чтобы окрепнуть и возмужать. Вооружимся терпением и удовольствуемся на первых порах тою небольшою ролью, которая нам предоставлена. Перед нами дорожная повинность, подводная повинность, мосты, перевозы, больницы, школы[8]— все это задачи скромные, но в высшей степени плодотворные. Удовлетворимся ими, но в то же время не будем коснеть и в бездействии. Так шло дело везде, даже в классической стране самоуправления — в Северной Америке. Сначала явились мосты и перевозы, но постепенно дело самоуправления развивалось и усложнялось. Наконец наступила новая эра? которую я не считаю нужным назвать здесь по имени, но которую всякий из нас назовет в своем сердце. Наравне с другими народами, и мы доживем до этой эры, и мы будем вправе назвать себя совершеннолетними. Мы достигнем этого благодаря земским учреждениям, скромное возникновение которых мы в настоящую минуту приветствуем. Поднимаю бокал и пью за процветание нашего молодого института. Я сказал, господа!

— У-р-р-раа! — раздалось по зале, и все бросились целовать Краснова. И исцеловали его до такой степени, что он некоторое время чувствовал, как будто щеки его покрылись ссадинами.

Членов управы выбрали самых подходящих. У Саввы Берсенева был лучший рысистый жеребец в целой губернии — ему поручили надзор за коневодством, да, кстати, прикинули и рогатый скот. Евграф Вилков был знаток по части болезней — ему поручили больницы. Семен Глотов имел склонность к судоходству — в его ведение отвели воды и все, что в водах и над водою, то есть мосты и перевозы. Любиму Торцову[10] поручили наблюсти за кабаками и народною нравственностью; а так как Василий Перервин ни к чему, кроме земского ящика, склонности не выказывал, то его сделали казначеем. Сам Краснов взял на себя общий надзор за ходом дела и специально — земские школы.

Тем не менее, когда он на другой день проснулся и, одеваясь, чтобы представиться во главе вновь избранных земцев губернатору, вспомнил свою вчерашнюю речь, то несколько смутился.

— Что такое я там насчет бюрократии наплел! — ворчал он, завязывая галстук,— ведь этак, пожалуй, на первых же порах...

Но губернатор был добрый и отнесся к первой шалости Краснова снисходительно. Он намекнул, что ему не безызвестно о вчерашней выходке, но не обиделся ею.

— Николай Николаич! — обратился он к Краснову перед собравшимися земцами,— я очень рад, что вижу вас моим сослуживцем, и уверен, что вы вполне готовы содействовать мне. И мы, бюрократы, и вы, земцы, служим одной и той же державе и стоим на одной и той же почве, хотя и ходят слухи о каких-то воинственных замыслах...

— Ваше-ство![11] неужели земство позволит себе без причины...

— Ни без причины, ни по причине-с. Но позвольте мне высказаться. Итак, я говорю, что хотя и ходят слухи насчет воинственных замыслов, но я полагаю, что они преувеличены. Во всяком случае, я заранее убежден, что хоть я и не стратегик, но все сражения, которые замышляют мечтательные головы, будут выиграны мною от первого до последнего. Поговаривают также о какой-то занимающейся заре, предшественнице солнца,— и на этот счет я могу привести в свидетельство свой личный опыт. На заре человеку спится крепче, а сильные солнечные лучи ослепляют — вот и все. Поэтому я предпочитаю сумерки, да и вам, господа, советую. В заключение предлагаю вам устроиться так: подробности пусть останутся за вами, главное руководительство — за мною. Затем называйте меня почвенным или беспочвенным — это безразлично. Я сам могу определить ближе характер моей деятельности и моих отношений к вам. Почва, на которой я стою,— это ответственность перед начальством; отношения же мои к вам таковы: я укажу вам на мосток — вы его исправите; я сообщу вам, что в больнице посуда дурно вылужена,— вы вылудите. Задачи скромные, но единственные, для выполнения которых мне необходимо ваше содействие. Во всем прочем я надеюсь на собственные силы и на указания начальства. Итак, не будемте парить в эмпиреях, ибо рискуем попасть пальцем в небо; но не будем и чересчур принижаться, ибо рискуем попасть в лужу. Надеюсь, что мы поймем друг друга.

Сказавши это, губернатор пожал земцам руки и удалился.

Земцы принялись за дело бойко и весело; губернатор, с своей стороны, тоже не унывал.

В Главной больнице, бывшей до того времени в ведении приказа общественного призрения,[12] умывальники горели как жар. Краснов, по очереди с специалистом Вилковым, ежедневно посещали больницу, пробовали пищу, принимали старое белье, строили новое, пополняли аптеку и проч. Губернатор, узнав о такой неутомимой их деятельности, призвал их и похвалил.

— Позаймитесь, пожалуйста, картами,— сказал он при этом,— признаться, в приказе эта часть была в некотором запущении; карты хранились в кладовой казначейства и были всегда сыры. Между тем потребность в них, как вам известно, не оскудевает.

В конце февраля губернатор пригласил к себе члена управы Глотова и напомнил, что, ввиду наступающей весны, необходимо заняться мостами и перевозами.

Это было очень обидно, потому что сама управа предвидела наступление весны и уже сделала распоряжение, чтобы Глотов, как только появятся на дороге зажоры, немедленно ехал, куда глаза глядят.

Узнав, что Любим Торцов разъезжает по селениям, где заведены кабаки, сам пьет, а крестьян уговаривает не давать приговоров на открытие питейных заведений,[13] губернатор призвал Краснова и сказал ему, что хотя заботы об уменьшении пьянства весьма похвальны, но не следует забывать, что вино представляет одну из существеннейших статей государственного бюджета.

— Но народная нравственность...— заикнулся было Краснов.

— Народную нравственность я вполне вам предоставляю,— прервал его губернатор,— утверждайте народ в правилах благочестия и преданности, искореняйте из народной среды вредные обычаи, даже от пьянства воздерживайте... Но последнее не принадлежит к вашим прямым обязанностям, и потому вы можете действовать в этом случае, как и всякий частный человек. Существует, как вам известно, целое акцизное ведомство,[14] которое следит за правильностью открытия питейных домов и производства в них торговли; наконец, существует полиция, которая, в случае надобности, приглашается составлять протоколы, и проч. Каждое ведомство имеет свои прерогативы, наступать на которые законом не разрешается. Да-с.

Наконец, узнав, что член управы Берсенев, с наступлением марта, стал водить своего жеребца по всем трактам, в видах улучшения конских пород, губернатор похвалил его за таковое усердие и выразил надежду, что упавшее в губернии коневодство снова процветет.

— Поверьте мне, Савва Семеныч,— сказал он при этом,— что я совсем не противник тех мер, которые принимаются земством на пользу краю. Напротив, я всегда говорил и говорю:

«Что полезно, то полезно». И исправникам[15]то же самое предписал говорить.

Словом сказать, через несколько времени земские деятели почувствовали себя как бы в тисках. Никакого новшества они не могли предпринять, в котором губернатор заранее не заявил бы себя инициатором. Не успеет Краснов во сне увидеть, что для больных новые халаты нужны, как губернатор уже озаботился, шлет за Вилковым и дает ему соответствующие инструкции. Не успеет Краснов задуматься, что Перервин как будто поигрывать в карты шибко начал, как губернатор уже шлет за ним и предостерегает. И что всего обиднее — никогда сам не приедет: «Любезный, мол, друг Николай Николаич! — так-то и так-то! — нельзя ли мирком да ладком?» — а непременно шлет гонца: «Извольте явиться!» Тем не менее явных пререканий не было, и ожидания тех, которые по поводу выбора Краснова говорили: «Вот будет потеха!» — не сбылись. Краснов чувствовал, что популярность его с каждым днем падает; Живоглотов забыл о недавних объятиях, которые он простирал «почтеннейшему» Николаю Николаичу, и почти ежедневно заезжал к губернатору «пошушукаться».

Однако всему есть мера; есть мера и губернаторской снисходительности. Губернатор прилаживался к делу плотнее и плотнее и наконец проник в самую суть его.

— Женщина-врач, которую вы определили в X-скую больницу, оказывается неблагонадежною[16] — объявляет он однажды Краснову.

— Но почему же, ваше-ство?

— Говорит праздные речи, не имеет надлежащей теплоты чувств[17]. Все это мне известно из вполне достоверных источников.

Женщине-врачу посылают приглашение прибыть в управу.
— Что вы там путаете? — обращается к ней Краснов.
— Я?.. ничего!
— Губернатор говорит, что вы неблагонадежны, не выказываете теплоты чувств и что ему известно это из достоверных источников.
— Помилуйте! — я даже никого в городе не знаю...
— В том-то и дело, что нельзя «никого не знать-с». Нужно всех знать-с. Вспомните: не бываете ли вы у кого-нибудь... неблагонадежного?
— Я бываю только в семье одного сельского учителя... он живет в трех верстах от города...
— Вот видите! — в городе ни у кого не бываете, а по учителям разъезжаете.

— Да почему же?..

— А потому что потому. Впрочем, я свое дело сделал, предупредил вас, а дальше уж сами как знаете.

— Господи! что же я буду делать?

Женщина-врач плачет.

— Не плачьте, а бросьте ваши фанаберии — вот и все. Поезжайте к исправнику, постарайтесь сойтись с его женой, выражайтесь сдержаннее, теплее; словом сказать...

Краснов махает рукой и с словами: «Ну, теперь началась белиберда!» — отпускает женщину-врача.

Но через месяц губернатор опять шлет за ним.

— Девица Петропавловская, о которой я уж говорил вам, — объясняет он Краснову, — продолжает являть себя неблагонадежною. Вчера я получил о ней сведения, которые не оставляют ни малейшего в том сомнения.

— Как прикажете, ваше-ство...

— Приказывать — не мое дело. Я могу принять меры — и больше ничего. Всему злу корень — учитель Воскресенский, насчет которого я уже распорядился... Ах, Николай Николаич! Неужели вы думаете, что мне самому не жаль этой заблуждающейся молодой девицы? Поверьте мне, иногда сидишь вот в этом самом кресле и думаешь: за что только гибнут наши молодые силы?

— Но как же в этом случае поступить? Быть может, что с удалением учителя Воскресенского, как причины зла, девица Петропавловская...

— Увы! подобные перерождения слишком редки. Раз человека коснулась гангрена вольномыслия, она вливается в него навсегда; поэтому надо спешить вырвать не только корень зла, но и его отпрыски. На вашем месте я поступил бы так: призвал бы девицу Петропавловскую и попросил бы ее оставить губернию. Поверьте, в ее же интересах говорю. Теперь, покуда дело не получило огласки, она может похлопотать о себе в другой губернии и там получить место, тогда как...

— Но ведь ежели она вредна здесь, то, конечно, будет не меньше вредна и в другом месте.

— Ежели так, то ведь и там ей предложат оставить место. И таким образом...

Словом сказать, учитель Воскресенский и девица Петропавловская исчезли, как будто бы их и не бывало в губернии.

Когда управа приступила к открытию училищ, дело осложнилось еще более. В среде учителей и учительниц уже сплошь появлялись нераскаянные сердца,[18] которые, в высшей мере, озабочивали администрацию. Приглашения следовали за приглашениями, исчезновения за исчезновениями. По-видимому, программа была начертана заранее и приводилась в исполнение неукоснительно.

Общество города N притихло. Земцы, которые на первых порах разыгрывали в губернских салонах роль гвардейцев и даже на дам производили впечатление умными разговорами, сделались предметом отчуждения. Как будто они были солидарны со всеми этими нераскаянными сердцами, которые наводнили губернию и обеспокоили местную интеллигенцию. Слышались беспрерывные жалобы, что лохматые гномы[19] заполонили деревни; слово «умники» сделалось прямо бранным. Девицы, проходя в собрании мимо Краснова, прищуривались,— точно у него в кармане была спрятана бомба. Только Берсенева выбирали, по временам, в мазурке, как бы смутно понимая, что его путешествующий жеребец никакого отношения к внутренней политике не имеет. Одним словом, ежели общество еще не совсем упало духом, то благодаря только тому, что ему известно было, что на страже этого кавардака стоит человек, который в обиду не выдаст.

К величайшему удивлению, Краснов, который только по недоразумению заявил себя либералом, чем более осложнялось положение вещей, тем более погрязал в бездне либерализма. Превращение это совершилось в нем бессознательно, в силу естественного закона противоречия. Он уже позволил себе высказать губернатору лично, что считает беспрерывное вмешательство его в дела земства чересчур назойливым, и даже написал ему несколько пикантных бумаг в этом смысле, а в обществе отзывался об нем с такою бесцеремонностью, что даже лучшие его друзья делали вид, что они ничего не слышат.

Нередко видали его сидящим у окна и как будто чего-то поджидающим. Вероятно, он поджидал зарю, о которой когда-то мечтал и без которой немыслимо появление солнца. Но заря не занималась, и ему невольно припомнились вещие слова: «В сумерках лучше!»

— Да, сумерки, сумерки, сумерки! И «до» и «по» — всегда сумерки! — говорил он себе, вперяя взор в улицу, которая с самого утра как бы заснула под влиянием недостатка света.

К довершению всего земские сборы[20] поступали туго. Были ли они действительно чересчур обременительны, или существовал тут какой-нибудь фортель — во всяком случае ресурсы управы с каждым днем оскудевали. Школьное и врачебное дела замялись, потому что ни педагоги, ни врачи не получали жалованья; сами члены управы нередко затруднялись относительно уплаты собственного вознаграждения, хотя в большей части случаев все-таки выходили из затруднений с честью. Мосты приходили в разрушение, дороги сделались непроездными; на белье в больницах было больно смотреть. Это уже были совершенно конкретные доказательства беспечности, не то что какая-нибудь народная нравственность, о которой можно судить и так и иначе. Губернатор, поехавши в губернию по ревизии, вынужден был на одном перевозе прождать целых два часа, а через один мост переходить пешком, покуда экипаж переезжал вброд: это уж не заря, не солнце, а факт. Вся живоглотовская партия ахнула, узнавши об этом.

Возвратившись в город, губернатор немедленно пригласил управу в полном составе и «распушил» ее.

— Вы совсем не о том думаете, господа,— сказал он,— мост есть мост, а не конституция-с!

Фраза эта облетела всю губернию. Вся живоглотовская партия, купно с исправниками, восхищалась ею. Один Краснов имел дерзость сослаться на то, что полиция не принимает никаких мер для успешного поступления сборов и что вследствие этого управа действительно поставлена в затруднение.

Наконец незадолго перед началом земской сессии Краснов не выдержал и собрался в Петербург.

Губерния решила, что он едет жаловаться, и притаила дыхание. Но губернатор оставался равнодушен и только распорядился содержать в готовности «факты».

В Петербурге, однако ж, Краснову не посчастливилось. Его встретили не то чтобы враждебно, а совершенно хладнокровно, как будто о земском кавардаке никому ничего не было известно.

— Вы, господа, слишком преувеличиваете,— говорили ему.— Если бы вам удалось взглянуть на ваши дела несколько издалека, вот как мы смотрим, то вы убедились бы, что они не заключают в себе и десятой доли той важности, которую вы им приписываете.

— Не можем же мы, однако, смотреть издалека на вещи, с которыми постоянно находимся лицом к лицу,— убеждал Краснов.

— Но и мы, с своей стороны, не можем изменить нашу точку зрения. Не слишком ли высоко вы ставите те задачи, которые предстоят земству? Не думаете ли вы, что с введением земских учреждений что-нибудь изменилось? — Ежели это так, то вы заблуждаетесь; задачи ваши очень скромны: содержание в исправности губернских путей сообщения, устройство врачебной части, открытие школ... Все это и без шума можно сделать. Но, разумеется, ежели земство будет представлять собой убежище для злонамеренных людей, ежели сами представители земства будут думать о каких-то новых эрах, то администрация не может не вступиться. Общественная безопасность прежде всего.

— Но из чего же видно...

— Покуда определенных фактов в виду еще нет, но есть разговор — это уже само по себе представляет очень существенный признак. О вашем губернаторе никто не говорит, что он мечтает о новой эре... почему? А потому просто, что этого нет на деле и быть не может. А об земстве по всей России такой слух идет, хотя, разумеется, большую часть этих слухов следует отнести на долю болтливости.

Такие предики приходилось Краснову выслушивать чуть не каждый день. Но он все-таки прожил в Петербурге целый месяц и на каждом шагу, и в публичных местах, и у общих знакомых, сталкивался с земскими деятелями других губерний. Отовсюду слышались одинаковые вести. Везде шла какая-то нелепая борьба, неведомо из-за каких интересов; везде земство мало-помалу освобождалось от мечтаний и все-таки не удовлетворяло своею уступчивостью. Прямого недовольства не высказывалось, но вопрос об общественной безопасности ярче и ярче выступал вперед и заслонял собой все.

Краснову показалось, что он и сам как будто отрезвел. Когда он обменивался мыслями с сотоварищами по деятельности, ему невольно думалось: «Какие, однако ж, все это мелочи, и стоит ли ради них сохнуть и препираться? Ворочусь домой, буду «ездить» в управу — вот и все. Пускай губернатор, с термометром в руках, измеряет теплоту чувств у сельских учителей и у женщин-врачей; с какой стати я буду вступаться? Ежели школьное дело пойдет худо — у меня оправдание налицо. Наконец, возьмите школы себе, оставьте земству только паромы и мосты — и до этого мне дела нет! Но только хорошо будет земство! да и вообще дела пойдут хорошо! Ведь что же нибудь заставило подумать об участии земства в делах местного управления? была же, вероятно, какая-нибудь прореха в старых порядках, если потребовалось вызвать земство к жизни? Ведь ни я, ни Вилков, ни Торцов не выходили с оружием в руках, чтобы создать земство,— и вдруг оказывается, что теперь-то именно и выступила вперед общественная опасность!»

Словом сказать, Краснов махнул рукой, посвятил остальное время петербургского пребывания на общественные удовольствия, на истребление бакалеи, на покупку нарядов для семьи и, нагруженный целым ворохом всякой всячины, возврагился восвояси.

———

Годы шли; губернаторы сменялись, а Краснов все оставался во главе земства. Он слыл уже образцовым председателем управы и остепенился настолько, что сам отыскивал корни и нити.[21] Сами губернаторы согласились, что за таким председателем они могут жить как за каменною стеною.

Одно Краснову было не по нутру — это однообразие, на которое он был, по-видимому, осужден. Покуда в глазах металась какая-то «заря», все же жилось веселее и было кой о чем поговорить. Теперь даже в мозгу словно закупорка какая произошла. И во сне виделся только длинный-длинный мост, через который проходит губернатор, а мостовины так и пляшут под ним.

— Да это просто злоумышление! — обращается губернатор к Алексею Харлампьичу Бережкову, который сменил Глотова.

А кроме того, Краснова мучило и отсутствие всяких перспектив. Предположив сгоряча, что предводительское звание[22] лишено будущности, он горько ошибся. Правда, старый Живоглотов умер, не вкусив от плода; но выбранный на его место Живоглотов-сын не прослужил и трехлетия, как получил уже высшее назначение. Затем приехал Живоглотов-внук, повернулся и тоже исчез, осиянный ореолом и полный надежд.

Если бы Краснов не поторопился в то время — кто знает, чьи судьбы были бы теперь у него в руках?!

— У нас ничего нельзя вперед угадать,— ворчал он себе под нос,— сегодня ты тут, а завтра неведомая сила толкнула тебя бог весть куда! Область предвидений так обширна, что ничего столь не естественно, как запутаться в ней. Случилось так, но могло случиться и иначе. Что, если бы, в самом деле, заря занялась, а за нею вдруг солнце?.. И везде дело начиналось с мостов и перевозов, а потом, потихоньку да помаленьку, глядь — новая эра. Это хоть в Америке спросите. Что такое были эти Чикаго, эти Сан-Франциско? — простые, бедные деревни, и больше ничего! А нынче?

То-то вот оно и есть. И не довернешься — бьют, и перевернешься — бьют. Делай как хочешь. Близок локоть — да не укусишь. В то время, когда он из редакционных комиссий[23] воротился, его сгоряча всеми шарами бы выбрали,[24] а он, вместо того, за «эрами» погнался. Черта с два... Эрррра!

А теперь? что такое он собой представляет? — нечто вроде сторожа при земских переправах... да! Но, кроме того, и лохматые эти... того гляди, накуролесят! Откуда взялась девица

Петропавловская? что на уме у учителя Воскресенского? Вглядывайся в их лохмы! читай у них в мыслях! Сейчас у «него» на уме одно, а через минуту — другое!

О, господи! спаси и помилуй!

NOTES

Вестник Европы 1887, iii; *CC* xvi (2), 239–49.

1. Members of the two most prominent families in the province, whose history has been briefly sketched in an earlier passage. The Zhivoglotovs have always been the more conservative, the Krasnovs the more progressive. The present Krasnov has played an active (though not entirely disinterested) part in the local preparations for emancipating the serfs.

2. The executive board of the provincial *zemstvo*. The *zemstvo* had an elected assembly (*sobranie*), which appointed the officials of the executive (*uprava*).

3. Zhivoglotov is Marshal of the Nobility (*predvoditel' dvoryanstva*), the elected head of the gentry in the province.

4. Organs of local self-government known as *zemstva* had existed in Muscovite Russia. The Petrine reforms had abolished them.

5. *Tseloval'niki* and *yaryzhki* (*yarygi*) were minor elected officials in pre-Petrine Russia. The mention of ярыжки causes amusement because the word has a secondary meaning of 'drunkard' (cf. **7**, n. 5).

6. Oleg's campaign against Byzantium which took him to the gates of Constantinople was in 907. Krasnov wildly claims that credit for this belongs to the old *zemstvo*, which existed, of course, in a much later period.

7. There were strong hopes that the reforms initiated by Alexander II would be followed by the granting of a constitution or at least the institution of some kind of national representative council (the 'восход солнца' of the following sentence).

8. The responsibilities entrusted to the *zemstva*. Подводная повинность: the requirement to provide carts and horses for government use.

9. A reference to the War of Independence and the establishment of democratic government in America.

10. A ruined hard-drinking merchant in Ostrovsky's play *Bednost' ne porok*.

11. Contraction of ваше превосходительство.

12. 'Public Welfare Board'. Before the institution of the *zemstva* there was in each *guberniya* a *Prikaz obshchestvennogo prizreniya* responsible for hospitals, orphanages, workhouses, etc. in the province.

13. Under the new laws relating to the sale of liquor taverns could open on communal territory only by permission of the village community (*sel'skoe obshchestvo*). Lyubim Tortsov's attempts to dissuade the peasants from giving permission can be related to the active total abstinence movement which existed in Russia at this time.

14. The Excise Board, set up to control the sale of liquor after the abolition of the *otkup* system in 1863 (see **11**, n. 1).

15. The chiefs of police in *uezdy*, state officials responsible to the governor.

16. Medical workers and teachers in country districts were commonly regarded with suspicion by the authorities, particularly after the *khozhdenie v narod* of the mid 1870s when many politically motivated *narodniki* went to serve in these capacities in villages.

17. i.e. loyalty to the state.

18. i.e. teachers with radical leanings.

19. i.e. long-haired revolutionaries.

20. Local taxes on property, trade, etc. by which the activities of the *zemstva* were financed.

21. See **13**, n. 17.

22. The office of Marshal of the Nobility.

23. The Editorial Commissions were the bodies set up in 1859 to work out detailed plans for the Emancipation. To these commissions the gentry of each province were required to submit their own proposals for the reform.

24. i.e. elected as Marshal of the Nobility.

POLITICAL MOVEMENTS AND SOCIETY

27. *В среде умеренности и аккуратности:* Chapter IV [extract]

The first half of Saltykov's cycle *V srede umerennosti i akkuratnosti* (1874–80) consists of six sketches headed 'Gospoda Molchaliny'. These sketches are a study of the subservient, 'functionary' mentality of the ordinary man in Russian society, who is motivated by no higher purpose than the wish to live an unspectacular life in security and in as much comfort as he can afford. The characteristics of this mentality are found in the 'Molchalin' type, named after the self-effacing (and self-seeking) secretary of the grandee Famusov in Griboedov's *Gore ot uma* (it is the ideal of Griboedov's Molchalin—'умеренность и аккуратность'—which provides the title of the cycle). Saltykov's examination of the type is partly sympathetic: in view of the humdrum nature of ordinary life and, even more, of the fraught condition of Russia in the 1870s, he can understand the unheroic, quietist attitude of the Molchalins ('в настоящем— тепло и сытость, в будущем — безответственность перед судом истории'). But, however difficult their situation might be, Saltykov feels bound to condemn their failure to face in conscience the larger problems of the day, for by this failure they have become major contributors to the 'сумерки' of life, conniving through passivity and conformity at the evil and injustice done by those in power who *will* bear 'responsibility in the judgement of history'.

The present extract is concerned with 'literary' Molchalins, representatives of the moderate-liberal press who accept the limitations imposed by the authorities (through censorship) and trim their sails to whichever way the official wind blows. The literary Molchalin receives from Saltykov none of the sympathy shown by him in his treatment of other 'Molchalin' types. A retreat from principle on the literary front was for Saltykov particularly inexcusable, and a special object of attack in this sketch was the current debasement of the standards of the press typified by the unprincipled pandering to popular sentiment by the newspaper *Novoe vremya* (satirized here under the damning title *Chego izvolite?*), which was edited from 1876 by the former liberal A. S. Suvorin. A second object of attack in this sketch is, of course, the absurdity of the censorship itself. It was most likely this that led to the sketch being initially rejected by the censors and appearing only a year after it was written. Notwithstanding

220

Saltykov's satiric purposes, the sketch provides some authentic insight into the problems of writing under the tsarist censorship and gives an idea of the considerations which led Saltykov to develop his own allusive, 'aesopic' style of writing.

Как я уже не раз говорил, Молчалины отнюдь не представляют исключительной особенности чиновничества. Они кишат везде, где существует забитость, приниженность, везде, где чувствуется невозможность скоротать жизнь без содействия «обстановки»![1] Русские матери (да и никакие в целом мире) не обязываются рождать героев, а потому масса сынов человеческих невольным образом придерживается в жизни той руководящей нити, которая выражается пословицей: «Лбом стены не прошибешь»![2] И так как пословица эта, сверх того, в практической жизни подтверждается восклицанием: «В бараний рог согну!» — применение которого сопряжено с очень солидною болью, то понятно, что в известные исторические моменты Молчалины должны во всех профессиях составлять не очень яркий, но тем не менее несомненно преобладающий элемент.

По-видимому, литературе, по самому характеру ее образовательного призвания, должен бы быть чужд элемент, а между тем мы видим, что молчалинство не только проникло в нее, но и в значительной мере прижилось. В особенности же угрожающие размеры приняло развитие литературного молчалинства с тех пор, как, по условиям времени, главные роли в литературном деле заняли не литераторы, а менялы и прохвосты[3]...

С литературным Молчалиным меня познакомил тот же самый Алексей Степаныч, о котором я уже беседовал с читателем![4] В одну из минут откровенности, излагая мартиролог Молчалиных-чиновников, он сказал в заключение:

— Да это еще что! мы, можно сказать, еще счастливчики! А вот бы вы посмотрели на мученика, так уж подлинно — мученик! Я, например, по крайности, знаю своего преследователя, вижу его, почти руками осязаю — ну, стало быть, какова пора ни мера, и оборониться от него могу. А он, мученик-то, об котором я говорю, даже и преследователя-то своего настоящим манером назвать не может, а так, перед невидимым каким-то духом трепещет.

— Кто ж это такой?

— Да тезка мой, тоже из роду Молчалиных (так расплодился, уж так расплодился нынче наш род!) и Алексеем же Степанычем прозывается. Только я — чиновник, а он — журналист, газету «Чего изволите?»[5] издает. Да, на беду, и газету-то либеральную. Так ведь он день и ночь словно в котле кипит: все старается, как бы ему в мысль попасть, а кому в мысль и в какую мысль — и сам того не ведает.

— Да, это не совсем ловкое положение. Что ж это, однако, за Молчалин? Я что-то не слыхал о таком имени в русской литературе. Литератор он, что ли?

— Литератор не литератор, а в военно-учебном заведении воспитывался, так там вкус к правописанию получил. И в литературу недавно поступил — вот как волю-то объявили. Прежде он просто табачную лавку содержал, накопил деньжонок да и посадил их в газету[6] Теперь за них и боится.

— Воля ваша, а я про такого газетчика не слыхал.

— Что мудреного, что не слыхал! Говорю тебе: они нынче все из золотарей. Придет, яко тать в нощи,[7] посидит месяц-другой, оберет подписку — и пропал. А иному и посчастливится, как будто даже корни пустит. Вот хоть бы мой Молчалин, например: третий год потихоньку в своей лавочке торгует — ничего, сходит с рук!

— А шибко он боится?

— Так боится, так боится, что, можно сказать, вся его жизнь — лихорадка одна. Впал он, грешным делом, в либерализм, да и сам не рад. Каждый раз, как встретит меня: уймите, говорит, моих передовиков! А что я сделать могу?

— Да, передовики, особенно наши, это — я вам скажу, народ!.. начнет об новом способе вывоза нечистот писать — того гляди, в Сибирь сошлют!

— Да если бы еще его одного сослали — куда бы ни шло. А то сколько посторонних через него попадет — вот ты что сообрази! Сообщники, да попустители, да укрыватели — сколько наименований-то есть! Ах, мой друг! не ровен час! все мы под богом ходим! Да, не хотите ли, я познакомлю вас с ним?

— Что ж, пожалуй!..

— И не бесполезно будет, я вам скажу. Может быть, грешным делом, фельетончик настрочите — он ведь за строчку-то по четыре копеечки платит! Сотню строчек шутя напишете — ан на табак и будет!

Мы условились, что в следующее же воскресенье, в первом часу утра, я зайду к Алексею Степанычу, и затем мы вместе отправимся к его тезке.

В условленный час мы были уж в квартире Молчалина 2-го.

Нас встретил пожилой господин, на лице которого действительно ничего не было написано, кроме неудержимой страсти к правописанию. Он принял нас в просторном кабинете, посередине которого стоял большой стол, весь усеянный корректурными листами. По стенам расположены были шкафы с выдвижными ящиками, на которых читались надписи: «безобразия свияжские», «безобразия красноуфимские», «безобразия малоархангельские»[8] и проч. Ко мне Молчалин 2-й отнесся так радушно, что я без труда прочитал в его глазах: пять копеек за строчку — без обмана! — и будь мой навсегда! К Алексею Степанычу он обратился со словами:

— Да уйми ты, сделай милость, моих передовиков!

— Бунтуют?

— Республики, братец, просят!

— А ты бы их заверил, что республики не дадут!

— Смеются. Это, говорят,— уж ваше дело. Мы, дескать, люди мысли, мы свое дело делаем, а вы — свое делайте!

— Да неужто ж им, в самом деле, республики хочется?

— Брюхом? братец! вот как!

— А я так позволяю себе думать,— вмешался я,— что они собственно только так... Знают, что вам самим эта форма правления нравится,— вот и пишут.

Молчалин 2-й приосанился.

— Ну да, конечно,— сказал он,— разумеется, я... Само собой, что, по мнению моему, республика... И в случае, например, если бы покойный Луи-Филипп[10]. Однако согласитесь, что не при всех же обстоятельствах... Да и народы притом не все... Не все, говорю я, народы...

— Та-та-та! стой, братец,— прервал Алексей Степаныч,— сам-то ты нетвердо говоришь — вот они и не понимают. Народы да обстоятельства... Какие такие «народы»? Води их почаще на Большую Садовую гулять да указывай на Управу Благочиния:[11] вот, мол, она!

— Так-то так, Алексей Степаныч! — счел долгом заступиться я,— да ведь нельзя редактору так просто выражаться. Редактор — ведь он гражданское мужество должен иметь. А между тем оно и без того понятно, что ежели есть «народы, которые», то очевидно, что это — те самые народы... Впрочем, я уверен, что и сотрудники газеты «Чего изволите?» очень хорошо понимают, чем тут пахнет, но только, для своего удобства, предпочитают, чтоб господин редактор сам делал в их статьях соответствующие изменения.

Молчалин 2-й горько усмехнулся.

— Да-с, предпочитают-с,— сказал он,— да сверх того, на всех перекрестках ренегатом ругают!

— Так что, с одной стороны, ругают сотрудники, а с другой — угрожает начальство? — подсмеялся Алексей Степаныч.— Да, брат, это, я тебе скажу,— положение!

Молчалин 2-й на минуту потупился, словно бы перед глазами его внезапно пронесся дурной сон.

— Такое это положение! такое положение! — наконец воскликнул он,— поверите ли, всего три года я в этой переделке нахожусь, а уж болезнь сердца нажил! Каждый день слышать ругательства и каждый же день ждать беды! Ах!

— И, как мне сказывал Алексей Степаныч, неприятность вашего положения осложняется еще тем, что вы боитесь, сами не зная кого и чего?

— И не знаю! ну, вот, ей-богу, не знаю! Еще вчера, например, писал об каком-нибудь предмете, писал бесстрашно — и ничего, сошло! Сегодня опять тот же предмет, с тем же бесстрашием тронул — хлоп! А я почем знал?

— «А я почем знал»! — передразнил Алексей Степаныч,— а нос у тебя на что? А сердце-вещун для чего? Коли ты — благонамеренный, так ведь сердце-то на всяк час должно тебя остерегать!

— Рассказывай! Тебе хорошо, ты *своего* проник[12]— ну, и объездил! А вот худо, как и объездить некого! Поди угадывай, откуда гроза бежит!

— Да неужто ж нет способов? — вмешался я,— во-первых, как сказал Алексей Степаныч, у вас есть сердце-вещун, которое должно вас остерегать; а во-вторых, ведь и писать можно приноровиться... ну, аллегориями, что ли!

— То-то и есть, что на аллегории нынче мастеров нет. Были мастера, да сплыли. Нынче все пишут сплеча, периодов не округляют, даже к знакам препинания холодность какая-то видится. Да вот, позвольте, я прочту, что мне тут один передовик напутал. Кстати, вместе обсудим, да тут же и исправим. А то я уж с утра мучусь, да понимание, что ли, во мне притупилось: просто, никакой аллегории придумать не могу.

Мы согласились. Молчалин 2-й взял со стола корректурный лист и начал:

— «С.-Петербург, 24-го июля.

На этот раз мы вновь возвращаемся к вопросу, который уже не однажды занимал нас. Пусть, впрочем, читатель не сетует за частые повторения: это — вопрос животрепещущий, вопрос жизни и смерти, вопрос, от правильной постановки которого зависит честь и спокойствие всех граждан. Одним словом, это — вопрос о распространении на все селения империи прав и преимуществ, изложенных в уставе о предупреждении и пресечении преступлений;[13] вопрос, по-видимому, скромный, но, в сущности, проникающий в сердце нашей жизни гораздо глубже, нежели можно с первого взгляда предположить...»

— Гм... кажется, это можно?

— По моему мнению, не только можно, но и... ах, боже мой! да самая мысль, что честь и спокойствие граждан зависят от распространения прав и преимуществ, изложенных в уставе о предупреждении и пресечении преступлений... Помилуйте! я сам сколько раз порывался... сколько раз сам думал: от чего бы это, в самом деле, зависело?.. и вдруг такой ясный и вполне определенный ответ! — восклицал я в восхищении.

— А по-моему, так и тут есть изъянец,— расхолодил мой восторг Алексей Степаныч,— кажется, и всего-то одно словечко подпущено: «граждан», а сообразите-ка — чем оно пахнет! Какие такие, скажут, «граждане»? Откуда такое звание взялось? У нас, батюшка, всякий — сам по себе! Ты — сам по себе, я — сам по себе! А то «граждане»! Что за новое слово такое? Да и конец, признаюсь, мне не нравится: «проникающий гораздо глубже, нежели можно с первого взгляда предположить»!.. Какой такой «первый взгляд»? И что тут еще «предполагать»? Припахивает, братец, припахивает!

— Чем же бы ты, однако ж, заменил слово «граждан»?

— А «обыватели» на что! И для тебя спокойно, и особенно гнусного ничего нет. «Честь и спокойствие обывателей» — чем худо?

— Гм... да... вы как думаете? — обратился Молчалин 2-й ко мне.

— По-моему, «граждане» возвышеннее; но коль скоро общественная безопасность этого требует, то отчего же не припустить и «обывателей»!..

— Так уж я...

Он помуслил карандаш, поскреб им на полях корректурного листа и продолжал:

— «Что селениям нашим необходимо предоставить те же благодеяния полицейского надзора, которыми уже пользуются их старшие собратья по табели о рангах, то есть города и местечки — насчет этого наша печать единодушна. Если не ошибаемся, до сих пор еще никто и никогда не позволил себе проводить в русской печати мысль, что полиция вредна. Да и мудрено проводить что-нибудь подобное, во-первых, потому, что это противоречило бы историческому опыту всех народов, а во-вторых, и потому, что, с принципиальной точки зрения, само начальство высказалось насчет пользы, приносимой полицией, настолько твердо и решительно, что сразу поставило этот вопрос вне всяких пререканий».

— Хорошо! очень хорошо! только я бы, знаешь, усугубил: вместо «вне всяких пререканий», написал бы: «вне всяких *не-*

уместных пререканий». Вернее! — посоветовал Алексей Степаныч.

— Можно и усугубить! Ну-с, далее!

«Стало быть, если в нашей печати и существуют по этому предмету разномыслия, то они касаются не решенного уже начальством вопроса о пользе полиции, но лишь практических его применений. «Полицейское воздействие безусловно полезно и необходимо,— в один голос вопиют все органы русской литературы,— следовательно, оставим этот вопрос в стороне, а будем спорить лишь о том, в какой форме должно выразиться полицейское воздействие, дабы иметь силу действительную, а не мнимую». И действительно, спорят; спорят горячо, с увлечением, почти с жгучестью... Так что многим приходит на мысль: уж не потому ли так шумят наши народные витии, что, за невозможностью обсуждать дело по существу, они хотят отыграться на подробностях?»

— Ничего... это? — как-то робко спросил нас Молчалин 2-й.

— Ничего-то ничего, а ты вникни, однако, что он тут нагородил, передовик-то твой!

Молчалин 2-й вопросительно взглянул на меня, как бы призывая в свидетели своей невинности.

— Нечего, нечего лебезить... Лиса Патрикеевна!¹⁴— безжалостно оборвал его Алексей Степаныч,— словно и не понимает, в чем тут суть! Ишь ты! сначала как и путный: «нельзя, говорит, не быть согласным насчет существа», а потом и пошел «невольным образом отыгрываются» да «за невозможностью»! «За бесполезностью», сударь! «за бесполезностью»! Вот как следует говорить!

Новый вопросительный взгляд на меня со стороны Молчалина 2-го, на этот раз уже положительно требующий моего вмешательства.

— К сожалению, я и сам не могу не согласиться с Алексеем Степанычем,— поспешил откликнуться я,— конечно, ни один из обыкновенных читателей не найдет во всей прочитанной вами тираде ничего, что бы свидетельствовало о неблаговидных поступках ее автора. Но *запах* — все-таки есть! И читатель *необыкновенный*,¹⁵ читатель, который следит за статьей, так сказать, с карандашом в руках... не знаю! Право, даже угадать не могу, что он найдет и чего не найдет в указанных Алексеем Степанычем словах! Можно и ничего не найти, но можно и *все* найти, потому что тут есть какая-то неискренность, есть экивок. Я сам люблю экивоки, но ведь экивок — это что такое? Пройдет он — хорошо! а не пройдет — тогда что? Вот почему я полагал бы, что, с точки зрения безопасности, надежнее было бы, если бы всю фразу, начиная со слов: «так что многим» выкинуть совсем.

— И так можно! — согласился Алексей Степаныч.

— Потому что слово — серебро, а молчание — золото! — присовокупил я.

— Да, если бы можно было этим золотом на рынке расплачиваться — богат бы я был! — вздохнул Молчалин 2-й и как-то задумчиво уперся карандашом в корректуру, как бы решаясь и не решаясь исполнить мое замечание.

— Стойте! нашел! — воскликнул он наконец, — вместо того чтоб совсем выкидывать фразу, я заменю ее следующею: «Так бывает всегда, когда печать становится лицом к лицу с настоящим, реальным делом, а не с пустою и бессодержательною идеологией»... Ладно?

— Прекрасно! прекрасно! прекрасно! — похвалил Алексей Степаныч, — похеривай и продолжай.

— «Положение наших селений исключительное. Полиция в них, можно сказать, не существует вовсе. Вотчинная полиция[16] упразднена; мировые посредники, в обязанности которых отчасти входили атрибуты вотчинной полиции, тоже сочтены излишними;[17] волостные правления и суды[18] ведают лишь дела крестьян; сотские и десятские[19] — но кто же не знает, что такое наши сотские и десятские? Мировые судьи или больны, или находятся в отпуску, занятые приискиванием других, лучших мест, и притом рассеяны по лицу земли в таких гомеопатических порциях, что бесполезно даже рассчитывать на их защиту. Так что ежели у вас пропал грош, то вам некому даже попечалиться об этом. Понятно, что такое двусмысленное положение, затрогивающее коренные основы, на которых зиждется общество, должно было встревожить нашу печать».

— Печальная картина! — вздохнул Молчалин 2-й и как-то нелепо пригорюнился.

— Смотри не заплачь! Нечего тут! Валяй! валяй дальше! — поощрил его Алексей Степаныч.

— «Но раз занявшись им, она должна была встретиться с множеством вопросов, которые существенно на него влияют и которые, следовательно, предлежало разрешить во что бы то ни стало. Что полиция не существует — это ясно; что ее следует восстановить, возродить, создать — это тоже ясно; но каким образом, из каких материалов и с помощью каких сил предстоит воздвигнуть величественное ее здание — вот что неясно и что требует неотложного разрешения. В ком, то есть в каких лицах, должна найти воплощение идея, выражаемая уставом о пресечении и предупреждении преступлений, в применении ее к селениям? Кто наиболее заинтересован как в назначении сих лиц, так и в наблюдении за правильностью их действий? В каком количестве должны быть назначаемы эти лица и каких желательно ожидать от них качеств? Какие необходимо им присвоить права как по прохождению службы, так и по мундиру и пенсии? В каких пределах должна быть заключена их власть, а равным образом в чем должны состоять их обязанности по наблюдению, дабы кутузка, сохраняя свою общедоступность, с одной стороны — не принимала характера увеселительного заведения, а с другой — не служила угрозою для выполнения прихотливых требований и не отвлекала граждан от их обычных занятий и невинных забав?

Все это, как видит читатель, — вопросы нешуточные; и потому совершенно понятно, что они волнуют в настоящее время лучшие умы в русском обществе и в русской литературе».

— Прекрасно! — продолжай, братец, продолжай! «Граждан»-то, «граждан»-то только похерь!

NOTES

От. зап. 1876, ix; *СС* xii, 67–74.

1. i.e. material comforts.

2. The conformist's slogan on the necessity of accepting the limitations of one's capacity for action—reinforced here by the threat of administrative reprisal for any attempt to exceed these limitations expressed in the phrase согнуть в бараний рог.

3. A reference to the commercialization of the press which was taking place at the time and which led to the appearance of numerous low-quality popular papers. Cf. the example referred to in n. 6 below.

4. An official and former colleague of the narrator. In the preceding chapters he has been presented as the archetypal contemporary Molchalin. His forename and patronymic are the same as those of Griboedov's character.

5. See introductory note.

6. Intended as a jibe at L. Kronenberg, at one time a tobacco industrialist, who had become the proprietor of the newspaper *Russkii mir* in 1875.

7. 'Like a thief in the night' (Ch. Sl.).

8. i.e. material for critical articles on conditions in remote provincial places, which were typical of the Russian press at the time.

9. 'Desperately'.

10. Louis Philippe had been well known for his republican sympathies, but after coming to the French throne in 1830 he conducted a policy of reaction against the demands of the republicans.

11. The police authority (and its central building) in towns.

12. 'You've rumbled your [superior]'. The second Molchalin takes up the point made earlier by the first Molchalin (p. 221) that he at least knows his persecutor, while the second Molchalin is faced with the ambiguous censorship authority.

13. The law concerned with the functions of the police.

14. Equivalent to 'You old fox'. Lisa Patrikeevna is the name given to the fox in Russian folk-tales.

15. i.e. the censor.

16. The police powers of the landowners for the maintenance of order on their estates before the Emancipation.

17. See **21**, n. 14. The institution of *mirovye posredniki* was abolished in 1874.

18. Peasant institutions: волостное правление—an administrative body consisting of the *sel'skie starosty* (see **21**, n. 14) of a district (*volost'*) and presided over by the *volostnoi starshina* (see **18**, n. 11); волостной суд—a court dealing with peasants' disputes and minor misdemeanours.

19. Minor police officials appointed by the peasant communal administration.

28. *Убежище Монрепо:* Тревоги и радости в Монрепо [extract]

The 1870s in Russia were marked by the growth of revolutionary activity and by the vigorous, often inept, efforts of the authorities to contain it. The *khozhdenie v narod* movement of the *narodniki* in the mid 1870s was followed by hundreds of arrests, and in 1877–8 there were spectacular mass trials of revolutionaries ('the 50' and 'the 193'). With the beginning of the terrorist campaign in 1878 the government took even stricter measures, trying political cases by courts martial, appointing governors-general with special powers, etc. Police agents were everywhere active, and any kind of unconformity could arouse suspicions of revolutionary sympathies. The extract below presents us with a view of this situation. The narrator, as a landowner once a pillar of the established order, but now ruined and with no defined position in rural society (for his economic plight, see **18**), is a natural object for the suspicions of Gratsianov, the new-style police superintendent of the district (*stanovoi pristav*), whose chief task has become the investigation of political unreliability. In the narrator's anxiety as to how he is regarded by the authorities, particularly in view of his 'liberal' past, is conveyed something of the uncertainty and tension characteristic of the public mood of the times.

The original version of the second chapter of *Ubezhishche Monrepo*, from which this extract is taken, was banned by the censors (it was to have appeared in *Otechestvennye zapiski* 1878, x) because of its comments on the newly created *uryadniki* (police officers specially appointed to augment the state police force in rural districts, see **32**, n. 14). The present revised version also encountered opposition from the censors and was published only after it had been specially referred to the Minister of the Interior.

Нынешней осенью, живя в Монрепо̀, я был неожиданно взволнован: в наше село переводили становую квартиру...[1]

В деревне подобные известия всегда производят переполох. Хорошо ли, худо ли живется при известной обстановке, но все-таки как-нибудь да живется. Это «как-нибудь» — великое дело. У мѐньшей братии[2] оно выражается словами: живы — и то слава богу! у культурных людей[3] — сладкою уверенностью, что чаша бедствий выпита уж до дна. И вдруг: нет! имеется наготове, и еще целый ушат. Как тут быть: радоваться или опасаться?

В настоящем случае поводы радоваться, несомненно, существовали. До сих пор мы жили совсем без начальства, как овцы без пастыря. Натурально, блуждали и даже заблуждались. Нѐкому было пожаловаться, нѐ у кого искать защиты. Особливо нам, культурным людям, приходилось плохо. Работник загуляет или заспорит в расчете — как с ним рассудиться? В лесу пропадет дерево или в огороде срежут кочан капусты — к кому взывать об отмщении? А с мальчишками сельскими так просто сладу нет: обнеситесь от них решеткой — они под решеткой лазы сделают: обройтесь канавой — через неделю вся канава изукрасится тропами. Как тут быть? Мировой судья[4] судит от нас в двадцати пяти верстах; становой пристав живет где-то уж совсем за болотами, так что легче в Париж съездить, чем до него добраться. Сотские[5]— мирволят; волостной старшина[6]— тот на все жалобы только ика̀ет: мне, дескать, до вас, культурных людей, дела нет! Ввиду всего этого мне и самому не раз-таки приходило в голову: вот кабы становой был поближе, тогда... Стало быть, теперь, когда желание мое было осуществлено, я имел, по-видимому, полное основание считать себя довольным и осчастливленным.

Но были поводы и для опасений, и прежде всего — неизвестность. Конечно, я имел о становом достаточно отчетливое понятие, но о становом дореформенном, которого и в глаза, и за глаза называли куроцапом? В местностях, изобиловавших культурными людьми, это было существо вполне жалкое, в потертом вицмундире с дрожащими сзади фалдочками, с воспаленными от дорожной пыли глазами, с физиономией, замасленной как блин и не имевшей никакого иного выражения, кроме готовности во всякую минуту проглотить рюмку водки. И как дополнение к нему, становиха, сухая как щепка, вследствие беспрерывных беременностей, но и за всем тем беременная. Такого станового, разумеется, опасаться было нечего. Но ведь с тех пор много воды утекло. Говорят, будто становым новые мундиры пошли, и с тех пор будто бы они приняли в свое заведование основы и краеугольные камни[8]. И еще говорят, будто они, «яко боги», получили дар читать в сердцах человеческих[9], и что вследствие сего, ежели прочтут в чьем сердце обращенное к ним слово «куроцап», то сейчас же делают соответствующее распоряжение. А наконец, некоторые утверждают, что они самым названием «становой пристав» уже начинают тяготиться, признавая его не исчерпывающим всего содержания их деятельности, и ходатайствуют, чтобы им присвоен был такой титул, который прямо говорил бы о сердцеведении, и чтобы, в сообразность с ним, было, разумеется, увеличено и самое содержание. Я не знаю, насколько эти слухи заслуживают вероятия, но если верно из них хоть одно то, что становым дали новую обмундировку, то и тогда уже надо держать ухо востро. Что будет, если «он», вместо того чтобы ограждать мои луга от потравы, начнет читать в моем сердце? Прочтет одну страницу, помуслит палец, перевернет, прочтет другую и так далее до конца?

Ввиду этих сомнений, я припоминал свое прошлое — и на всех его страницах явственно читал: куроцап! Затем, я обращался к настоящему и пробовал читать, что *теперь* написано в моем сердце, но и здесь ничего, кроме того же самого слова, не находил! Как будто все мое миросозерцание относительно этого предмета выразилось в одном этом слове, как будто ему суждено было не только заполонить прошлое, но и на мое настоящее и будущее наложить неистребимую печать!

Я испугался. Уныло ходил я по аллеям своего парка и инстинктивно перебирал в уме названия различных более или менее отдаленных городов[10]. Потом пошел на мельницу, но и там шум бегущей воды навеял на меня унылые мысли. «Жизнь человеческая,— думалось мне,— подобна этой воде. Сейчас мы видим ее заключенною в бассейне, а через момент она уже устремляется в пространство... куда?» Потом пошел по реке к тому месту, где вчера еще стояла полуразрушенная беседка, и, увидев, что за ночь ветер окончательно разметал ее, воскликнул: «Быть может, подобно этой беседке, и моя полуразрушенная жизнь...»

Одним словом, какая-то неопределенная тоска овладела всем моим существом. Иногда в уме моем даже мелькала кощунственная мысль: а ведь без начальства, пожалуй, лучше! И что всего несноснее: чем усерднее я гнал эту мысль от себя, тем назойливее и о́бразнее она выступала вперед, словно дразнила: лучше! лучше! лучше! Наконец я не выдержал и отправился на село к батюшке,[11] в надежде что он не оставит меня без утешения.

Батюшка уже был извещен о предстоящей перемене и как раз в эту минуту беседовал об этом деле с матушкой. Оба не знали за собой никакой вины и потому не только не сомневались, подобно мне, но прямо радовались, что и у нас на селе заведется свой jeune homme. Так что когда я, после первых приветствий, неожиданно нарисовал перед ними образ станового пристава в том виде, в каком он сложился на основании моих дореформенных воспоминаний, то они даже удивились.

— Помилуйте! да вы о ком это говорите! — воскликнул батюшка,— наверное, про Савву Оглашенного (был у нас, в древности, такой становой, который вполне заслужил это прозвище[12]) вспоминаете? Так это при царе Горохе[13] было, а нынче не так! Нынешнего станового от гвардейца не отличишь — вот как я вам доложу! И мундирчик, и кепе́, и бельецо! Одно слово, во всех статьях драгунский офицер!

— А какой у нашего нового станового образ мыслей! — томно присовокупила матушка, закатывая глаза.

Признаюсь, я не без волнения слушал эти похвалы, потому что они подтверждали именно то, чего я боялся. В особенности напоминание об «образе мыслей» встревожило меня.

— Говорят, будто он будет в сердцах читать? — робко спросил я,— правда ли это?

— Всенепременно-с.

— Помилуйте! да что же он там прочтет?

— Что написано, то и прочтет. Ежели у кого написано: «Не похваляется»,— он и в ремарку так занесет;[14] а ежели у кого в сердце видится токмо благое поспешение[15] — он и в ремарке напишет: «Аттестуется с похвалой!»

— Батюшка! да как же это! ведь он... куроцап!

Батюшка удивленно вскинул на меня глазами и даже слегка помычал.

— Это прежде куроцапы были, а по нынешнему времени таких титулов не полагается,— холодно заметил он,— но ежели бы и доподлинно так было, то для имеющего чистое сердце все равно, кому его на рассмотрение предъявлять: и «куроцап» и не «куроцап» одинаково найдут его чистым и одобрения достойным! Вот ежели у кого в сердце свило себе гнездо злоумышление...

Батюшка остановился: он понял, что не великодушно добивать колкостями и без того уже убитого человека, и с видимым участием спросил:

— Разве чувствуете какую-либо вину за собой?

Вопрос этот смутил меня. И прежде не раз мелькал он передо мной, но как-то в тумане; теперь же, благодаря категорическому напоминанию батюшки, он вдруг предстал во всей своей наготе.

— Бывало...— ответил я уклончиво.

— Например?

— Да вообще... вся жизнь... Вот хоть бы «филантропии» эти...[16] Конечно, до меня еще не добрались, а было и со мной... Занимался. Как вы думаете, повредит это мне?

— Смотря по тому. Разные «филантропии» бывают: и *доброкачественные* и *недоброкачественные*. За первые — похвала, за вторые — взыскание.

— То-то и есть, что я сам своих «филантропий» не разберу. Прежде мне казалось, что они доброкачественные, а вот теперь... Например, такая мысль: хотя свобода есть драгоценнейший дар творца, но она может легко перейти в анархию, ежели не обставлена: в настоящем — уплатой оброков, а в будущем — взносом выкупных платежей.[17] Эту мысль я зарубил у себя на носу еще во время освобождения крестьян и, я помню, был даже готов принять за нее мученический венец. Как вы полагаете, какова эта «филантропия»? доброкачественная или недоброкачественная?

— По-моему — доброкачественная! Только вот «свобода»... Небольшое это слово, а разговору из-за него много бывает. Свобода! гм... что такое свобода?! То-то вот и есть... Не было ли и еще чего в этом роде?

— Было и еще. Когда объявили свободу вину,[18] я опять не утерпел и за филантропию принялся. Проповедовал, что с вином следует обходиться умненько; сначала в день одну рюмку выпивать, потом две рюмки, потом стакан, до тех пор пока долговременный опыт не покажет, что пьяному море по колена. В то время кабачники очень на меня за эту проповедь роптали.

Батюшка слегка поморщился.

— Как вам сказать? — произнес он,— большой недоброкачественности и в этом не видится, а есть однако... Откровенно вам доложу: на вашем месте я бы кабатчиков не трогал. По чему бы не трогал? — а потому, сударь, что кабатчик, по нынешнему времени, есть столп. Прежде были столпы — помещики, а нынче столпы — кабатчики. Поэтому я бы и не трогал их.

— Но ведь по существу...

— По существу — это точно, что особенной вины за вами нет. Но кабатчики... И опять-таки повторяю: свобода... Какая свобода, и что оною достигается? В какой мере и на какой конец? Во благовремении или не во благовремении? Откуда и куда? Вот сколько вопросов предстоит разрешить! Начни-ка их разрешать — пожалуй, и в Сибири места не найдется! А ежели бы вы в то время вместо «свободы»-то просто сказали: улучшение, мол, быта[19]— и дело было бы понятное, да и вы бы на замечание не попали!

— Но кто же мог это предвидеть? Кто мог думать, что когда-нибудь становые будут читать в сердцах?

— Мудрый все предвидит. Мудрый так поступает: что ему нужно — выскажет, а себя подсидеть — не допустит. Мудрый, доложу вам, даже от слова «филантропия» воздержится, а просто скажет: «благое, с дозволения начальства, поспешение» — и кончен бал!

Батюшка остановился и не то укоризненно, не то с участием покачал на меня головой.

— Впрочем,— продолжал он,— ежели настоящим манером разъяснить и притом с раскаянием...

— Да вы, батюшка, со становым-то знакомы? — ухватился за эту мысль я.

— Знаком достаточно. Малый отличнейший! Молодой человек, кепè и все такое... Строгонек, конечно, но... с понятнем.

— Так вот бы вы... Постарайтесь уж, батюшка! ведь тут вся штука в том, чтоб дело было представлено в надлежащем виде.

К моему удовольствию, батюшка согласился на мою просьбу. Он не взялся, конечно, отстоять мою абсолютную правду, но обещал защитить меня от злостных преувеличений, к которым, наверное, не усомнятся прибегнуть кабатчики, чтоб очернить меня перед начальством. С своей стороны, я вспомнил, что нынешней осенью мне прислали сотню кустов какой-то неслыханной земляники, и предложил матушке в будущем году отделить несколько молодых отростков для ее огорода.

———

На селе, видимо, ждали. Кабатчики чистились и старались сообщить своим выставкам изящный вид. Однажды, проходя мимо меня, кабатчик Прохоров (он же по воскресеньям и праздникам открывал у себя сельский танцкласс[20]) бойко приподнял картуз и поздравил:

— С начальством-с!

— Не боитесь?

— Напротив-с. Даже-с с надеждою ожидаем.

Я достаточно на своем веку встречал новых губернаторов и других сильных мира, но никогда у меня сердце не ныло так, как в эти дни. Почему-то мне вдруг показалось, что здесь, в этой глуши, со мной все можно сделать: посадить в холодную, выворотить наизнанку, истолочь в ступе. Разумеется, предварительно завинив в измене, что, при уменье бойко читать в сердцах, сделать очень нетрудно. Поистине, никогда я такого скверного чувства не испытывал.

Я понимал, что я российский дворянин, но и только. Затем я искал кругом себя тына или ограды, к которым можно бы, в случае нужды, прислониться,— и не находил. Я не состоял на службе — следовательно, с этой стороны защиты не имел. Я не пользовался громким титулом — следовательно, никого не мог пугнуть высокопоставленными связями. Я не был особенно богат — следовательно, никто не надеялся, что я, под веселую руку, созову у себя во дворе толпу мужиков и баб, заставлю их петь и водить хороводы и первым поднесу по стакану водки, а вторых — оделю пряниками. Кроме того, я никого не ограбил, контрактов на продовольствие армии и флотов не заключал,[21] ничьим имуществом насильственно не завладел и даже ни у кого ничего на законном основании не оттягал — следовательно, никому не внушил ни страха, ни уважения. Это было до такой степени омерзительно, что многим казалось даже странным: зачем я живу? И уже, наверное, всякому думалось: вот кабы на место этого расслабленного да поселился в Монрепо лихой купчина Разуваев[22] (мой сосед по имению), то-то бы веселье у нас пошло! Но этого мало. Вместо того чтобы как можно бесповоротнее позабыть, что я российский дворянин, я с удивительною назойливостью об этом помнил. Я сохранил вкус к разведению садов и парков, что уже само по себе свидетельствует о заносчивости; но, сверх того, я не «якшался»[23] и — говорят даже — выказывал наклонность «задирать нос». Существовал ли этот последний факт в действительности — по совести, я ни отвергнуть, ни утвердить этого не могу, но, вероятно, в самой моей отчужденности («неякшании») было что-нибудь такое, что давало повод обвинять меня и в «задирании носа». И, разумеется, это еще больше раздражало: «Мразь, а тоже, как мышь на крупу, надувается!»[24]— в один голос твердили столпы-кабатчики.

Оголтелый, отживающий, больной, я сидел в своем углу, мысленно разрешая вопрос: может ли существовать положение более анафемское, нежели положение российского дворянина, который на службе не состоит, ни княжеским, ни маркизским титулом не обладает, не заставляет баб водить хороводы и, в довершение всего, не имеет достаточно денег, чтобы переселиться в город и там жить припеваючи на глазах у вышнего начальства.

Я ни в земство, ни в мировой институт не попал,[25] и не только не попал, но ни разу даже не полюбопытствовал, что̀ делается на съездах. Как-то всегда мне казалось, что незачем мне там быть, что я ни курить фимиам, ни показывать кукиш в кармане,[26] ни устраивать мосты и перевозы[27]— однаково не способен, а стало быть...

Повторяю: никто не мог ясно себе представить, зачем я живу, и вследствие этого многие думали и думают, что я злоумышляю.

За всем тем я не только живу, но и хочу жить и даже, мне кажется, имею на это право. Не одни умные имеют это право, но и дураки, не одни грабители, но и те, коих грабят. Пора наконец убедиться, что ежели отнять право на жизнь у тех, которых грабят, то в конце концов некого будет грабить. И тогда грабители вынуждены будут грабить друг друга, а кабатчики — самолично выпивать все свое вино.

Я хочу жить, несмотря на то, что каждоминутно нахожусь в ожидании, что вот-вот меня нечто слопает. Что̀ именно слопает — я даже не стараюсь догадываться, а прямо огулом думаю: все может слопать. Ожидание это держит меня в хроническом беспокойстве, заставляет смотреть на существование, как на что-то до крайности постылое, и все-таки не убивает во мне жажды жизни. Ах, эта проклятая жажда жизни! Каким образом она так крепко укореняется в человеке — я решительно не понимаю, но хочу жить, хочу. Все думается, что как-нибудь да вывернусь, то есть получу возможность приходить в разрушение постепенно, сам собою, в силу естественного хода вещей... какой, однако ж, идеал! А еще больше думается (и, сознаюсь, не без сладостного трепета думается), что когда-нибудь купец Разуваев, выведенный из терпения задиранием моего носа, вдруг вынет из кармана куш и скажет: получай и уйди с глаз долой![28] Господи! вот кабы... Как бы, однако ж, Разуваеву при этом невзначай не нагрубить — ведь он, каналья, самолюбив! Он — самолюбив, и я — самолюбив; он потребует, чтоб я коленцо перед ним выкинул, а я — за это ему в шею! Нет уж, так и быть, вытерплю! все вытерплю, даже коленцо выкину, лишь бы... И тогда, заполучив куш, уйду, уйду навсегда! поселюсь в городе, запишусь членом в клуб и буду каждый вечер забавляться в табельку по четверти копейки за пункт.

Весь преданный тревоге в ожидании начальства, я невольно спрашивал себя: почему же *прежде*[29] никогда этого со мной не бывало? почему я *прежде* не сомневался в себе, а *теперь* — сомневаюсь? почему я *прежде* не предполагал, чтобы что-нибудь могло меня слопать, а *теперь* — не только предполагаю, но и всечасно того ожидаю? И, по зрелом размышлении, должен был дать такой ответ: потому что прежде не было разделения людей на благонамеренных и неблагонамеренных, на благонадежных и неблагонадежных.

Понятий таких не было, а потому и лиц, которым удобно было бы взвалить на плеча качества, соединенные с этими понятиями, не существовало. Была одна маршировка.

Никто не мог себе представить, чтобы на всем лице Российской империи нашелся человек, которому можно было бы сознательно присвоить титул неблагонамеренного или политически неблагонадежного лица. Не упоминалось ни об основах, ни о краеугольных камнях, а следовательно, не могло быть речи ни о подкапываниях, ни о потрясаниях. Все так естественно стояло на своем месте, что никому не приходило даже в голову полюбопытствовать, чтó тут такое стоит. Не было повода любопытствовать, да и прихотливых людей почти совсем не существовало. Всякий проходил мимо самых несомненных краеугольных камней точно так же бездумно, как бездумно проходит любой маленький чиновник свой ежедневный крестный путь от Песков[30] до Главного Штаба или Сената. Для этого чиновника достаточно, что улица, по которой он проходил вчера, существует и ныне, и что она, по-вчерашнему же, с обеих сторон ограничена домами,— стало быть, нет резона не существовать ей и завтра, и послезавтра, и так далее без конца.

Бывали, правда, и в то время казнокрады, вымогатели, взяточники; бывали даже люди, позволявшие себе носить волосы более длинные, чем нужно.[31] Но это были лишь отдельные разновидности одной и той же семьи, существование которых не компрометировало ни основ, ни краеугольных камней. Или, лучше сказать, это были случайные носители «злой воли», которые и наказывались, сколько кому надлежит, ежели не умели хоронить концы в воду. Ты казнокрад — шествуй в Сибирь; ты отрастил гриву — садись на гауптвахту. Но о краеугольных камнях не упоминалось, обобщений не делалось, и стремления группировать людей на какие-то мнимые сословия («охранителей» и «прогрессистов», как некогда выразился академик Безобразов[32]) — не существовало.

Понятно, что при такой простоте воззрений за глаза достаточно было и куроцапов, чтобы удовлетворять всем потребно-

стям благоустройства и благочиния. В их ведении была маршировка, а так как в то время все было так подстроено, что
всякий маршировал сам собой, то куроцапы не суетились, не
нюхали, но просто взымали дани[33] а в прочее время пили без
просыпу.

Но, по мере нашего социального и интеллектуального
развития, глаза наши все больше и больше раскрывались.
И, наконец, раскрылись до того широко, что мы всю Россию
поделили на два лагеря: в одном — благонамеренные и благо-
надежные, в другом — неблагонамеренные и неблагонадеж-
ные. А так как это деление последовало не на основании твердых фактических исследований, а просто явилось ответом на
требование темперамента, взбудораженного преимущественно
крестьянской реформой, то весьма естественно, что на первых
же порах произошла путаница.

Наружных признаков, при помощи которых можно было бы
сразу отличить благонамеренного от неблагонамеренного —
нет; ожидать поступков[34]— и мешкотно и скучно. А между тем
взбудораженный темперамент не дает ни отдыха, ни срока и
все подсказывает: ищи! Пришлось сказать себе, что в этой
крайности имеется один только способ выйти из затруднения —
это сердцеведение.

Явился запрос на сердцеведение — явились и сердцеведы.
Мало того, явились и помощники сердцеведов из числа охот-
чих людей: публицисты, кабатчики, мелкие торгаши, стар-
шины, писаря, церковники...[35]

Все это я выяснил себе очень хорошо, но, к сожалению, никакой пользы от этих разъяснений для себя не извлек. Главное, у меня не было уверенности, что я сам-то благонамеренный. То есть я-то, собственно, очень твердо понимал себя таковым, но не знал, как оно выйдет перед судом сердцеведения.

Что я имел повод питать в этом отношении сомнения —
в этом убеждал меня батюшка. Даже и он отозвался обо мне
как-то надвое. Сначала сказал: доброкачественно, а потом
присовокупил: только вот «свобода»... Только? И это, так
сказать, с первого взгляда, а что же будет, если поискать
вплотную? Да, «мудрый» так не поведет дела, как я его вел!
«Мудрый» покажет, что нужно,— и сейчас в кусты! А я? Впрочем, что же я, в самом деле, такое сделал?

И ничего, и очень много — как посмотреть! И пятнадцать
лет тому назад, и как будто только вчера — тоже как посмотреть! Тысяща лет яко день един — для таких проказ, пожалуй, и давности не полагается. «Свобода»! — право, даже
смешно! Как это язык у меня повернулся? как он не отсох!

А главное, как мне не пришло в голову заменить «свободу» — улучшением быта? А теперь расплачивайся!

И вот, несмотря на обнадеживания батюшки, я беспокойно скитался по аллеям своего парка и сравнивал. Сравнивал прошедшее с настоящим, маршировку с сердцеведением. И дошел наконец до такого абсурда, что склонился на сторону маршировки...[36]

NOTES

От. зап. 1879, ii; *CC* xiii, 292–301.

1. The headquarters of a *stan* (rural police district), headed by the *stanovoi pristav).*

2. i.e. the peasants.

3. i.e. the gentry. See **18**, n. 19.

4. Magistrate of a local court (*mirovoi sud*). These courts were set up after the Emancipation to deal with cases which had previously fallen within the jurisdiction of the serf-owners.

5. See **27**, n. 19.

6. See **18**, n. 11.

7. 'Chicken-thief', indicative of the very petty menace posed by the old-style *stanovoi.*

8. 'Foundations and cornerstones'—of the established order.

9. Reading of hearts and knowledge of the inner man referred to here and in the following references to сердцевед(ение) are aesopisms for the investigation of a person's political outlook and reliability.

10. i.e. towns where he might be sent into exile.

11. i.e. to the village priest.

12. As a noun оглашенный means a person who behaves wildly, as if possessed.

13. 'In days of yore'.

14. 'He will note it in his report'.

15. 'Beneficial aid' (Ch. Sl.)—the implication is of support for the established order.

16. i.e. progressive 'humanitarian' political ideals.

17. The peasants' 'freedom' was as effectively negated by the post-Emancipation redemption dues (*vykupnye platezhi*, payable by the peasants over forty-nine years after their liberation in return for the land they received) as by the pre-Emancipation quit-rent (*obrok*).

18. i.e. 1863, when the *otkup* system for the liquor trade (see **11**, n. 1) was abolished.

19. In official usage preceding the Emancipation the liberation of the serfs was referred to obliquely as 'улучшение быта крестьян'. Here the phrase улучшение быта is suggested as preferable to a politically dangerous word such as свобода.

20. Here a euphemism for 'brothel'.

21. Contracting to supply the army was a notorious means of enriching oneself by fraudulently supplying sub-standard goods.

22. For Razuvaev, see **18**.

23. 'I didn't hob-nob', *sc.* with social inferiors.

24. 'A good-for-nothing fellow, sulking around, what's more, as if he's hard done by'.

25.. i.e. never served in the *zemstvo* or in the local justices' court (*mirovoi sud*, see n. 4 above). These institutions, introduced in 1864 and 1866, provided activity for many public-spirited members of the gentry.

26. i.e. to adopt either a conservative or muted progressive standpoint, as he would be expected to do if offering himself as a candidate in *zemstvo* elections (see **26**).

27. Characteristic of the limited responsibilities of the *zemstva*. See **26**, introductory note.

28. As in fact happens: see **18**.

29. i.e. in the more restrictive but more clearly defined period before the reforms.

30. A district of St. Petersburg.

31. i.e. nihilists who grew their hair long. See **13**, n. 8.

32. In an article entitled 'Nashi okhraniteli i nashi progressisty' (*Russkii vestnik* 1869, x) V. P. Bezobrazov (1828–99), the liberal economist, had referred critically to the division of political opinion in Russia between the extreme positions of the conservatives (*okhraniteli*) and radicals (*progressisty*).

33. 'Exacted tribute', i.e. took appropriate bribes.

34. i.e. to await positive actions in opposition to the established order.

35. i.e. who are prepared to act as agents and informers of the authorities.

36. To prefer, that is, the simple regimentation of pre-reform days to the unnerving investigations of one's outlook practised by the authorities in the new times.

29. *Современная идиллия:* Chapter II [extract]

Saltykov's novel *Sovremennaya idilliya* was written over several years: the first eleven chapters were published in 1877–8, work on the novel was then suspended and resumed only four years later, the remaining chapters appearing in 1882–3. The novel is, as its title suggests, a 'contemporary' work, a direct reflection of the period of reaction in which it was written. The novel's theme is the pusillanimity of sections of the liberal intelligentsia who in view of the government's active campaign to clamp down on political opposition were prepared to sacrifice principles and integrity in order to maintain their good standing with the authorities. The novel relates the adventures of two liberals (the narrator and his friend Glumov) who, alarmed at suspicions of their disloyalty, set out to prove their political reliability by performing actions of blatantly *blagonamerennyi* character. Included in these are *criminal* acts, which, in their view, should more certainly than anything demonstrate to the authorities their political soundness. The following extracts are taken from the second chapter in which the heroes attempt to ingratiate themselves with the police. The novel has begun with their being warned that in the circumstances of the day they, as liberals, should 'bide their time' (годить), i.e. defer for the time being any move to realize their liberal aspirations.

Повторяю: мы совсем упустили из вида, что, по первоначальному плану, состояние «благонамеренности» было предположено для нас только временно, покуда предстояла надобность «годить». Мы уже не «годили», а просто-напросто «превратились»![1] До такой степени «превратились», что думали только о том, на каком мы счету состоим в квартале?[2] И когда однажды наш друг-сыщик[3] объявил, что не дальше как в тот же день утром некто Иван Тимофеич (очевидно, влиятельное в квартале лицо)[4] выразился об нас: я каждый день бога молю, чтоб и все прочие обыватели у меня такие же благонамеренные были! и что весьма легко может случиться, что мы будем приглашены в квартал на чашку чая,— то мы целый день выступали такою гордою поступью, как будто нам на смотру по целковому на водку дали.

И, действительно, очень скоро после этого мы имели случай на практике убедиться, что Кшепшицюльский не обманул нас. Шли мы однажды по улице, и вдруг навстречу сам Иван Тимофеич идет. Мы было, по врожденному инстинкту, хотели на другую сторону перебежать, но его благородие поманил нас пальцем, благосклонно приглашая не робеть.

— Вечерком... на чашку чая... прошу... в квартал! — сказал он, подавая нам по очереди те самые два пальца, которыми только что перед тем инспектировал в ближайшей помойной яме.[5]

И, сказав это, изволил благополучно проследовать к следующей помойной яме.

Возвратясь домой, мы долго и тревожно беседовали об этой чашке чая С одной стороны, приглашение делало нам честь, как выражение лестного к нам доверия; с другой стороны — оно налагало на нас и обязанности. Множество вопросов предстояло разрешить. В каком костюме идти: во фраке, в сюртуке или в халате? Что заставят нас делать: плясать русскую, петь «Вниз по матушке по Волге», вести разговоры о бессмертии души с точки зрения управы благочиния[6] или же просто поставят штоф водки и скажут: пейте, благонамеренные люди! Разумеется, наш сыщик оказался в этом случае драгоценной для нас находкою.

— Вудка[7] буде непременно,— сказал он нам,— мòже и не такà гарна, как в тым месте, где моя родина есть, но все же буде. Петь вас, мòже, и не заставят, но мысли, наверное, испытыватъ будут и для того философический разговор заведут. А после, мòже, и танцовать прикажут, бо у Ивана Тимофеича дочка есть... òт-то слична девица!

Наконец настал вечер, и мы отправились. Я помню, на мне были белые перчатки, но почему-то мне показалось, что на рауте в квартале нельзя быть иначе, как в перчатках мытых и непременно с дырой: я так и сделал. С своей стороны, Глумов хотя тоже решил быть во фраке, но своего фрака не надел, а поехал в частный ломбард и там, по знакомству, выпросил один из заложенных фраков, самый старенький.

— По этикету-то ихнему следовало бы в ворованном фраке ехать,— сказал он мне,— но так как мы с тобой до воровства еще не дошли (это предполагалось впоследствии, как окончательный шаг для увенчания здания[8]), то на первый раз не взыщут, что и в ломбардной одеже пришли!

Иван Тимофеич принял нас совершенно по-дружески и, прежде всего, был польщен тем, что мы, приветствуя его, назвали вашим благородием. Он сейчас же провел нас в гостиную, где сидели его жена, дочь и несколько полицейских дам, около которых усердно лебезила полицейская молодежь (впоследствии я узнал, что это были местные «червонные валеты»[9] выпущенные из чижовки на случай танцев)....

По выполнении церемонии представления мы удалились в кабинет, где нам немедленно вручили по стакану чая, наполовину разбавленного кизляркой (в человеке, разносившем подносы с чаем, мы с удовольствием узнали Кшепшицюльского). Гостей было достаточно. Почетные: письмоводитель Прудентов и брантмейстер Молодкин — сидели на диване, а младшие — на стульях. В числе младших гостей находился и старший городовой[10] Дергунов с тесаком через плечо.

Оказалось, что Кшепшицюльский и тут не обманул нас.

Едва мы успели усесться, как Прудентов и Молодкин (конечно, по поручению Ивана Тимофеича), в видах испытания нашего образа мыслей, завели философический разговор. Начали с вопроса о бессмертии души и очень ловко дали беседе такую форму, как будто она возымела начало еще до нашего прихода, а мы только случайно сделались ее участниками. Прудентов утверждал, что подлинно душа человеческая бессмертна, Молодкин же ему оппонировал, но, очевидно, только для формы, потому что доказательства представлял самые легкомысленные.

— Никакой я души не видал,— говорил он,— а чего не видал, того не знаю!

— А я хоть и не видал, но знаю,— упорствовал Прудентов,— не в том штука, чтобы видючи знать — это всякий может,— а в том, чтобы и невидимое за видимое твердо содержать! Вы, господа, каких об этом предмете мнений придерживаетесь? — очень ловко обратился он к нам.

Момент был критический, и, признаюсь, я сробел. Я столько времени вращался исключительно в сфере съестных припасов, что самое понятие о душе сделалось совершенно для меня чуждым. Я начал мысленно перебирать: душа... бессмертие... чтò, бишь, такое было? — но, увы! ничего припомнить не мог, кроме одного: да, было что-то... где-то там... К счастию, Глумов кой-что еще помнил и потому поспешил ко мне на выручку.

— Для того, чтобы решить этот вопрос совершенно правильно,— сказал он,— необходимо прежде всего обратиться к источникам. А именно: ежели имеется в виду статья закона или хотя начальственное предписание, коими разрешается считать душу бессмертною, то, всеконечно, сообразно с сим надлежит и поступать; но ежели ни в законах, ни в предписаниях прямых в этом смысле указаний не имеется, то, по моему мнению, необходимо ожидать дальнейших по сему предмету распоряжений.

Ответ был дипломатический. Ничего не разрешая по существу, Глумов очень хитро устранял расставленную ловушку и самих поимщиков ставил в конфузное положение.— Обратитесь к источникам! — говорил он им,— и буде найдете в них указания, то требуйте точного по оным выполнения! В противном же случае остерегитесь сами и не вдавайтесь в разыскания, кои впоследствии могут быть признаны несвоевременными!

Как бы то ни было, но находчивость Глумова всех привела в восхищение. Сами поимщики добродушно ей аплодировали, а Иван Тимофеич был до того доволен, что благосклонно потрепал Глумова по плечу и сказал:

— Ловко, брат!

— Ну-с, прекрасно-с! — продолжал дальше испытывать Прудентов,— а теперь я желал бы знать ваше мнение еще по одному предмету: какую из двух ныне действующих систем образования[11] вы считаете для юношества наиболее полезною и с обстоятельствами настоящего времени сходственною?

— То есть классическую или реальную? — пояснил от себя Молодкин.

Я опять оторопел, но Глумов нашелся и тут.

— Откровенно признаюсь вам, господа,— сказал он,— что я даже не понимаю вашего вопроса. Никаких я *двух* систем образования не знаю, а знаю только *одну*. И эта *одна* система может быть выражена в следующих немногих словах: не обременяя юношей излишними знаниями, всемерно внушать им, что назначение обывателей в том состоит, чтобы беспрекословно и со всею готовностью выполнять начальственные предписания! Ежели предписания сии будут классические, то и исполнение должно быть классическое, а если предписания будут реальные, то и исполнение должно быть реальное. Вот и все. Затем никаких других систем, ни классических, ни реальных — я не признаю!

— Браво! браво! — посыпались со всех сторон поздравления. Квартальный хлопал в ладоши. Прудентов жал нам руки, а городовой пришел в такой восторг, что подбежал к Глумову и просил быть восприемником его новорожденного сына.

Таким образом, благодаря находчивости Глумова, мы вышли из испытания победителями и посрамили самих поимщиков. Сейчас же поставили на стол штоф водки, и хозяин провозгласил наше здоровье, сказав:

— Теперича, если бы сам господин частный пристав спросил у меня: Иван Тимофеев! какие в здешнем квартале имеются обыватели, на которых, в случае чего, положиться было бы можно? — я бы его высокородию, как перед богом на Страшном суде, ответил: вот они!..

———

Вообще эта зима как-то необыкновенно нам удалась. Рауты и званые вечера следовали один за другим; кроме того, нередко бывали именинные пироги и замечательно большое число крестин, так как жены городовых поминутно рожали. Мы веселились, не ограничиваясь одним своим кварталом, но принимали участие в веселостях всех частей[12] и кварталов.... Эта рассеянная жизнь имела для нас с Глумовым ту выгоду, что мы значительно ободрились и побойчели.[13] Покуда мы исключительно предавались удовольствиям, доставляемым истреблением съестных припасов, это производило в нас отяжеление и, в то же время, сообщало физиономиям нашим унылый и слегка осовелый вид, который мог подать повод к невыгодным для нас толкованиям. А это положительно нам вредило и даже в значительной мере парализировало наши усилия в смысле благонамеренности.

В то время унылый вид играл в человеческой жизни очень важную роль: он означал недовольство существующими порядками и наклонность к потрясению основ. Правда, что прокуроров тогда еще не было,[14] а следовательно, и потрясений не так много было в ходу, но все-таки при частях уже существовали следственные пристава,[15] которые тоже не без любознательности засматривались на людей, обладающих унылыми физиономиями. Поэтому телесное отяжеление, равно как и изжога, ежели не всегда служили достаточным поводом для диагностических постукиваний,[16] то, во всяком случае, представляли очень достаточные данные для возбуждения сомнений и запросов весьма щекотливого свойства.

Этих сомнений и запросов я в течение всей моей жизни тщательно избегал. Я всегда предпочитал им открытые исследования, не потому, чтобы перспектива быть предметом начальственно-диагностических постукиваний особенно улыбалась мне, но потому, что я — враг всякой неизвестности и, вопреки известной пословице, нахожу, что добрая ссора все-таки предпочтительнее, нежели худой мир.[17] Даже тогда, когда действительно на совести моей тяготеет преступление, когда порочная моя воля сама, так сказать, вопиет о воздействии,— даже и тогда меня не столько страшит кара закона, сколько вид напруживающегося при моем приближении прокурора. Хочется сказать ему: не суда боюсь, но взора твоего неласкового! не молнии правосудия приводят меня в отчаяние, а то, что ты не удостоиваешь меня своею откровенностью! Громи меня! призывай на мою голову мщение небес, но скажи, чем я тебя огорчил! Разреши тенета суспиции, которыми ты опутал мое существование! разъясни мне самому, какою статьею уложения о наказаниях определяется мое официальное положение в той бесконечно развивающейся уголовной драме, которая, по манию твоему, обнимает все отрасли человеческой индустрии, от воровства-кражи до потрясения основ с прекращением платежей по текущему счету и утайкою вверенных на хранение бумаг!

Но ежели я таким образом думаю, когда чувствую себя

245

действительно виноватым, то понятно, как должна была претить мне всякая запутанность теперь, когда я сознавал себя вполне чистым и перед богом, и перед людьми. К счастию, новые знакомства очень скоро вывели меня из той угрюмой сферы жранья, в которую я было совсем погрузился. Я понял, что истинная благонамеренность не в том одном состоит, чтобы в уединении упитывать свои телеса[18] до желанного веса, но в том, чтобы подавать пример другим. Горизонт мой незаметно расширился, я воспрянул духом, спал с тела и не только не дичился общества, но искал его. Унылый вид, который придавал мне характер заговорщика, исчез совершенно. Вместе с Глумовым я проводил целые утра в делании визитов (иногда из Казанской части приходилось, по обстоятельствам, ехать на Охту),[19] вел фривольные разговоры с письмоводителями, городовыми и подчасками о таких предметах, о которых даже мыслить прежде решался, лишь предварительно удостоверившись, что никто не подслушивает у дверей, ухаживал за полицейскими дамами, и только скромность запрещает мне признаться, скольких из них довел я до грехопадения. Словом сказать, из области благонамеренности выжидающей я перешел в область благонамеренности воинствующей и внушил наконец такое к себе доверие, что мог сквернословить и кощунствовать вполне свободно, в твердой уверенности, что самый бдительный полицейский надзор ничего в этом не увидит, кроме свойственной благовоспитанному человеку фривольности.

Бессловесность, еще так недавно нас угнетавшая, разрешилась самым удовлетворительным образом. Мы оба сделались до крайности словоохотливы, но разговоры наши были чисто элементарные и имели тот особенный пошиб, который напоминает атмосферу дома терпимости. Содержание их главнейшим образом составляли: во-первых, фривольности по части начальства и конституций и, во-вторых, женщины, но при этом не столько сами женщины, сколько их округлости и особые приметы.

Мы делали все, что делают молодые светские шалопаи, чувствующие себя в охоте: нанимали тройки, покупали конфеты и букеты, лгали, хвастались, катались на лихачах и декламировали эротические стихи. И все от нас были в восхищении, все говорили: да, теперь уж совсем ясно, что это — люди благонамеренные не токмо за страх, но и за совесть!

Наконец в одно прекрасное утро мы были удовольствованы, так сказать, по горло: сам Иван Тимофеич посетил нас в моей квартире.

246

Признаюсь, долгонько-таки заставил ждать почтенный сановник этого визита. Целых два месяца прошло после первого раута в квартале, а он, по-видимому, даже забыл и думать, что существуют на свете известные законы приличия. Все уж по нескольку раз перебывали у нас: и письмоводители частных приставов, и брантмейстеры, и помощники квартальных, и старшие городовые; все пили водку, восхищались икрой и балыком, спрашивали, нет ли Поль де Кокца[20] в переводе почитать и проч.— один Иван Тимофеич с какою-то необъяснимою загадочностью воздерживался от окончательного сближения. Не раз видали мы из окна, как он распоряжался во дворе дома насчет уборки нечистот, и даже нарочно производили шум, чтобы обратить на себя его внимание, но он ограничивался тем, что делал нам ручкой, и вновь погружался в созерцание нечистот. Это отчасти обижало нас, а отчасти заставляло пускаться в догадки: неужели наше прошлое до того уж отягчено преступлениями, что даже волны теперешней благонамеренности не могут обмыть его?

— А порядочно-таки накуролесили мы в жизни своей! — объяснял я Глумову мои сомненья.

— Да, брат, эти дела не так-то скоро забываются! — соглашался он со мной.

И вот стали мы разбирать свое прошлое — и чуть не захлебнулись от ужаса. Господи, чего только там не было! И восторг по поводу упразднения крепостного права, и признательность сердца по случаю введения земских учреждений, и светлые надежды, возбужденные опубликованием новых судебных уставов, и торжество, вызванное упразднением предварительной цензуры, с оставлением ее лишь для тех, кто, по человеческой немощи, не может бесцензурности вместить.[21] Одним словом, все опасности, все неблагонадежности и неблагонамеренности, все угрозы, все, что подрывает, потрясает, разрушает,— все тут было! И ничего такого, что созидает, укрепляет и утверждает, наполняя трепетною радостью сердца всех истинно любящих свое отечество квартальных надзирателей!

— Да ведь этак мы, хоть тресни, не обелимся! — в отчаянии восклицал я.

— Похоже на то! — как эхо, вторил мне Глумов.

— Послушай! кто же, однако ж, мог это знать! ведь в то время казалось, что *это* и есть то самое, что созидает, укрепляет и утверждает! И вдруг — какой, с божьею помощью, переворот!

— Мало ли что казалось! надо было в даль смотреть!

NOTES

Om. зап. 1877, iii; *CC* xv(1), 25–32.

1. i.e. they have not merely suspended their modest liberal aspirations, but actually turned against them.

2. i.e. at the district police headquarters.

3. The Pole Kszepszyculski, a police spy and tavern acquaintance of Glumov and the narrator.

4. Evidently the *kvartal'nyi nadziratel'*, the officer in charge of the local police district (*kvartal*).

5. The police in Russia were responsible for public sanitation.

6. The central police authority in a town.

7. 'Vodka' (Polish *wódka*). Cf. other non-Russian words used by Kszepszyculski in the following lines: гарна 'good', 'fine' (Ukrainian гарний), слична 'beautiful' (Polish *śliczny*).

8. i.e. as a crowning demonstration of their *blagonamerennost'*. Увенчание здания was a rhetorical phrase commonly used in the 1860s to indicate the granting of a constitution as a culmination of the reform movement.

9. 'Local criminals'. For червонные валеты, see **18**, n.18.

10. 'Police sergeant'.

11. i.e. of the two forms of education provided respectively by the *gimnazii*, where the emphasis was on training in the classics, and the *real'nye uchilishcha*, where the curriculum was biased towards science and practical subjects (cf. the references below to 'классические' and 'реальные' orders of the authorities). See also **22**, n.22.

12. Police divisions of a town of which *kvartaly* were sub-divisions. The journal text of this chapter contained a footnote here explaining that the events described preceded the redesignation of these districts (in 1862) as, respectively, *uchastki* and *okolotki*. The same remoteness in time is suggested by the references below to 'procurators' and 'investigating officers' (see nn. 14, 15). This removal of events to an earlier period was a blatantly disingenuous gesture by Saltykov towards the censors, which he made no effort to sustain—cf. references in the same chapter to the 1863 Polish rising and to MacMahon's presidency of France (1873–9).

13. Побойчеть: evidently 'to cheer up' (< бойкий).

14. By the legal reform of 1864 procurators were given the responsibility of instigating and supervising police inquiries in particular cases.

15. 'Investigating officers', pre-reform police officials (in larger towns), responsible for carrying out inquiries in criminal cases.

16. i.e. direct political investigation.

17. Cf. the proverb Худой мир лучше доброй ссоры.

18. 'Feed one's flesh' (Ch. Sl.).

19. Казанская часть: one of the central districts of St. Petersburg; Охта: on the eastern fringe of the city.

20. Paul de Kock (1794–1871), the French author, whose light titivating novels enjoyed enormous popularity in Russia. For Saltykov, to be a reader of Paul de Kock was a sign of vacuity and, by extension, of political reliability.

21. i.e. the major reforms of the 1860s—the Emancipation, the introduction of local government organs, new courts of law, and the revision of the censorship regulations. By the censorship regulations of 1865 preliminary censorship (*predvaritel'naya tsenzura*) for periodicals become no longer obligatory, and it was left to editors to decide whether or not to submit their journals to be censored before publication. Avoidance of preliminary censorship did not, of course, exclude the possibility of sanctions *after* publication.

30. *Сказки:* Премудрый пискарь

In the *skazka* of the 'wise gudgeon' Saltykov condemned the passive retreat from life and struggle which he saw as characteristic of Russian society in the situation of the 1880s. A particular target was undoubtedly the liberal intelligentsia (the gudgeon is mentioned as being 'просвещенный, умеренно-либеральный'), for whom survival had proved more important than principle (see 'Liberal' (25), written in the following year, and *Sovremennaya idilliya* (29)).

'Premudryi piskar'' is a good example of Saltykov's 'animal' *skazki*, in which he often makes the point of his allegory clear by the telling incongruous juxtaposition of features from the human and animal worlds. It is also a notable piece of 'mood' writing.

Жил-был пискарь. И отец и мать у него были умные; помаленьку да полегоньку аридовы веки[1] в реке прожили и ни в уху, ни к щуке в хайло́ не попали. И сыну то же заказали. «Смотри, сынок,— говорил старый пискарь, умирая,— коли хочешь жизнью жуировать, так гляди в оба!»

А у молодого пискаря ума палата была. Начал он этим умом раскидывать и видит: куда ни обернется — везде ему мат[2] Кругом, в воде, всё большие рыбы плавают, а он всех меньше; всякая рыба его заглотать может, а он никого заглотать не может. Да и не понимает: зачем глотать? Рак может его клешней пополам перерезать, водяная блоха — в хребет впиться и до смерти замучить. Даже свой брат пискарь — и тот, как увидит, что он комара изловил, целым стадом так и бросятся отнимать. Отнимут и начнут друг с дружкой драться, только комара задаром растреплют.

А человек? — что это за ехидное создание такое! каких каверз он ни выдумал, чтоб его, пискаря, напрасною смертью

249

погублять! И невода́, и сети, и ве́рши, и норота́,[3] и, наконец...
уду! Кажется, что́ может быть глупее уды? — Нитка, на нитке
крючок, на крючке — червяк или муха надеты... Да и надеты-
то как?.. в самом, можно сказать, неестественном положении!
А между тем именно на уду всего бо́льше пискарь и ловится!

Отец-старик не раз его насчет уды предостерегал. «Пуще
всего берегись уды! — говорил он,— потому что хоть и глупей-
ший это снаряд, да ведь с нами, пискарями, что глупее, то вернее. Бросят нам муху, словно нас же приголубить хотят; ты в
нее вцепишься — ан в мухе-то смерть!»

Рассказывал также старик, как однажды он чуть-чуть в уху
не угодил. Ловили их в ту пору целою артелью, во всю ши-
рину реки невод растянули, да так версты с две по дну воло-
ком и волокли. Страсть, сколько рыбы тогда попалось! И щуки, и окуни, и головли, и плотва, и гольцы,— даже лещей-ле-
жебоков из тины со дна поднимали! А пискарям так и счет
потеряли. И каких страхов он, старый пискарь, натерпелся,
покуда его по реке волокли,— это ни в сказке сказать, ни пером описать. Чувствует, что его везут, а куда — не знает. Видит, что у него с одного боку — щука, с другого — окунь; думает: вот-вот, сейчас, или та, или другой его съедят, а они
не трогают... «В ту пору не до еды, брат, было!» У всех одно
на уме: смерть пришла! а как и почему она пришла — никто
не понимает. Наконец стали крылья у невода сводить, выво-
локли его на берег и начали рыбу из мотни в траву валить.
Тут-то он и узнал, что́ такое уха. Трепещется на песке что-то
красное; серые облака от него вверх бегут; а жарко таково́,
что он сразу разомлел. И без того без воды тошно, а тут еще
поддают... Слышит — «костер», говорят. А на «костре» на этом
черное что-то положено, и в нем вода, точно в озере, во время
бури, ходуном ходит. Это — «котел», говорят. А под конец
стали говорить: вали в «котел» рыбу — будет «уха»! И начали
туда нашего брата валить. Шваркнет рыбак рыбину — та сначала окунется, потом, как полоумная, выскочит, потом опять
окунется — и присмиреет. «Ухи», значит, отведала. Валили-
валили сначала без разбора, а потом один старичок глянул на
него и говорит: «Какой от него, от малыша, прок для ухи! пу-
щай в реке порастет!» Взял его под жабры, да и пустил в
вольную воду. А он, не будь глуп, во все лопатки — домой!
Прибежал, а пискариха его из норы ни жива ни мертва выгля-
дывает...

И что же! сколько ни толковал старик в ту пору, что́ такое
уха и в чем она заключается, однако и поднесь в реке редко
кто здравые понятия об ухе имеет!

Но он, пискарь-сын, отлично запомнил поучения пискаря-отца, да и на ус себе намотал. Был он пискарь просвещенный, умеренно-либеральный, и очень твердо понимал, что жизнь прожить — не то, что мутовку облизать.¹ «Надо так прожить, чтоб никто не заметил,— сказал он себе,— а не то как раз пропадешь!» — и стал устраиваться. Первым делом нору для себя такую придумал, чтоб ему забраться в нее было можно, а никому другому — не влезть! Долбил он носом эту нору целый год, и сколько страху в это время принял, ночуя то в иле, то под водяным лопухом, то в осоке. Наконец, однако, выдолбил на славу. Чисто, аккуратно — именно только одному поместиться впору. Вторым делом, насчет житья своего решил так: ночью, когда люди, звери, птицы и рыбы спят — он будет моцион делать, а днем — станет в норе сидеть и дрожать. Но так как пить-есть все-таки нужно, а жалованья он не получает и прислуги не держит, то будет он выбегать из норы около полден, когда вся рыба уж сыта, и, бог даст, может быть, козявку-другую и промыслит. А ежели не промыслит, так и голодный в норе заляжет, и будет опять дрожать. Ибо лучше не есть, не пить, нежели с сытым желудком жизни лишиться.

Так он и поступал. Ночью моцион делал, в лунном свете купался, а днем забирался в нору и дрожал. Только в полдни выбежит кой-чего похватать — да что в полдень промыслишь! В это время и комар под лист от жары прячется, и букашка под кору хоронится. Поглотает воды — и шабаш!

Лежит он день-деньской в норе, ночей не досыпает, куска не доедает, и все-то думает: «Кажется, что я жив? ах, что-то завтра будет?»

Задремлет, грешным делом, а во сне ему снится, что у него выигрышный билет и он на него двести тысяч выиграл. Не помня себя от восторга, перевернется на другой бок — глядь, ан у него целых полрыла из норы высунулось... Что, если б в это время щуренок поблизости был! ведь он бы его из норы-то вытащил!

Однажды проснулся он и видит: прямо против его норы стоит рак. Стоит неподвижно, словно околдованный, вытаращив на него костяные глаза. Только усы по течению воды шевелятся. Вот когда он страху набрался! И целых полдня, покуда совсем не стемнело, этот рак его поджидал, а он тем временем все дрожал, все дрожал.

В другой раз, только что успел он перед зорькой в нору воротиться, только что сладко зевнул, в предвкушении сна,— глядит, откуда ни возьмись, у самой норы щука стоит и зубами хлопает. И тоже целый день его стерегла, словно видом его одним сыта была. А он и щуку надул: не вышел из норы, да и шабаш.

И не раз, и не два это с ним случалось, а почесть что каждый день. И каждый день он, дрожа, победы и одоления одерживал, каждый день восклицал: «Слава тебе, господи! жив!»

Но этого мало: он не женился и детей не имел, хотя у отца его была большая семья. Он рассуждал так: «Отцу шутя можно было прожить! В то время и щуки были добрее, и окуни на нас, мелюзгу, не зарились. А хотя однажды он и попал было в уху, так и тут нашелся старичок, который его вызволил! А нынче, как рыба-то в реках повывелась, и пискари в честь попали. Так уж тут не до семьи, а как бы только самому прожить!»

И прожил премудрый пискарь таким родом слишком сто лет. Все дрожал, все дрожал. Ни друзей у него, ни родных; ни он к кому, ни к нему кто. В карты не играет, вина не пьет, табаку не курит, за красными девушками не гоняется — только дрожит да одну думу думает: «Слава богу! кажется, жив!»

Даже щуки, под конец, и те стали его хвалить: «Вот, кабы все так жили — то-то бы в реке тихо было!» Да только они это нарочно говорили; думали, что он на похвалу-то отрекомендуется — вот, мол, я! тут его и хлоп! Но он и на эту штуку не поддался, а еще раз своею мудростью козни врагов победил.

Сколько прошло годов после ста лет — неизвестно, только стал премудрый пискарь помирать. Лежит в норе и думает: «Слава богу, я своею смертью помираю, так же, как умерли мать и отец». И вспомнились ему тут щучьи слова: «Вот кабы все так жили, как этот премудрый пискарь живет...» А ну-тка, в самом деле, что бы тогда было?

Стал он раскидывать умом, которого у него была палата, и вдруг ему словно кто шепнул: «Ведь этак, пожалуй, весь пискарий род давно перевелся бы!»

Потому что, для продолжения пискарьего рода, прежде всего нужна семья, а у него ее нет. Но этого мало: для того, чтоб пискарья семья укреплялась и процветала, чтоб члены ее были здоровы и бодры, нужно, чтоб они воспитывались в родной стихии, а не в норе, где он почти ослеп от вечных сумерек. Необходимо, чтоб пискари достаточное питание получали, чтоб не чуждались общественности, друг с другом хлеб-соль бы водили и друг от друга добродетелями и другими отличными качествами заимствовались. Ибо только такая жизнь может совершенствовать пискарью породу и не дозволит ей измельчать и выродиться в снетка.

252

Неправильно полагают те, кои думают, что лишь те пискари могут считаться достойными гражданами, кои, обезумев от страха, сидят в норах и дрожат. Нет, это не граждане, а по меньшей мере бесполезные пискари. Никому от них ни тепло, ни холодно, никому ни чести, ни бесчестия, ни славы, ни бесславия... живут, даром место занимают да корм едят.

Все это представилось до того отчетливо и ясно, что вдруг ему страстная охота пришла: «Вылезу-ка я из норы да гоголем по всей реке проплыву!» Но едва он подумал об этом, как опять испугался. И начал, дрожа, помирать. Жил — дрожал, и умирал — дрожал.

Вся жизнь мгновенно перед ним пронеслась. Какие были у него радости? кого он утешил? кому добрый совет подал? кому доброе слово сказал? кого приютил, обогрел, защитил? кто слышал об нем? кто об его существовании вспомнит?

И на все эти вопросы ему пришлось отвечать: «Никому, никто».

Он жил и дрожал — только и всего. Даже вот теперь: смерть у него на носу, а он все дрожит, сам не знает, из-за чего. В норе у него темно, тесно, повернуться негде, ни солнечный луч туда не заглянет, ни теплом не пахнёт. И он лежит в этой сырой мгле, незрячий, изможденный, никому не нужный, лежит и ждет: когда же наконец голодная смерть окончательно освободит его от бесполезного существования?

Слышно ему, как мимо его норы шмыгают другие рыбы — может быть, как и он, пискари — и ни одна не поинтересуется им. Ни одной на мысль не придет: «Дай-ка, спрошу я у премудрого пискаря, каким он манером умудрился слишком сто лет прожить, и ни щука его не заглотала, ни рак клешней не перешиб, ни рыболов на уду не поймал?» Плывут себе мимо, а может быть, и не знают, что вот в этой норе премудрый пискарь свой жизненный процесс завершает!

И что всего обиднее: не слыхать даже, чтоб кто-нибудь премудрым его называл. Просто говорят: «Слыхали вы про остолопа, который не ест, не пьет, никого не видит, ни с кем хлеба-соли не водит, а все только распостылую свою жизнь бережет?» А многие даже просто дураком и срамцом его называют и удивляются, как таких идолов[5] вода терпит.

Раскидывал он таким образом своим умом и дремал. То есть не то что дремал, а забываться уж стал. Раздались в его ушах предсмертные шепоты, разлилась по всему телу истома. И привиделся ему тут прежний соблазнительный сон. Выиграл будто бы он двести тысяч, вырос на целых поларшина и сам щук глотает.

А покуда ему это снилось, рыло его, помаленьку да полегоньку, целиком из норы и высунулось.

И вдруг он исчез. Чтò тут случилось — щука ли его заглотала, рак ли клешней перешиб, или сам он своею смертью умер
и всплыл на поверхность,— свидетелей этому делу не было.
Скорее всего — сам умер, потому что какая сласть щуке глотать хворого, умирающего пискаря, да к тому же еще и *премудрого?*

NOTES

От. зап. 1884, i; *CC* xvi(1), 30–4.

1. 'For ages'. The biblical Jared (Арид) is said to have lived for 962 years (Gen.
5:15).

2. 'He was an all-round loser'.

3. Different kinds of fishing-nets. Невод: a large winged net for fishing across
the width of a river; верша and норот: kinds of creel.

4. 'There's more to life than licking the mixing-spoon'—a variation on the
proverbial Жизнь прожить — не поле перейти.

5. Here in the popular pejorative sense of 'dolt', 'clod'.

31. *За рубежом:* Chapter VI [extract: 'Торжествующая свинья']

This short dream episode occurs in Chapter VI of *Za rubezhom* (see **21**,
introductory note), interposed in a description of the depression evoked
in the author by his reflections on contemporary political life in Russia.
This chapter of *Za rubezhom*, published in May 1881, was in fact the first
piece of writing by Saltykov to appear after the assassination of Alexander
II two months before. The 'triumphant swine' of the dream symbolizes
the political reaction by which the country was seized after the Tsar's
death and in particular it stands for the conservative press, notably
Katkov's *Moskovskie vedomosti*, which at the time indulged in a rampage
of protest and denunciation (there is evidence that Katkov took the dream
as a personal attack on himself, see *CC* xiv, 586). The pig as a symbol of
the reactionary press was used by Saltykov on a number of occasions at
this time—in a preceding passage of the chapter of *Za rubezhom* in which
'Torzhestvuyushchaya svin'ya' appears he wrote: 'Тяжелое наступило
ныне время...: время отравления особого рода ядом, который я
назову *газетным.* Ах, какое это неслыханное мучение, когда
газетные трихины ('trichina', a parasite of the pig) играть начинают!'
(*CC* xiv, 197). Cf. also **32** and **33**.

ТОРЖЕСТВУЮЩАЯ СВИНЬЯ,
ИЛИ
РАЗГОВОР СВИНЬИ С ПРАВДОЮ

Прерванная сцена

Д е й с т в у ю щ и е   л и ц а:

С в и н ь я, разъевшееся животное; щетина ощерилась и блестит, вследствие беспрерывного обхождения с хлевной жидкостью.

П р а в д а, особа, которой, по штату, полагается быть вечно юною, но уже изрядно побитая. Прикрыта, по распоряжению начальства, лохмотьями, сквозь которые просвечивает классический полный мундир, то есть нагота.

Действие происходит в хлеву.

С в и н ь я *(кобенится)*. Правда ли, сказывают, на небеде солнышко светит?

П р а в д а. Правда, свинья.

С в и н ь я. Так ли, полно? Никаких я солнцев, живучи в хлеву, словно не видывала?

П р а в д а. Это оттого, свинья, что когда природа создавала тебя, то, создаваючи, приговаривала: не видать тебе, свинья, солнца красного!

С в и н ь я. Ой ли? *(Авторитетно.)* А по-моему, так все эти солнцы — одно лжеучение... ась?

П р а в д а *безмолвствует и сконфуженно поправляет лохмотья. В публике раздаются голоса: правда твоя, свинья! лжеучения! лжеучения!*

С в и н ь я *(продолжает кобенится)*. Правда ли, будто в газетах печатают: свобода-де есть драгоценнейшее достояние человеческих обществ?

П р а в д а. Правда, свинья.

С в и н ь я. А по-моему, так и без того у нас свободы по горло. Вот я безотлучно в хлеву живу — и горюшка мало! Что мне! Хочу — рылом в корыто уткнусь, хочу — в навозе кувыркаюсь... какой еще свободы нужно! *(Авторитетно.)* Изменники вы, как я на вас погляжу... ась?

П р а в д а *вновь старается прикрыть наготу. Публика гогочет: правда твоя, свинья! Изменники! изменники! Некоторые из публики требуют, чтоб Правду отвели в участок! Свинья самодовольно хрюкает, сознавая себя на высоте положения.*

С в и н ь я. Зачем отводить в участок? Ведь там для проформы подержат, да и опять выпустят. *(Ложится в навоз и впадает в сантиментальность.)* Ах, нынче и участковые[2] одним языком с фельётонистами говорят! Намеднись я в одной газете вычитала: оттого-де у нас слабо, что законы только для проформы пишутся...

П р а в д а. Так ты и читаешь, свинья?

С в и н ь я. Почитываю. Только понимаю не так, как написано... Как хочу, так и понимаю!.. (*К публике.*) Так вот что́, други! в участок мы ее не отправим, а своими средствами... Сыскивать ее станем... сегодня вопросец зададим, а завтра — два... (*Задумывается.*) Сразу не покончим, а постепенно чавкать будем... (*Сопя, подходит к Правде, хватает ее за икру и начинает чавкать.*) Вот так!

П р а в д а *пожимается от боли; публика грохочет. Раздаются возгласы: ай да свинья! вот так затейница!*

С в и н ь я. Что? сладко? Ну, будет с тебя! (*Перестает чавкать.*) Теперь сказывай: где корень зла?

П р а в д а (*растерянно*). Корень зла, свинья? корень зла... корень зла... (*Решительно и неожиданно для самой себя.*) В тебе, свинья!

С в и н ь я (*рассердилась*). А! так ты вот как поговариваешь! Ну, теперь только держись! Правда ли, сказывала ты: общечеловеческая-де правда против околоточно-участковой[3] не в пример превосходнее?

П р а в д а (*стараясь изловчиться*). Хотя при известных условиях жизни, невозможно отвергать...

С в и н ь я. Нет, ты хвостом-то не верти! Мы эти момо-то[4] слыхивали! Сказывай прямо: точно ли, по мнению твоему, есть какая-то особенная правда, которая против околоточной превосходнее?

П р а в д а. Ах, свинья, как изменнически подло...

С в и н ь я. Ладно; об этом мы после поговорим. (*Наступает плотнее и плотнее.*) Сказывай дальше. Правда ли, что ты говорила: законы-де одинаково всех должны обеспечивать, потому-де что, в противном случае, человеческое общество превратится в хаотический сброд враждующих элементов... Об каких это законах ты говорила? По какому поводу и кому в поучение, сударыня, разглагольствовала? ась?

П р а в д а. Ах, свинья!

С в и н ь я. Нечего мне «свиньей»-то в рыло тыкать. Знаю я и сама, что свинья. Я — Свинья, а ты — Правда... (*Хрюканье свиньи звучит иронией.*) А ну-тко, свинья, погложи-ка правду! (*Начинает чавкать. К публике.*) Любо, что ли, молодцы?

П р а в д а *корчится от боли. Публика приходит в неистовство. Слышится со всех сторон: Любо! Нажимай, свинья, нажимай! Гложи ее! чавкай! Ишь ведь, распостылая, еще разговаривать вздумала!*

NOTES

От. зап. 1881, v; *CC* xiv, 200–1.

1. A police division of a town (and its headquarters).
2. Police officers in charge of *uchastki* (see n. 1).
3. 'Of the police station', from участок and околоток (a town police district, sub-division of an *uchastok*).
4. 'Words', 'talk'.

32. *Письма к тетеньке:* Письмо 3 [extracts]

The fifteen letters to 'Auntie' were written in 1881–2. In them Saltykov gives a commentary on the state of Russia in the period immediately following the assassination of Alexander II and describes the degradation of social and cultural life brought about by the activities of the official and unofficial agents of reaction and by the concomitant philistinism of the times. In 'Auntie' Saltykov was addressing the more responsible elements of the liberal intelligentsia. While chiding them for their instinct to give way on their principles, he appeals to them to rally and stand firm in the face of reaction.

The original third letter of the correspondence was banned by the censors because of an outspoken attack it contained on the *Svyashchennaya druzhina*, the aristocratic counter-revolutionary society which had a brief existence in 1881–2. The following extracts are taken from the letter written to replace it, which in fact provides an effective summary of the whole correspondence. It protests against the vituperative denunciations of the conservative press; it describes the atmosphere of tension and fear by which society is gripped; it then follows with an affirmation of Saltykov's confidence in the survival of society and in the eventual triumph of decency and justice, and with a pressing appeal to 'Auntie' to be firm, to have faith in the future, and to beware of the blandishments of renegade pseudo-liberals who have decamped to the side of reaction.

Вы спрашиваете, голубушка, хорошо ли мне живется? Хорошо-то хорошо, а всё·таки не знаю, как сказать. Притеснений — нет, свобода — самая широкая; даже трепетов нет — помните, как в те памятные дни, когда, бывало, страшно одному в квартире остаться[1]— да вот поди ж ты! Удивительно как-то тоскливо. Атмосфера словно арестантским чем-то насыщена, света нет, голосов не слыхать; сплошные сумерки, в которых витают какие-то вялые существа. Куда бредут эти существа и зачем бредут — они и сами не знают, но, наверное, их можно повернуть и направо, и налево, и назад — куда хочешь. Всем как-то всё равно. В самых интимных кружках разговоры ведутся какие-то прошлогодние, а иногда и прямо нелепые, а когда идешь вечером по улице, то просто даже оторопь берет. Такого обилия неосвещенных окон никто не запомнит: точно все собрались говеть. А если и видишь где-нибудь в окне огонек, то, наверное, там, при трепетном свете керосиновой лампы, какой-нибудь современный Пимен строчит и декламирует:

> Еще одно облыжное сказанье,
> И извещение окончено мое...[2]

Тихо, тетенька! чересчур уж тихо. Не то чтобы что-нибудь непосредственно грызло, как, помните, в то время, когда всякий сам перед собой исповедовался, а просто самая жизнь как будто оборвалась. Коли хотите, и среди этой тишины, от времени до времени, раздается полемика, но односторонняя и как-то чересчур уж победоносная. Захрюкает вдруг свинья, или кто-нибудь из подсвинков и поросят[3] — и сразу победят. Налгут, наябедничают и, не вызвавши возражений, потонут в собственном навозе. И никто не удивляется, что только изъеденные трихинами голоса[4] свободно раздаются в пространстве; напротив, все как бы убедились, что это единственно подходящая формула, которую способна была отыскать для себя торжествующая современность.

Такая же тоскливая вялость и в литературе. Трихинные-то голоса, по преимуществу, в ней и раздаются. В былое время только один хлев на всю литературу полагался, а нынче их считают десятками. И везде раздается победоносное хрюканье, везде кого-нибудь чавкают. Мысль потускнела, утратила всякий вкус к «общечеловеческому»; только и слышишь окрики по части благоустройства и благочиния. Страстность заменена животненною злобою, диалектика — обвинениями в неблагонадежности... может ли быть что-нибудь более омерзительное? И, право, никто, кажется, не жалеет, что уровень литературы так низко пал. Напротив того, и на улицах, и в распивочных домах без всяких околичностей провозглашают: давно пора на эту паскудную литературу намордник надеть! На днях захожу в ресторан закусить — смотрю, Расплюев[5] около буфета так и закатывается! Хлещет литературу по чем попало, да и шабаш. «Расплюев! — говорю я ему,— да вы вспомните, что у вас на лице нет ни одного места, на котором бы следов человеческой пятерни не осталось!» А он в ответ: «Это, говорит, прежде было, а с тех пор я исправился!» И что́ же! представьте себе, я же должен был от него во все лопатки удирать, потому что ведь он малый серьезный: того гляди, и в участок пригласит! Но воображаю я, кабы выискался молодец, который сказал бы в Англии, во Франции или в Германии, что на литературу намордник надеть надо, сколько бы он в один день постороннего кала съел!

Я знаю многих, которые утверждают, что только теперь и слышатся в литературе трезвенные слова⁶. А я так, совсем напротив, думаю, что именно теперь-то и начинается в литературе пьяный угар. Воображение потухло, представление о высших человеческих задачах исчезло, способность к обобщениям признана не только бесполезною, но и прямо опасною — чего еще пьянее нужно! Идет захмелевший человек, тыкаясь носом в навозные кучи, а про него говорят: вот от кого услышим трезвенное слово.

Да, хоть и ладно, по-видимому, живется, а все-таки думаешь: куда бы от этой жизни деваться? Злости чересчур уж много завелось — никогда столько не бывало. Иной совсем ничего не смыслит, а тоже, глядя на других, злобствует. И нет этой бессодержательной злобе отпора. Ругаются, пасквилянтствуют, ханжат, брызжут бешеной пеной, стучат пустыми дланями в пустые перси, грозят очами и — что всего ужаснее — хранят полную уверенность, что противная сторона будет безмолвствовать. Обвинения сыплются как из рога изобилия, обвинения бессмысленные, которые сам обвинитель ни объяснить, ни поддержать не может, но которые тем не менее считаются непререкаемыми. Возражают на это, что ведь и последствий ощутительных от этих обвинений нет... Однако ведь это смотря по тому, что́ разуметь под именем «ощутительных последствий». Для иного ведь и то уж «ощутительно», что этим паскудным обвинениям нет отпора...

Иногда мне представляется вопрос: поддастся ли наше общество наплыву этого низкопробного озлобления, которое до остервенения набрасывается на все, выходящее за пределы хлевной атмосферы, или же оно будет только наружно окачено им, внутренно же останется верным тем инстинктам порядочности, которая до сих пор, от времени до времени, прорывалась в нем? — И знаете ли, к какому я пришел убеждению? — непременно останется верным порядочности. Как ни запугано наше общество, как ни слабо развито в нем чувство самостоятельности, но несомненно, что внутренние сочувствия его направлены в сторону доброго и плодотворного дела. Это единственное — и, надо сказать, весьма доброкачественное — утешение, которое представляется человеку, осужденному безмолвно стоять, в качестве обвиняемого, перед сонмищем невежественных и злых уличных лоботрясов?

Но спрашивается: насколько подобные утешения могут поддерживать в человеке охоту к жизни?

.   .   .   .

Но... общество хочет жить. Я не знаю, как вам это объяснить, милая тетенька, но именно одна эта идея и господствует над всем. То есть идея об ограждении человеческой породы от могущих угрожать ей случайностей исчезновения. В одно прекрасное утро вы выходите на улицу и видите, что все живущее съежилось. Вот это-то самое и означает, что «общество» вознамерилось оградить себя от напрасной смерти. Оно не высказывается прямо ни относительно людей, зараженных «бреднями»,[8] ни относительно дворников, но как-то уж чересчур проворно перебегает с одной стороны улицы на другую, как только завидит возможность сомнительной встречи. Вы видите целую массу обуреваемых жаждою жизни людей и только удивляетесь храбрости, с которою они рискуют попасть под колеса конножелезнодорожных вагонов[10] и скачущих взад и вперед экипажей.

Да, есть и у трусости своего рода храбрость. Недаром компетентные люди рассказывают, что встречаются субъекты, которые, имея в перспективе завтрашнее сражение, предпочитают накануне покончить с собой при помощи удавки...

Я вовсе не хочу сказать этим, что господствующий в современном обществе тон — предательство и вероломство. Я говорю только, что над общественным организмом, в каких бы условиях существования он ни находился, всегда тяготеет непременное желание жить. При благоприятных условиях это желание выражается свободно, естественно; при условиях неблагоприятных — спутанно и уклончиво. Если б можно было ходить по улице «не встречаясь», любой из компарсов[11] современной общественной массы шел бы прямо и не озираясь: но так как жизнь сложна и чревата всякими встречами, так как «встречи» эти разнообразны и непредвиденны, да и люди, которые могут «увидеть», тоже разнообразны и непредвиденны,— вот наш компарс и бежит во все лопатки на другую сторону улицы, рискуя попасть под лошадей.

На мой вкус, эта храбрость не симпатична; однако не могу не сказать в ее оправдание, что при известных условиях она принимает почти обязательный характер. В отношении к отдельным и выдающимся личностям излишнее чувство самосохранения, конечно, не должно считаться особенно похвальным качеством, но общество, взятое в целом, руководится в этом случае совсем иными правилами. Оно *обязывается сохранить себя* даже ценою временного обезличения. Так что, ежели вы видите массы компарсов, перебегающих с одной стороны улицы на другую, под влиянием общественного переполоха, то это совсем не значит, что общество изменило своим симпатиям и антипатиям, а значит только, что оно не сознает себя достаточно сильным, чтобы относиться самостоятельно к дворницкому игу.[12]

Эпохи, в которые с особенной силой проявляется это общественное двоегласие, суть эпохи очень печальные и, может быть, даже безнравственные. Но нельзя, не впадая в крайнюю несправедливость, относить к обществу то чувство негодования, которое при этом возбуждается. Не оно тут на первом плане, а тот воздух, те миазмы, которыми оно дышит. Ведь оно дышит этими миазмами не добровольно; не потому, что признает их здоровыми, а потому, что деваться от них некуда. А между тем, повторяю, на нем, на этом еле дышащем обществе, лежит фаталистическая обязанность жить. Жить, то есть оградить будущее идущих за ним поколений.

Наше общество[13] немногочисленно и не сильно. Притом, оно искони идет вразброд. Но я убежден, что никакая случайная вакханалия не в силах потушить те искорки, которые уже засветились в нем. Вот почему я и повторяю, что хлевное ликование может только наружно окатить общество, но не снесет его, вместе с грязью, в водосточную яму. Я, впрочем, не отрицаю, что периодическое повторение хлевных торжеств может повергнуть общество в уныние, но ведь уныние не есть отрицание жизни, а только скорбь по ней.

То же самое явление обезличения несчетное число раз отражалось и на нашей литературе, и именно по преимуществу на той ее части, которая провозглашала принципы человечности и была наиболее предана интересам родины. Бывали для этой литературы времена очень тяжкие, и длились они беспросветно и бессрочно, но она и за всем тем никогда не умолкала. Как бы инстинктивно чувствовала она, что на ней лежит обязанность оберечь будущее человеческой мысли, будущее лучших человеческих стремлений, и что если она хоть на минуту смолкнет, то молчание это будет равносильно смерти. Благодаря этому, она живет и доднесь. Серая, чахлая, еле дышащая, но живет.

Нет зрелища, более надрывающего человеческое сердце, как зрелище общего уныния, общей скорби по жизни. Но все-таки не надо думать, что общество когда-нибудь погибнет под гнетом этого уныния и что оно вынуждено будет воспринять хлевные принципы в свои нравы. Надо гнать прочь эту мысль даже в том случае, ежели она выступает вперед назойливо и доказательно. Надо всечасно говорить себе: нет, этому нельзя статься! не может быть, чтоб бунтующий хлев покорил себе вселенную! Не следует забывать, что хлевные принципы обязаны своим торжеством лишь совершенно исключительным обстоятельствам, которым общество ни в каком случае непричастно. Но ведь должна же когда-нибудь настоящая, правильная жизнь вступить в свои права. И она вступит. И компарсы, так усердно, под гнетом паники, перебегающие через дорогу, дабы уйти от компрометирующих встреч, вновь почувствуют присутствие оживляющих искорок и сумеют отличить тех, которые в минуты уныния поддерживали в обществе веру в жизнь, от тех, которые вносили в него только язву междоусобия.

Я твердо верю, что такой момент наступит и что так называемые «бредни» ежели и не восторжествуют вполне, то, во всяком случае, будут иметь свое значение на весах будущего. Поэтому и вас, милая тетенька, прошу: не ослабевайте! Кушайте, гуляйте, почивайте! но все-таки помните, что прошлое обязывает. И ежели ваш урядник[14] будет вас убеждать: сударыня! послушайте, какой приятный лай с Москвы несется[15] — не присоедините ли и вы к нему своего собственного? — то отвечайте кратко, но твердо: во-первых, я не умею лаять, а во-вторых, если б и умела, то предпочла бы лаять самостоятельно.

«Бредни» слишком разнообразны по своим целям, чтобы та или другая могла претендовать на непосредственное и всецелое осуществление. Но важно то, что у всех у них основной принцип один: человечность. Подробностями и даже некоторыми существенными чертами можно и поступиться, но если даже только одно общее представление о человечности найдет себе достаточно прозелитов, то и это уже значительный шаг вперед. Человечность прольет в жизнь бальзам умиротворения, сообщит ей смягчающие тоны, удалит трепеты и сделает ее способною развиваться.

Повторяю: я убежден, что честные люди не только пребудут честными, но и победят, и что на стороне человеконенавистничества останутся лишь люди, вконец раздавленные личными интересами. Я, впрочем, отнюдь не отрицаю ни силы, ни законности личных интересов, но встречаются между ними столь низменные и даже столь подлые, что трудно найти почву, на которой можно было бы примириться с ними. Вот этн-то подлые инстинкты и обладают человеконенавистниками.

Будьте же бодры, голубушка, и не смущайтесь духом при виде компарсов, проворно улепетывающих ввиду непредвиденных встреч. Но кстати: так как вы жалуетесь на вашего соседа Пафнутьева,[16] который некогда вас либеральными записками донимал, а теперь поговаривает: «надо же, наконец, серьезно взглянуть в глаза опасности...», то, относительно этого человека, говорю вам прямо: опасайтесь его! ибо это совсем не компарс, а корифей. Давно уж он «сведущим человеком»[17] смотрит, давно протягивает руку к трубе, и в настоящую минуту, быть может, уже подносит ее к губам, чтобы вострубить.

Вообще эти земские грамотеи глубоко мне не по душе. Орфографии не знают, о словосочинении — никогда не слыхивали, знаки препинания — ставят ad libitum, а непременно хотят либеральные мысли излагать. Да и мысли-то какие — по грошу пара! Когда-нибудь я подробнее с вами об этих корифеях поговорю, а теперь только повторяю: опасайтесь Пафнутьева, ибо у него в голове засело предательство. Это корифей, который только для прилику задумчивость на себя напускает, а в действительности он уж давно что̀ следует разрешил, куда следует перебежал и теперь охорашивается. Таких людей нынче очень много развелось, и все они во что-то «серьезно вглядываются», в чаянии, что их куда-то призовут, хоть в переднюю посидеть. Но, право, мне кажется, что подождет-подождет ваш Пафнутьев, а его так-таки никуда и не призовут: пускай в Торопце изнывает![18] Тогда он и опять к вам с либеральной запиской приедет,— только уж вы, сделайте милость, прикажите его в ту пору в три шеи по лестнице гнать, потому что он, в противном случае, весь ваш дом запакостит. Уряднику, разумеется, об его вольнодумстве не доносите — это нехорошо,— а просто собственными средствами распорядитесь.

Помните ли вы тот вечер, когда Пафнутьев в нашем маленьком кружке (тут были: вы, я, маркиз Шассе-Краузе,[19] Иванов, Федотов и в качестве депутата от крестьян ваш сельский староста[20] Прохор Распротаков) прочитал свою первую либеральную записку: «Имеяй уши слышати да слышит»? Помните, как, по окончании чтения, вы отозвали меня в сторону и сказали: «ах, все мое существо проникнуто какою-то невыразимо сладкою музыкой!» А я на это (сознаюсь: я был груб и неделикатен) ответил: не понимаю, как это вы так легко по всякому поводу музыкой наполняетесь! просто дрянцо с пыльцой. Ах, как вы тогда на меня рассердились! Назвали неверующим, бессердечным, un homme qui ne comprend pas la poésie du coeur....

И я был глубоко несчастлив, слушая ваши укоры, до того несчастлив, что готов был просить у вас прощения и поцеловать Пафнутьева в уста... А теперь, чтò источают эти уста? Чей суд был правее: ваш или мой?

Нет, ради бога, не смешивайте вероломного корифейства Пафнутьевых с тою гнетущею подавленностью, которую вы, от времени до времени, замечаете в обществе! Примиритесь с последнею и опасайтесь первого.

NOTES

От. зап. 1881, xi; *CC* xiv, 278–81, 287–91.

1. A reference to 1879, when particularly stringent measures were taken by the authorities in response to the assassinations carried out by the *narodovol'tsy* and to the first attempts on the life of the Tsar.

2. Pimen, the monkish chronicler in Pushkin's *Boris Godunov*, parodied here as a police-informer. Cf. the opening of Pimen's monologue in Pushkin's play:

'Еще одно, последнее сказанье —
И летопись окончена моя...'

3. The pig as a symbol of rampant reaction and its propagandists was used by Saltykov in a number of his writings of this time, notably in 'Torzhestvuyushchaya svin'ya' (see **31**).

4. i.e. the voices of reaction. Трихина 'trichina' (parasite of the pig) is frequently used by Saltykov in this connection, cf. **31**, introductory note, and 'Трихинные голоса' below.

5. A disreputable character in A. V. Sukhovo-Kobylin's plays *Svad'ba Krechinskogo* and *Smert' Tarelkina*. In the first he is an associate of the swindler Krechinsky, in the second he is a police officer.

6. As opposed, that is, to any 'intoxicating' expression of liberal or radical political ideals.

7. i.e. the reactionary mob of the streets. Saltykov uses the word лоботряс in the sense of 'reactionary lout' again in his reference to the *Svyashchennaya druzhina* (in *Sovremennaya idilliya*) as Клуб взволнованных лоботрясов.

8. i.e. progressive political ideals.

9. In the capitals the concierges acted as a kind of unofficial arm of the police, functioning both as police spies and as strong-arm men as occasion demanded.

10. 'Horse-trams'.

11. Here 'ordinary persons' (< Fr. *comparse* 'extra', 'performer with walking-on part').

12. See. n. 9 above.

13. Общество refers here to educated society.

14. *Uryadniki* were first appointed in 1878 to reinforce the police force in country districts and especially to tighten political control of the provinces. They were appointed by the governor and acted under orders of the *stanovoi pristav* (see **17**, n. 2) of the district to which they were attached. The decree instituting *uryadniki* required them especially to keep watch for 'activities and agitation directed against the government, lawful authority, and public order'.

15. The reactionary tirades of M. N. Katkov's *Moskovskie vedomosti* are implied.

16. Pafnut′ev is a figure who recurs in Saltykov's works over a long period. He is a liberal *pomeshchik*, a supporter of the *zemstvo*, but when it comes to the point he will abandon his liberal professions and compromise with the authorities.

17. For сведущие люди, see **25**, n. 2. During 1881 the government invited *zemstvo* representatives to come to St. Petersburg as *svedushchie lyudi* and give advice on proposed plans for the reform of the *zemstvo* institutions, etc. The consultation of local experts was intended by the government as a conciliatory measure, but was regarded in opposition circles as a mere charade and the *svedushchie lyudi* themselves as either dupes of the government or, as implied here, its potential agents.

18. Toropets, Pafnut′ev's provincial backwater, is a town in the former *guberniya* of Pskov.

19. A landowner, characterized in the banned Letter 3 as one of the 'разных шерстей ублюдки' who follow Pafnut′ev's line. His name is from Fr. *chassé-croisé*, a dance movement.

20. See **21**, n. 14.

SALTYKOV AS A WRITER

33. *Письма к тетеньке:* Письмо 14 [extract]

Saltykov opens the fourteenth of his *Pis'ma k teten'ke* (see **32**) with a defence of himself against recent attacks from conservative critics. He rejects accusations that he derides the moral law, and justifies the repetitiveness of his works which has provoked adverse comments from his critics. In doing so, he makes an eloquent statement of his aims as a writer.

Милая тетенька.

В последнее время, я, в качестве литературного деятеля, сделался предметом достаточного количества несочувственных для меня оценок.[1] Между ними есть несколько таких, которые прямо причисляют меня в категорию «вредных» писателей, на том основании, будто бы я, главным образом, имею в виду не обличение безнравственных поступков, а отрицание самого принципа нравственности.

На это я могу ответить одно: неизменным предметом моей литературной деятельности всегда был протест против произвола, двоедушия, лганья, хищничества, предательства, пустомыслия и т. д. Ройтесь, сколько хотите, во всей массе мною написанного — ручаюсь, ничего дурного не найдете. Стало быть, весь вопрос заключается в том: следует ли признать исчисленные выше явления нормальными, имеющими что-нибудь общее с «принципом нравственности», или, напротив, правильнее отнестись к ним, как к безнравственным и возмущающим честное человеческое сердце? Конечно, есть воры, которые до того привыкли воровать, что воровство уже не представляется им позорным, и есть ханжи, которые до того привыкли колотить руками в пустые перси, что пустосвятство кажется им действительною набожностью; но разве примеры подобных самообманов могут считаться обязательными? Я думаю, что ответ на эти вопросы не может подлежать сомнению и что, стало быть, лагерь, который безрассудно возбуждает по этому поводу разглагольствие, сам на себя налагает клеймо распутства, с которым и перейдет в потомство.

Но есть другой укор, который посылается по моему адресу и в котором, я должен сознаться, имеется значительная доля правды. Укор этот заключается в том, что я повторяюсь. К сожалению, ценители мои не вникают в причины моих повторений и не представляют доказательств их неуместности, а это делает их оценки как бы направленными с единственною целью лично меня уязвить и лишает меня возможности извлечь из них какое-либо для себя поучение.

Тем не менее так как я сам признаю замечание это небезосновательным, то нахожу полезным дать по этому поводу некоторые объяснения.

Начинаю с константирования, что моя деятельность почти исключительно посвящена злобам дня. Очень возможно, что с точки зрения высшего искусства эта деятельность весьма ограниченная, но так как я никаких других претензий не заявляю, то мне кажется, что и критика вправе прилагать ко мне свои оценки только с этой точки зрения, а не с иной. Но злоба дня, вот уж почти тридцать лет, повторяется в одной и той же силе, с одним и тем же содержанием, в удручающем однообразии. Как тридцать лет тому назад мы чувствовали, что над нашим существованием витает нечто случайное, мешающее правильному развитию жизни, так и теперь чувствуем, что в той же силе и то же случайное продолжает витать над нами. Никакое правдивое перо не возьмет на себя вычеркнуть из наличности то, что хотя и не в равной степени, но всеми чувствуется, как основная и жгучая боль минуты. Никакой правдивый бытописатель не позволит себе сказать, что случайность изгибла, когда она стоит крепче и действует язвительнее, чем когда-либо. Выше я перечислил некоторые признаки ненормального состояния общественного организма, и, по мнению моему, единственно благодаря господству случайности, эти признаки не только не исчезают и не смягчаются, но делаются характеристичными чертами времени. Они находят себе апологистов, которые ежели и не утверждают прямо, что, например, хищничество есть добродетель, но всякий протест против хищничества приравнивают к потрясению основ? И, благодаря случайности, эти общественные проститутки не встречают даже отпора. Примеры гнусных сопоставлений честного протеста чуть не с вооруженным бунтом повторяются на каждом шагу и проходят вполне безнаказанно, благодаря совпадению с случайными веяниями минуты; но самая эта безнаказанность разве не знаменует собой глубокого нравственного упадка? Видеть целый сильно организованный литературный лагерь, утверждающий, что всякое проявление *порядочности* в мышлении равносильно разбою и мошенничеству, что идеалы свободы и обеспеченности суть идеалы анархии и дезорганизации власти, что человечность равняется приглашению к убийствам — право, это такое гнусное зрелище, перед которым не устоит даже одеревенелое равнодушие. А между тем это зрелище проходит перед нами каждый день, и, к удивлению, оно единственное, которое пользуется присвоенною зрелищам сценической постановкой. Каждый день из лагеря хищников, предателей, пустосвятов и проституток раздаются распутные клики, готовые задушить в обществе всякие признаки порядочности. Каждый день из растворенных хлевов вопиют голоса трихинных пристанодержателей, угрожающие, проклинающие, требующие пропятия... Спрашивается: ужели не следует как можно громче объяснять обществу, что эти мерзкие вопли — не что иное, как лганье и проституция? Нет, именно следует каждодневно, каждочасно, каждоминутно повторять: ложь! клевета! проституция! Повторять хотя бы с тем же однообразием форм и приемов, которые употребляются самими клеветниками и проститутами. Повторять, повторять, повторять.

Вот это именно я и делаю. Двадцать пять лет сряду одну и ту же ноту тяну, и ежели замолкну, то замолкну именно с этой нотой, а не с иной. И никогда не затрудняюсь тем, что нота эта звучит однообразно.

Но есть и еще причина, обусловливающая повторения: их требует сам сочувствующий мне читатель. Я ничего не создаю, ничего лично мне одному принадлежащего не формулирую, а даю только то, чем болит в данную минуту всякое честное сердце. Я даже утверждаю, что всякий честный человек, читая мои писания, непременно отожествляет мои чувства и мысли с своими. Это *он* так чувствует и мыслит, а мне только удалось сойтись с ним сердцами. И он доволен, когда ему напоминают об этих *собственных* его чувствах и мыслях, когда их воплощают перед ним в горячем слове или в живом образе — доволен, потому что это самое дорогое его достояние. Эти речи, эти образы, быть может, не задерживаются в его памяти в ярких и резко очерченных формах, но они несомненно оставляют в его сознании общее впечатление сочувственного, родственного. Ибо в этом случае происходит то интимное общение мыслей и чувств, в котором трудно определить, кто кому дает и кто у кого берет. «Это самое я всегда мыслил», говорит читатель и пускает вычитанное в общий обиход, как свое собственное. И он не совершает при этом ни малейшего плагиата, потому что, действительно, эти мысли — его собственные, точно так же, как и я не совершаю плагиата, формулируя мысли и чувства, волнующие в данный момент меня наравне с читающей массой. Ибо эти мысли и чувства — тоже мои собственные.

Повторяю: человек ни к чему так охотно не возвращается, как к предметам, которые наиболее затрогивают его существование. Он и людей тех особенно любит, о которых знает, что они болеют теми же болезнями, которыми болеет он сам. Вот почему напоминания об этих болях, как бы часто и однообразно они ни повторялись, не представляются ему назойливыми. Ибо только разделенное страдание может помочь отыскать выход из тьмы к свету, и раз желаемое общение в этом смысле установилось, напоминания об его основах не только не ослабляют общения, но, напротив, скрепляют и подтверждают его

NOTES

От. зап. 1882, iv; *CC* xiv, 441–4.

1. Particularly virulent outbursts against Saltykov by conservative critics at this time were a lecture by I. N. Pavlov, given in Moscow in March 1882, and a review of *Pis'ma k teten'ke* by P. K. Shchebal'sky in *Russkii vestnik* (1882, viii).

2. 'Subversion', 'revolution'.

3. Another reference to the pig as symbol of the reactionary press, used already in 'Torzhestvuyushchaya svin'ya' (**31**) and in the third of the *Pis'ma k teten'ke* (see **32**). Трихинный: 'trichinous' (infected with trichina, parasite of the pig).

34. *Круглый год:* Первое августа [extract]

The cycle *Kruglyi god*, written in twelve monthly parts, relates to the year 1879 (it was published 1879–80). Begun as a series of amusing contemporary sketches, the cycle became the vehicle for Saltykov's reflections on the critical situation brought about by the intensification of terrorist activity (attempts on the life of the Tsar were made in April and November 1879) and consequent repressive measures of the government. A dominant theme of these reflections is the threat posed to literature by the circumstances of the day, and much of the cycle is taken up with a general discussion of the role of literature and its current situation in Russia. Besides this, Saltykov makes some important statements on his own literary position. In the August instalment he rejects charges made against him that his works are obscure and lack any guiding principle. In the present extract he claims as proof of his clarity the simple fact that his readers understand him; he states the object of his satire, which is to condemn the whole system of Russian life, not particular manifestations of it —because 'болото родит чертей, а не черти созидают болото'; and, finally, in an important passage he defends his 'aesopic' manner of writing, which he justifies not only as an expedient to avoid censorial objections, but also as an effective means of bringing home to his readers the point of his satire.

Дело в том, что по поводу моей литературной деятельности возникают некоторые обвинительные слухи, которые, с течением времени, приобретают все более и более острый характер.[1] Обвиняют меня в беллетристическом двоедушии, требуют, чтобы я повел дело начистоту и показал свое знамя. Признаюсь откровенно, слухи эти действуют на меня болезненно. Во-первых, я вообще избегаю разговоров о своей личности, и тем более разговоров печатных, которые имеют свойство привлекать, в качестве невольного посредствующего лица, публику; во-вторых, что ж это, в самом деле, за требование такое: покажи свое знамя? Какое это знамя? разве у обывателей[2] полагаются знамена?..

Тем не менее я не желаю прикидываться ни равнодушным, ни презирающим. Говорю прямо: окрики эти трогают меня. Я слишком давно и слишком деятельно принимаю участие в русской литературе, чтобы иметь возможность разыгрывать роль постороннего зрителя относительно жизненных явлений вообще, а стало быть, и относительно делаемых по моему поводу оценок. Но этого мало; писания мои до такой степени проникнуты современностью, так плотно прилаживаются к ней, что ежели и можно думать, что они будут иметь какую-нибудь ценность в будущем, то именно и единственно как иллюстрация этой современности. Поэтому все характерные признаки ее необходимо должны оказывать на меня известное действие. Тщетно усиливался бы я замкнуться в самом себе, тщетно старался бы не видеть и не слышать: лая самой ледащей собачонки, ежели он повторяется регулярно, вполне достаточно, чтобы нарушить эту замкнутость и обратить в ничто мое насильственное равнодушие. Это до такой степени верно, что даже люди, желающие познакомиться с моим знаменем,— и те ни на что другое не бьют: ни на логику, ни на софизм, а именно только на раздражающее действие, которое должен оказывать периодически возобновляемый лай на человека, связанного крепкими узами с современностью и потому выну-

ждаемого время от времени являться с публичными отчетами
об ней.

Начну с обвинения в двусмысленности или, иначе, в двоедушии, а еще проще — в обмане. Говорят, будто я (и, конечно,
с умыслом) такую особенную манеру писать изобрел, которая
постоянно вводит в заблуждение. Кого же, однако, я хочу обмануть?

Ежели предполагается, что я желаю обмануть ту читаю-
щую публику, к которой обыкновенно обращаюсь, то предпо-
ложение это не имеет и тени правдоподобия. Я действую в
русской литературе больше тридцати лет, и из них около двадцати пяти лет, быть может, даже слишком часто напоминаю
о себе читателям. Мне кажется, что этого совершенно достаточно, чтобы публика поняла, с кем она имеет дело, и чтобы
я не имел надобности в дополнительных объяснениях и под-
черкиваниях. И действительно, она до такой степени ознако-
милась со мной, а в особенности с теми намерениями, которые
стоят у меня на первом плане, что я просто-напросто ни спря-
таться за псевдонимом, ни притвориться не самим собой не
могу. И я думаю, что ежели читатель так легко узнает меня,
то причина этого заключается не столько в манере моих писа-
ний, сколько в их содержании. Так что, если бы я, например,
позволил себе порицать добродетель и возвеличивать порок,
то я убежден, что, несмотря ни на какие «манеры», публика
поняла бы, что я сделал дурной поступок, и отвернулась бы от
меня.

Не надо забывать, что русский писатель вообще (а в том
числе, конечно, и я) имеет дело с очень ограниченным кругом
читателей, который, право, не так-то легко объегорить «манерами». В среде этой есть люди, симпатизирующие мне, но
найдется достаточно и таких, которых одно напоминание обо
мне приводит в раздражение. Ужели и эти симпатии, и эти
ненависти имеют источником одно недоразумение? По-моему,
это уже слишком явная бессмыслица, чтобы нужно было ее
опровергать.

Ежели же предположить, что я желаю своими «манерами»
обмануть начальство — упаси бог! Кроме того, что я совершенно правильно сознаю свои обязанности в отношении к начальству, я положительно убежден, что начальство понимает
мои желания столь же ясно, как и публика. Оно видит мое
усердие и сознает, что если я по временам заблуждаюсь, то не
по обдуманному заранее умыслу, а по простоте душевной и из
желания пользы ближнему. Сверх того оно знает, что хотя
существование такого писателя, как я, и не приносит большой

славы отечеству, но оно и не бесчестит его, а стало быть, во всяком случае, законами не возбраняется. Если же и можно заподозрить меня в том, что я не всегда выкладываю все, что у меня на душе, то и в этом начальство усматривает не двоедушие и обман, но лишь полезную сдержанность, которую я приношу в жертву на алтарь отечеству. И, по соображении всех этих усмотрений, не находя достаточных поводов для принятия мер строгости, оно предоставляет мне спокойно заниматься моим ремеслом.

Я не отрицаю, что в писаниях моих нередко встречаются вещи довольно неожиданные, но это зависит от того, что в любом курсе реторики существуют указания на тропы и фигуры, и я, как человек, получивший образование в казенном заведении, не имею даже права оставаться чуждым этим указаниям. Есть метафора, есть метонимия, синекдоха... Наконец, существуют особые рубрики литературного труда, носящие названия «сатиры», «эпиграммы» и проч., которые тоже, с разрешения реторики, допускаются к обнародованию, с тем чтобы, по отпечатании, надлежащее количество экземпляров было представлено в цензурный комитет. Теперь сообразите: ведь начальство само предписало преподавание реторики в казенных заведениях — каким же образом оно может, без явного противоречия с самим собой и даже без явной несправедливости, преследовать то, что разрешено им самим разрешенною реторикой?..

Как бы то ни было, но обвинения в двоедушии и обмане, как относительно публики, так и относительно начальства, оказываются вполне несостоятельными. Сами обвинители мои только притворяются недоумевающими. Очень хорошо они знают, об чем я говорю, и ежели им что во мне не нравится, то это именно моя сдержанность. Они не без основания полагают, что будь я менее сдержан — из этого непременно произойдет для меня молчание! Вот чего им хочется, а мне этого не хочется. И как ни сильны бывают порой сомнения, меня обуревающие, но мне кажется, что в этом случае я все-таки поборю.

Но обвинение не довольствуется одними голословными заявлениями и приводит в подтверждение очень веский и доказательный, по мнению его, факт. Оказывается, что я так обстроил свои делишки, что сумел понравиться даже тем, на кого я обыкновенно нападаю! Ну, как же, мол, это не обман?

Рискуя быть заподозренным в самохвальстве, я думаю, однако ж, что дело объясняется гораздо проще. Несомненно, что существует почва, на которой читатель охотно примиряется с обличениями. Эта почва: добродушие, смех и человечное отношение к действующим лицам живописуемой комедии. Ведь на свете живут не одни прожженные шалопаи, которые в смехе готовы заподозрить продерзость, а в человечности — пособничество и укрывательство. Большинство смертных не только видит в этих качествах смягчающее обстоятельство, но и признает, что человек, обладающий ими, не имеет основания сидеть сложа руки. Я никого не бью по щекам, хотя некоторые «критики» и уверяют, что я только этим и занимаюсь. Моя резкость имеет в виду не личности, а известную совокупность явлений, в которой и заключается источник всех зол, угнетающих человечество. Читатель, очевидно, понимает, что такова именно моя мысль, и, вследствие этого, мирится со мною даже тогда, когда я, по-видимому, обличаю его самого. Он инстинктивно чувствует, что я совсем не обличитель, а адвокат. Что я вижу в нем жертву общественного темперамента, необходимую мне совсем не для потасовки, а только в качестве иллюстрации этого последнего.

Я очень хорошо помню пословицу: было бы болото, а черти будут, и признаю ее настолько правильною, что никаких вариантов в обратном смысле не допускаю. Воистину болото родит чертей, а не черти созидают болото. Жалкие черти! как им очиститься, просветлеть, перестать быть чертями, коль скоро их насквозь пронизывают испарения болота! Жалкие и смешные черти! как не смеяться над ними, коль скоро они сами принимают свое болото всурьез и устроивают там целый нелепый мир отношений, в котором бесцельно кружатся и мятутся, совершенно искренно веря, что делают какое-то прочное дело! Да, смешны и жалки эти кинутые в болото черти, но само болото — не жалко и не смешно...

Есть и еще обвинение, касающееся того же двоедушия. Говорят, что я изображаю в смешном виде русских консерваторов — стало быть, я не консерватор; но тут же рядом и в столь же неудовлетворительном виде я изображаю и русских либералов — стало быть, я и не либерал. Если первое можно было объяснить предполагаемым во мне либерализмом, то чем объяснить второе? Не желанием ли понравиться начальству и тем хотя отчасти искупить продерзостные нападки на консерваторов?.. Ну вот, и слава богу!

Итак, ежели в писаниях моих и обретается что-либо неясное, то никак уж не мысль, а разве только манера. Но и на это я могу сказать в свое оправдание следующее: моя манера писать есть манера рабья. Она состоит в том, что писатель, берясь за перо, не столько озабочен предметом предстоящей работы, сколько обдумыванием способов проведения его в среду читателей. Еще древний Езоп занимался таким обдумыванием, а за ним и множество других шло по его следам. Эта манера изложения, конечно, не весьма казиста, но она составляет оригинальную черту очень значительной части произведений русского искусства, и я лично тут ровно ни при чем. Иногда, впрочем, она и не безвыгодна, потому что, благодаря ее обязательности, писатель отыскивает такие пояснительные черты и краски, в которых при прямом изложении предмета не было бы надобности, но которые все-таки не без пользы врезываются в памяти читателя. А сверх того, благодаря той же манере, писатель приобретает возможность показывать некоторые перспективы, куда запросто и с развязностью военного человека войти не всегда бывает удобно. Повторяю: это манера несомненно рабья, но при соответственном положении общества вполне естественная, и изобрел ее все-таки не я. А еще повторяю: она нимало не затемняет моих намерений, а, напротив, делает их только общедоступными.

NOTES

От. зап. 1879, x; *CC* xiii, 501–6.

1. Saltykov's work was criticized by contemporaries on two main counts—first, his alleged lack of any positive ideal, and secondly, the obscurity of his writing. The former, more important, criticism was first voiced by Pisarev in an article of 1864 (reviewing *Satiry v proze* and *Nevinnye rasskazy*) entitled 'Tsvety nevinnogo yumora'. Pisarev claimed that Saltykov's satires lacked any serious significance and were mere buffoonery (*balagurstvo*). Pisarev's view was repeated, with variations, by some later critics, and Saltykov may have had in mind such recent examples of this line of criticism as the articles by 'N. Yazykov' (N. V. Shelgunov) in *Delo* in 1876, 'I. B—kov' (= ?) in *Russkii mir* in 1878, and V. Burenin in *Novoe vremya* at various times (see N. Denisyuk, ed., *Kriticheskaya literatura o proizvedeniyakh M. E. Saltykova-Shchedrina* (M., 1905), vyp. iii).

2. i.e. ordinary citizens, as distinct from the state.

3. i.e. that he would be silenced by censorship or arrest.

4. It was a fact that Saltykov's satires were read and appreciated, particularly for their humour, by a much wider public than that which shared his social and political views.

35. *Помпадуры и помпадурши:* Помпадур борьбы [extract]

An important part in Saltykov's satire is played by hyperbole and fantasy. In this extract from *Pompadury i pompadurshi* Saltykov claims that it is wrong to consider exaggeration as necessarily a distortion of reality: in fact it may provide an accurate indication of the essential character of a person or thing, the expression of which is normally inhibited by convention or circumstances. A similar justification can be made for the use of fantasy, also commonly used by Saltykov (particularly in satires of the 1860s and in the later *skazki*)—fantastic form can be an effective means of revealing the underlying truth about a character or situation.

The beginning of the chapter 'Pompadur bor'by' from which this extract is taken can be found in **13** above. The chapter continues with an extravagant account of the further development of the governor (*pompadur*) Feden'ka Krotikov: he abandons the fashionable liberalism he had cultivated, ceremonially recants his liberal aberrations ('отрекается от сатаны'), and launches a crusade of militant conservatism. It is in connection with this transformation that Saltykov discusses the question of satirical hyperbole.

Я знаю: прочитав мой рассказ, читатель упрекнет меня в преувеличении. Помилуйте! — скажет он,— разве мы не достаточно знаем Федора Павлыча Кротикова? Никто, конечно, не станет отрицать, что это — малый забавный, а отчасти даже и волшебный, но ведь и волшебность имеет свои пределы, которые даже самый беспардонный человек не в силах переступить. Ну, с какой стати Феденька будет отрекаться от сатаны? Не пожелает ли он скорее познакомиться с ним? С какой стати придет ему в голову возводить девицу Волшебнову в сан Иоанны д'Арк?[1] Зачем ему Иоанна д'Арк? Не поспешит ли он, наоборот, и настоящую-то Иоанну д'Арк, если б таковая попала ему под руку, поскорее произвести в сан девицы Волшебновой?

Как ни вески могут показаться эти возражения, но я позволяю себе думать, что они не больше как плод недоразумения. Очевидно, что читатель ставит на первый план форму рассказа, а не сущность его, что он называет преувеличением то, что, в сущности, есть только иносказание, что, наконец, гоняясь за действительностью обыденною, осязаемою, он теряет из вида другую, столь же реальную действительность, которая, хотя и редко выбивается наружу, но имеет не меньше прав на признание, как и самая грубая, бьющая в глаза конкретность.

Литературному исследованию подлежат не те только поступки, которые человек беспрепятственно совершает, но и те, которые он несомненно совершил бы, если б умел или смел. И не те одни речи, которые человек говорит, но и те, которые он не выговаривает, но думает. Развяжите человеку руки, дайте ему свободу высказать *всю* свою мысль — и перед вами уже встанет не совсем тот человек, которого вы знали в обыденной жизни, а несколько иной, в котором отсутствие стеснений, налагаемых лицемерием и другими жизненными условностями, с необычайною яркостью вызовет наружу свойства, остававшиеся дотоле незамеченными, и, напротив, отбросит на задний план то, что на поверхностный взгляд составляло главное определение человека. Но это будет не преувеличение и не искажение действительности, а только разоблачение той *другой* действительности, которая любит прятаться за обыденным фактом и доступна лишь очень и очень пристальному наблюдению. Без этого разоблачения невозможно воспроизведение *всего* человека, невозможен правдивый суд над ним. Необходимо коснуться всех готовностей, которые кроются в нем, и испытать, насколько живуче в нем стремление совершать такие поступки, от которых он, в обыденной жизни, поневоле отказывается. Вы скажете: какое нам дело до того, волею или неволею воздерживается известный субъект от известных действий; для нас достаточно и того, что он не совершает их... Но берегитесь! *сегодня* он действительно воздерживается, но завтра обстоятельства поблагоприятствуют ему, и он *непременно* совершит все, что когда-нибудь лелеяла тайная его мысль. И совершит тем с большею беспощадностью, чем больший гнет сдавливал это думанное и лелеянное.

Я согласен, что в действительности Феденька многого не делал и не говорил из того, что я заставил его делать и говорить, но я утверждаю, что он *несомненно все это думал* и, следовательно, сделал бы или сказал бы, если б умел или смел. Этого для меня вполне достаточно, чтоб признать за моим рассказом полную реальность, совершенно чуждую всякой фантастичности.

Многое потому только кажется нам преувеличением, что мы без должного внимания относимся к тому, что делается вокруг нас. Действительность слишком примелькалась нам, да и мы сами как-то отвыкли отдавать себе отчет даже в тех наблюдениях, которые мы несомненно делаем. Поэтому, когда литература называет вещи не совсем теми именами, с которыми мы привыкли встречаться в обыденной жизни, нам думается уже, что это небывальщина.

Но на самом деле небывальщина гораздо чаще встречается в действительности, нежели в литературе. Литературе слишком присуще чувство меры и приличия, чтоб она могла взять на себя задачу с точностью воспроизвести карикатуру действительности. Напрасно усиливалась бы она опошлять и искажать действительность — в последней всегда останется нечто, перед чем отступит самая смелая способность к искажениям. Исказители! карикатуристы! возглашают близорукие люди. Но пускай же они укажут пределы глупого и пошлого, до которых не доходила бы действительность, пусть хоть раз в жизни сумеют понять и оценить то, что на каждом шагу слышит их ухо и видит их взор!

Если б я рассказал жизнь Феденьки в форме обнаженной летописи выдающихся фактов его деятельности, я думаю, что читатель был бы более вправе упрекнуть меня в искажении, хотя бы в моем рассказе не было на горчичное зерно вымысла. Нет ничего несогласнее с истиной, как истина в том смысле, в каком ее понимает большинство людей. Ежели судить по рассказам летописцев, передающих только голые факты, то Феденьку пришлось бы, пожалуй, назвать злодеем. Такова истина большинства. Но это уже по тому одному неправда, что если б Феденька был заправский злодей, то обывателю Навозного[2] невозможно было бы существовать. Сверх того: злодей имеет систему, а у Феденьки в распоряжении находится лишь яичница; злодей не выступит на арену, не подготовившись заранее, не просондировав те места, где удобнее класть отраву, Феденька же не только ни к чему не подготовлен, но имеет все свойства молодого жеребчика, вырвавшегося на волю из стойла. Он гогочет и роет землю, сам не зная зачем. Поэтому, присматриваясь к нему, я убеждаюсь, что главное его качество есть простодушие, усугубленное неразвитостью, и что вследствие этого голова его полна бредней, которые, смотря по обстоятельствам, принимают благоприятный или неблагоприятный для обывателя характер. Многие из этих бредней до того фантастичны, что он сам старается скрыть их, но я ловлю его на полуслове, я пользуюсь всяким темным намеком, всяким минутным излиянием, и с помощью ряда усилий вступаю твердой ногой в храмину той другой, не обыденной, а скрытой действительности, которая одна и представляет верное мерило для всесторонней оценки человека. Не знаю, в какой степени усилия мои увенчаются успехом, но убежден, что прием мой, во всяком случае, должен быть признан правильным.

Говорят о карикатуре и преувеличениях, но нужно только осмотреться кругом, чтоб обвинение это упало само собою.

277

Чего стоит борьба с привидениями, на которую так легко решается даже простодушнейший из помпадуров!

Чего стоит мысль, что обыватель есть не что иное, как административный объект, все притязания которого могут быть разом рассечены тремя словами: не твое дело!

Это ли не карикатура?

Но кто же пишет эту карикатуру? не сама ли действительность? не она ли на каждом шагу обличает самоё себя в преувеличениях?

«Из Егорьевска пишут»... «из Белебея пишут»... «из Пронска пишут»³... умейте же, наконец, читать, господа!

Возьмите для себя исходным пунктом хоть известие: «из Пронска пишут: вчера наш помпадур, будучи на охоте, устроенной, в честь его, одним из подгородных землевладельцев, переломил пастуху ребро»... и идите дальше. Ежели сегодня оказывается возможным и безнаказанным такое-то очевидно волшебное действие, то спросите себя, какие размеры примет это волшебство завтра? Не останавливайтесь на настоящей минуте, но прозревайте в будущее. Тогда вы получите целую картину волшебств, которых, *быть может,* еще нет в действительности, но которые несомненно придут...

Как бы то ни было, но повторяю: карикатуры нет... кроме той, которую представляет сама действительность.

NOTES

От. зап. 1873, ix; *CC*, viii, 189–92.

1. In his conservative crusade Krotikov had envisaged his mistress Volshebnova as fulfilling the role of Jeanne d'Arc.
2. The town of which Krotikov is governor.
3. The form in which items from provincial correspondents appeared in the press—items from real life which, Saltykov suggests, are as fantastic as any imaginary ones.

Glossary

WORDS listed in the Glossary are (i) words which are not given in *The Oxford Russian–English Dictionary* or cannot readily be deduced from words which are given there; (ii) words used in senses other than those recorded in the same dictionary. Words explained in the Notes are omitted, and for convenience only the senses appropriate to the words as used in the texts are given.

аманта	mistress
атласистость:	
а. сердечная	geniality
баламут	agitation, disturbance
барская спесь	variety of campion
белоус	mat-weed
благопопечитель- ный	solicitous
благостыня	gift, benefit
благоустройство	good order
брантмейстер	fire-brigade chief
велемудрый	sage
веселонравный	jolly, light-hearted
взбодрить	to raise, build (quickly)
взбондировать	to thrash (?)
вкупе: в. и влюбве	in harmony
возжаться	=возиться
волтерианство	Voltaireanism
всенепременно	without fail
всурьез	seriously
гожий	fit, suitable
головль (=голавль)	chub
горлопан	bawler
гречневики	buckwheat cakes
гымкать	to bark, whine
доднесь	to the present day
долить	to get the upper hand
душить	to drink (in large quantity)

зажор(а)	water filling holes and ruts on roadways during spring thaw
заполевать	to catch (while hunting)
золотарь	cesspit cleaner
зорить	to ruin
инда, инно	so that (expressing result)
кабачник	tavern-keeper
кепе	(uniform) cap
кизлярка	a poor-quality vodka
клапштос	screw shot (in billiards)
кудластый	tousle-headed
купно	together (with)
купчина (*pejorative for* купец)	merchant
ламуш	la mouche (a card game)
ледащий	feeble, miserable
мирком: м. да ладком	in friendly fashion
мурья	dingy hovel
мяконький	soft
накуралесить (=накуролесить)	to do mischief
напоять	to fill (with drink, etc.)
натянуться	to get tight (drunk)
неизъятый	not lacking, not excluding
немотствовать	to be silent
немчура (*pejorative for* немец)	German swine, etc.
неприкрытость	defencelessness
неупустительно	without fail
ночная	night pasture
онамеднись	the other day
отличка	difference, distinction
отметчик	compiler of news column (in newspapers)
отъявиться	to appear
охотчий (=охочий)	keen
ощериться	to rise (of bristles)
палестина	region, district
паскуда	wretch, baggage
переделка	difficult situation
переузина	narrows
пертурбация	disturbance
пестрядинный	of coarse coloured cotton

пеун	cock
плесо	stretch (of river), expanse (of lake)
погрузнуть	to sink
подобранный	(of stomach) pulled in, contracted
подчасок	deputy constable
позевота	yawn(ing)
поимщик	captor, pursuer
помавание	shaking
почесть	almost, practically
предика	sermon, homily
привышный	accustomed
приданый	given as part of dowry
прижать	to put by (money)
продерзость	gross impertinence
проклажаться (=прохлаждаться)	to take it easy
пропятие	crucifixion
просондировать	to sound (out)
прохвост	see **3**, n. 10.
пустосвят(ство)	humbug
пустынножитель	hermit
размостить	to unpave
рандеву	rendezvous
расподлеющий	thoroughly villainous
расточать	to scatter abroad
резка	chopped fodder
рыхлый	easy-going, slack
сморенный	worn out
совлекать	to strip off
сомовина	sheat-fish
спровадить	to get shot of, to 'unload' (on)
срамец	shameless creature
становиха	wife of *stanovoi pristav*
сумление	doubt
сусек	corn-bin
суслон	stook
сходственный	appropriate
съезжий: с. дом	jail
сызмалолетства	from tender years
сызмлада	from childhood
сыта: медовая с.	honeyed water
табелька	a card game
талька	hank (of yarn, etc.)

тандресс	tender way(s)
татарское мыло	soapwort
торопко	hurriedly
трихина	trichina (parasitic worm of pigs)
убытчиться	to incur loss
угода (=угодье)	land, property
уколупнуть	to strip, tear off (bark, flesh)
умертвие	death, killing
уповательный	hopeful
участок	police district; police station
форштадт	suburb
харчиться	to feed, provide food for oneself
хмара	cloud
царские кудри	Turk's-head lily
чернядь	rabble
чижовка	jail, 'clink'
чудище	monster
шаром: даром да ш.	for nothing
шелепы	lashes
щуренок	young pike
эстолько: ни на э.	not in the least
ябедник	pettifogger
яко	like, as
ярочка (< ярка)	young ewe

Bibliography

THE bibliography lists the main modern editions of Saltykov's works and major biographical and critical studies. For detailed bibliographies the reader is referred to the works of Dobrovol'sky and Baskakov cited in II below.

I WORKS

(i) *Complete works*:

Н. Щедрин (М. Е. Салтыков), *Полное собрание сочинений* (М., 1933–1941). 20 vols.

М. Е. Салтыков-Щедрин, *Собрание сочинений в 20-и томах* (М., 1965–76).

(ii) *Selected works*:

М. Е. Салтыков-Щедрин, *Сочинения* (М.-Л., 1926–8). 6 vols.

Н. Щедрин (М. Е. Салтыков), *Собрание сочинений* (М., 1951). 12 vols.

II BIBLIOGRAPHY

Добровольский, Л. М., *Библиография литературы о М. Е. Салтыкове-Щедрине, 1848–1917* (М.-Л., 1961).

Баскаков, В. Н., *Библиография литературы о М. Е. Салтыкове-Щедрине, 1918–1965* (М.-Л., 1966).

——, Библиография литературы о М. Е. Салтыкове-Щедрине (1965–1974), in: *Салтыков-Щедрин, 1826–1976: статьи, материалы, библиография* (Л., 1976).

III CRITICAL AND BIOGRAPHICAL STUDIES

(i) *in Russian*:

Арсеньев, К. К., *Салтыков-Щедрин: литературно-общественная характеристика* (Спб., 1906).

Бушмин, А. С., *Сатира Салтыкова-Щедрина* (М.-Л., 1959).

——, *Сказки Салтыкова-Щедрина* (М.-Л., 1960).

——, *М. Е. Салтыков-Щедрин* (Л., 1970).

Григорьян, К. Н., *Роман М. Е. Салтыкова-Щедрина «Господа Головлевы»* (М.-Л., 1962).

Денисюк, Н. Ф., ed., *Критическая литература о произведениях М. Е. Салтыкова-Щедрина* (5 вып.) (М., 1905).

Bibliography

Евгеньев-Максимов, В. Е., *В тисках реакции. К столетию рождения М. Е. Салтыкова-Щедрина* (М.-Л., 1926).

Ефимов, А. И., *Язык сатиры Салтыкова-Щедрина* (М., 1953).

Иванов-Разумник, Р. В., *М. Е. Салтыков-Щедрин. Жизнь и творчество*, т. 1 (М., 1930). No more published.

Кирпотин, В. Я., *Михаил Евграфович Салтыков-Щедрин. Жизнь и творчество* (изд. переработанное) (М., 1955).

Литературное наследство, 11–12, 13–14 (М., 1933–4).

Макашин, С. А., *Салтыков-Щедрин. Биография* [1826–55] (М., 1949; 2nd ed., М., 1951).

——, *Салтыков-Щедрин на рубеже 1850–1860 годов. Биография* (М., 1972).

Николаев, Д. П., *«История одного города» М. Е. Салтыкова-Щедрина* in: *Три шедевра русской классики* (М., 1971).

Ольминский, М. С., *Щедринский словарь* (М., 1937).

Покусаев, Е. И., *Салтыков-Щедрин в шестидесятые годы* (Саратов, 1957).

——, *Революционная сатира Салтыкова-Щедрина* (М., 1963).

М. Е. Салтыков-Щедрин в воспоминаниях современников (М., 1957; 2nd ed., revised and enlarged, 2 vols., М., 1975).

М. Е. Салтыков-Щедрин в русской критике (М., 1959).

Эйхенбаум, Б. М., *«История одного города» М. Е. Салтыкова-Щедрина* (Комментарий), in: Б. М. Эйхенбаум, *О прозе* (Л., 1969). First published in М. Е. Салтыков (Щедрин), *История одного города* (Детгиз, Л., 1935).

Эльсберг, Я., *Стиль Щедрина* (М., 1940).

——, *Салтыков-Щедрин. Жизнь и творчество* (М., 1953).

(ii) *in other languages*:

Ivanof, A., *Le fiabe di Saltykov-Ščedrin* (Padua, 1964).

Kupferschmidt, H.-G., *Saltykow-Stschedrin: philosophisches Wollen und schriftstellerische Tat* (Halle, 1958).

Sanine, K., *Saltykov-Chtchédrine: sa vie et ses oeuvres* (Bibliothèque russe de l'Institut d'études slaves, 29) (Paris, 1955).

Strelsky, N., *Saltykov and the Russian Squire* (New York, 1940; reprint 1966).